12h00 Ivanhoe Ave.

7175 Blvd Wilfrid Hamel

872 9831

route de l'aéroport

après.

retour.. à 5 hre.

MORT AVEUGLE

Tourne à gche
descend Desbiadiers →
tourne à drte 3 à 400 mètre – au stop
tourne à gche → blvd Capitale
tout dt. > courbe
sortie Hamel Ouest

KARIN SLAUGHTER

Mort aveugle

ROMAN TRADUIT DE L'AMÉRICAIN PAR PAUL THOREAU

GRASSET

Titre original :

BLINDSIGHTED

William Morrow, Harper Collins Publishers, 2005

A mon père, qui m'a appris à aimer le Sud,
et pour Billie Bennett, qui m'a encouragée
à écrire des histoires inspirées par cet univers.

Lundi

Un

Sara Linton se cala contre le dossier de son fauteuil, en articulant au téléphone un « oui, maman » prononcé à mi-voix. C'est à peine si elle eut le temps de se demander quand elle aurait passé l'âge de sauter sur les genoux de sa mère.

« Oui, maman », répéta-t-elle en tapotant le bout de son stylo sur le bureau. Elle sentit une bouffée de chaleur lui monter aux joues, et une impression de malaise l'envahit.

On frappa un coup feutré à la porte, puis il y eut cette question hésitante :

« Docteur Linton ? »

Sara contint son soupir de soulagement.

« Il faut que j'y aille », signala-t-elle à sa mère, qui lui lança une dernière admonestation avant de raccrocher.

Nelly Morgan fit coulisser la porte, en considérant Sara d'un air dur. En sa qualité d'agent administratif de la clinique pédiatrique Heartsdale, Nelly lui tenait lieu de secrétaire. Aussi loin que remontaient les souvenirs de Sara, Nelly gérait déjà cet établissement, et c'était même le cas du temps où elle y avait été admise en tant que patiente.

« Tu as les joues en feu, souligna Nelly.

— Je viens de me faire engueuler par ma mère. »

Nelly haussa le sourcil.

« J'imagine qu'elle avait de bonnes raisons.

— Si l'on veut, répliqua-t-elle, espérant clore le sujet.

— Les résultats du labo concernant Jimmy Powell sont arrivés, lui annonça Nelly sans cesser de la toiser du regard. Et le courrier », ajouta-t-elle, en laissant tomber une pile de lettres au sommet de la corbeille en plastique qui ploya sous l'excédent de poids.

Sara parcourut le fax avec un soupir. Les bons jours, elle diagnostiquait des otites et des laryngites. Aujourd'hui, elle allait devoir annoncer aux parents d'un garçon de douze ans que leur fils souffrait de leucémie myéloblastique.

« Pas brillants », devina Nelly. Elle travaillait dans cette clinique depuis suffisamment longtemps pour savoir lire des résultats d'analyse.

« Non, confirma Sara, en se frottant les yeux. Pas brillants du tout. » Elle se redressa sur son siège.

« Les Powell sont à Disney World, c'est ça ? demanda-t-elle.

— Pour l'anniversaire de leur garçon, précisa Nelly. Ils devraient être rentrés ce soir. »

Sara se sentit envahie par la tristesse. Elle ne s'était jamais faite à l'idée d'annoncer ce genre de nouvelles.

« Je peux les prévoir pour demain matin à la première heure, suggéra Nelly.

— Merci », lui répondit Sara en rangeant les résultats du laboratoire dans le dossier de Jimmy Powell. Au même instant, elle jeta un coup d'œil à la pendule sur le mur et ne put réprimer une exclamation.

« C'est l'heure juste ? », demanda-t-elle en consultant sa montre. J'étais censée retrouver Tessa pour déjeuner, et je devrais y être depuis un bon quart d'heure.

Nelly vérifia sa montre à son tour.

« Si tard ? Vu l'heure, on est plus proches du dîner que du déjeuner.

— De son côté, c'était le seul moment possible », se défendit le docteur Linton en rassemblant les dossiers de ses patients. Elle heurta la corbeille du courrier arrivé, le tas de papiers se répandit par terre et la corbeille en plastique se fendilla.

« Quel bordel », siffla Sara.

Nelly fit mine de l'aider, mais elle l'arrêta. Mis à part le fait qu'elle n'aimait pas que les autres se chargent de ranger son fouillis, elle craignait, si Nelly réussissait à se mettre à genoux, qu'elle ne parvienne jamais à se relever sans un solide coup de main.

« J'ai tout, lui dit Sara en ramassant la pile et en la lâchant sur son bureau. Il y avait autre chose ? »

Nelly afficha un grand sourire.

« L'inspecteur Tolliver est en attente sur la trois. »

Sara assumait la double fonction de pédiatre et de médecin légiste de la ville. Jeffrey Tolliver, son ancien mari, était le chef de la police. Pour l'appeler au beau milieu de la journée, il ne pouvait avoir que deux motifs, aussi peu plaisants l'un que l'autre.

Gagnée par l'appréhension, elle se releva et décrocha le combiné, décidée à laisser à son ex-mari le bénéfice du doute.

« Tu as intérêt à ce que quelqu'un soit mort. »

La voix de Jeffrey était déformée, et elle en déduisit qu'il l'appelait depuis son portable.

« Désolé de te décevoir, lui répliqua-t-il. Je patiente depuis dix minutes. Et si c'était une urgence ? »

Sara glissa des papiers dans sa serviette. C'était une règle non écrite de la clinique que d'imposer un véritable parcours du combattant à Jeffrey avant qu'il ne puisse l'obtenir au bout du fil. Elle était d'ailleurs fort surprise que Nelly se soit même souvenue de lui annoncer que Jeffrey était en attente.

« Sara ? »

Elle lança un coup d'œil en direction de la porte, en marmonnant entre ses dents :

« Je le savais, j'aurais déjà dû être partie.

— Je te demande pardon ? fit-il, et sa voix fut suivie d'un léger écho, à cause du portable.

— Je disais qu'en cas d'urgence, tu envoies toujours quelqu'un, mentit-elle. Où es-tu ?

— A la fac, lui répondit-il. J'attends les chiens de garde. »

Il usait du terme par lequel les vigiles chargés de la sécurité à Grant Tech, l'université d'Etat située en centre-ville, se désignaient eux-mêmes.

« Qu'y a-t-il ? lui demanda-t-elle.

— Je voulais juste savoir comment tu allais.

— Ça va », lâcha-t-elle, cassante, en ressortant les papiers de sa serviette non sans se demander pourquoi elle les y avait mis. Elle feuilleta certains dossiers, et les enfourna dans la poche extérieure.

« Je déjeune avec Tess et je suis en retard, ajouta-t-elle. Tu avais besoin de quelque chose ? »

Il eut l'air déconcerté par sa sécheresse de ton.

« Non, seulement, hier, tu avais l'air perturbée, lui rappela-t-il. A l'église.

— Je n'étais pas perturbée », grommela-t-elle, en

farfouillant dans son courrier. Elle s'arrêta sur une carte postale, et tout son corps se raidit. La carte était illustrée d'une photo de l'Emory University, à Atlanta, l'alma mater de Sara. Et tapés proprement à la machine à côté de son adresse de la clinique pédiatrique, les mots : *Pourquoi m'as-tu oublié ?*

« Sara ? »

Elle fut parcourue d'un frisson glacial.

« Il faut que j'y aille.

— Sara, je... »

Elle raccrocha avant que Jeffrey ait pu achever sa phrase, fourra trois dossiers médicaux de plus dans sa serviette, ainsi que la carte postale. Elle sortit par la porte latérale sans que personne l'aperçoive.

Elle posa le pied dans la rue, et fut aussitôt baignée de soleil. Il y avait dans l'air un brin de fraîcheur qu'on ne ressentait pas ce matin, et des nuages noirs promettaient de la pluie pour plus tard dans la soirée.

Une Thunderbird rouge la dépassa, un petit bras s'agitait à la fenêtre.

« Coucou, docteur Linton », s'exclama l'enfant.

Elle lui adressa un signe, répondit d'un « coucou » en traversant la rue. Elle changea sa serviette de main et coupa par la pelouse devant la faculté. Elle prit à droite sur le trottoir, se dirigea vers Main Street, et arriva au restaurant en moins de cinq minutes.

Tessa était assise dans un box contre le mur du fond de la salle déserte, en train de manger un hamburger. Elle n'avait pas l'air contente.

« Désolée, je suis en retard », s'excusa Sara en s'approchant de sa sœur. Elle ébaucha un sourire, mais Tessa n'était pas d'humeur.

« Tu avais dit deux heures. Il est presque deux heures et demie.

— J'avais de la paperasse à terminer », plaida-t-elle en calant son cartable dans le box. Tessa était plombier, comme leur père. Si les canalisations bouchées n'avaient rien de drôle, la maison Linton et Filles recevait rarement le genre d'appels urgents qui constituaient le lot quotidien de Sara. Sa famille était incapable de saisir ce qu'une journée chargée représentait pour elle, et ils étaient tous constamment irrités par ses retards.

« J'ai appelé la morgue à deux heures, l'informa Tessa, en grignotant une frite. Tu n'y étais pas. »

Sara s'assit en maugréant, et se passa la main dans les cheveux.

« Je suis repassée à la clinique, et maman m'a appelée et puis je n'ai pas vu le temps passer. » Elle s'arrêta là, répétant ce qu'elle répondait invariablement.

« Je suis navrée. J'aurais dû t'appeler. » Comme Tessa ne réagissait pas, elle poursuivit.

« Soit tu continues de me faire la tête pendant tout le déjeuner, soit tu laisses tomber et je t'offre une part de gâteau au chocolat et à la crème.

— Non, un Red Velvet, marchanda Tessa.

— Marché conclu », accepta-t-elle, et elle en fut soulagée au-delà de toute mesure. Il était déjà suffisamment pénible que sa mère soit en colère contre elle.

« A propos de coups de fil, commença Tessa, et Sara comprit où sa sœur voulait en venir avant même qu'elle n'ait posé sa question, tu as des nouvelles de Jeffrey ? »

Sara se leva, plongea la main dans sa poche de poitrine. Elle en sortit deux billets de cinq dollars.

« Il a appelé avant que je ne quitte la clinique. »

Tessa lâcha un rire tonitruant qui remplit toute la salle du restaurant.

« Et qu'est-ce qu'il t'a raconté ?

— J'ai raccroché avant qu'il ait pu prononcer le moindre mot », rétorqua Sara, en tendant l'argent à sa sœur.

Tessa glissa les deux billets de cinq dans la poche arrière de son jean.

« Alors comme ça, maman t'a appelée ? Elle était vachement en pétard contre toi.

— Moi aussi, je suis assez en pétard contre moi », renchérit-elle. Deux ans après son divorce, elle n'arrivait pas à se défaire de son ancien mari. Elle oscillait entre sa haine de Jeffrey Tolliver et sa haine d'elle-même à cause de tout ceci. Elle avait simplement envie de pouvoir passer une journée sans penser à lui, sans qu'il intervienne dans sa vie. Hier, ce n'était pas le bon jour, et aujourd'hui apparemment pas davantage.

Pour sa mère, le dimanche de Pâques était un jour important. Sara n'était pas particulièrement croyante, mais enfiler un collant un dimanche par an, c'était peu cher payer pour le bonheur de Cathy Linton. Sara n'avait pas prévu que Jeffrey serait présent à l'église. Elle l'avait aperçu du coin de l'œil, juste avant le premier hymne. Il était assis trois rangs derrière elle, sur sa droite, et ils avaient dû se repérer l'un l'autre au même moment. Sara avait été la première à se contraindre à regarder ailleurs.

Assise là, fixant le prêtre des yeux sans écouter un mot de ce qu'il racontait, elle avait senti le regard de Jeffrey posé sur sa nuque. Il la fixait si intensément, avec tant de feu dans les yeux, qu'elle se sentit submergée d'une bouffée de chaleur. Elle avait beau être assise dans une église, sa mère d'un côté, Tessa et son père de l'autre, elle avait senti son corps réagir sous ce regard... Il y avait quelque chose de propre à cette période de l'année qui la transformait en une tout autre personne.

Elle se surprenait en train de gesticuler sur son banc, songeant aux attouchements de Jeffrey, au contact de ses mains sur sa peau, quand Cathy Linton lui avait flanqué un coup de coude dans les côtes. A en juger par l'expression de sa mère, elle savait exactement ce qui traversait l'esprit de sa fille à cet instant, et elle n'appréciait guère. Cathy avait croisé les bras dans un geste de colère, et cette posture signifiait qu'elle se résignait à ce que Sara finisse en enfer pour avoir eu des pensées sexuelles à l'église Baptiste Primitive le dimanche de Pâques.

Il y avait eu une prière, puis un autre hymne. Après un laps de temps qu'elle jugea décent, Sara avait jeté de nouveau un coup d'œil par-dessus son épaule, en direction de Jeffrey, mais l'avait simplement vu la tête inclinée sur la poitrine, endormi. C'était le problème avec Jeffrey Tolliver, il était bien mieux en imagination qu'en réalité.

Tessa tapota sur la table, pour capter l'attention de sa sœur.

« Sara ? »

Sara plaça la main sur sa poitrine, consciente que son cœur cognait de la même manière qu'hier matin à l'église.

« Pardon ? »

Tessa lui adressa un regard entendu, mais n'insista pas.

« Qu'a dit Jeb ?

— Qu'entends-tu par là ?

— Je t'ai vue lui parler après l'office, fit Tessa. Qu'est-ce qu'il t'a dit ? »

Sara hésita à mentir. Finalement, elle lui répondit.

« Il m'a invitée à déjeuner aujourd'hui, mais je lui ai expliqué que je te voyais.

— Tu aurais pu annuler. »

Sara haussa les épaules.

« On sort ensemble mercredi soir. »

Tessa aurait pu aller jusqu'à applaudir.

« Seigneur, soupira Sara. A quoi est-ce que je pensais ?

— Pas à Jeffrey, pour changer, releva Tessa. Non ? »

Sara attrapa le menu derrière le distributeur de serviettes en papier, mais elle n'avait pas vraiment besoin de le lire. Elle n'avait que trois ans quand avec tous les membres de sa famille, ils prenaient leurs repas au Grant Filling Station au moins une fois par semaine, et durant tout ce temps le seul changement jamais apporté au menu était intervenu quand Pete Wayne, le patron, avait ajouté des pralines à la liste des desserts, en l'honneur du président Jimmy Carter, ancien planteur en cacahuètes.

Tessa posa la main sur le bras de sa sœur, en écartant doucement le menu.

« Ça va ?

— C'est encore et toujours cette période de l'année qui revient », admit Sara, en fouillant dans son cartable. Elle finit par retrouver la carte postale et la leva en l'air.

Tessa s'abstint de la prendre, et Sara lui lut le message : *Pourquoi m'as-tu oublié ?* Elle la posa sur la table entre elles deux, attendant la réaction de sa sœur.

« C'est tiré de la Bible ? », s'interrogea Tessa à voix haute, et pourtant elle ne devait pas l'ignorer.

Sara regarda par la fenêtre, tâchant de reprendre une certaine contenance. Soudain, elle se leva et s'écria :

« Il faut que j'aille me laver les mains.

— Sara ? »

D'un geste, elle repoussa la manifestation d'inquiétude de Tessa et se rendit dans le fond de la salle, en essayant de tenir le coup jusqu'à ce qu'elle atteigne les lavabos. La porte des toilettes pour dames était coincée dans le chambranle depuis la nuit des temps, et donc elle appuya sur la poignée d'un coup sec. A l'intérieur, l'endroit carrelé de noir et de blanc était frais et presque réconfortant. Elle s'adossa au mur, réfugia son visage dans ses mains, essayant d'effacer les dernières heures de la journée. Les résultats d'analyse de Jimmy Powell continuaient de la hanter. Douze ans plus tôt, alors qu'elle préparait son internat de médecine à l'Atlanta Grady Hospital, elle s'était familiarisée avec la mort, sans pour autant s'y habituer. Le Grady Hospital possédait le meilleur service des urgences de tout le sud-est des Etats-Unis, et elle y avait connu sa part de cas de traumatismes avec complications, depuis ce gamin qui avait avalé un paquet de lames de rasoir jusqu'à cette jeune fille sur qui l'on avait pratiqué un avortement au moyen d'un cintre métallique. Il y avait eu des cas horribles, mais jamais rien de franchement inattendu dans une ville aussi grande.

Des cas comme celui de Jimmy Powell, admis à la clinique pédiatrique, la laissaient en état de choc. Ce serait l'un des rares cas où ses deux métiers allaient converger. Jimmy Powell, qui aimait suivre les matchs de basket-ball de l'université et s'était constitué l'une des plus importantes collections de petits bolides Hot Wheels qu'elle ait jamais vue, serait très certainement mort d'ici l'an prochain.

Elle s'attacha les cheveux en une queue-de-cheval un peu lâche en attendant que le lavabo se remplisse d'eau froide. Elle se pencha au-dessus, en marquant un temps d'arrêt devant l'odeur écœurante et douceâtre qui montait de la vasque. Pete avait probablement balancé du vinaigre dans la canalisation pour que ça ne sente pas le moisi. C'était un vieux truc de plombier, mais Sara détestait l'odeur du vinaigre.

Tout en se redressant, elle retint sa respiration, s'aspergea la figure, s'efforçant de se ressaisir. Un coup d'œil dans le miroir lui montra que cela ne s'améliorait pas, mais elle s'était fait une tache d'eau juste sous le col de son chemisier.

« Super », marmonna-t-elle.

Elle se sécha les mains sur son pantalon tout en se dirigeant vers les toilettes. Après avoir avisé le contenu du premier box, elle passa au second, celui des handicapés, et ouvrit la porte.

« Oh », lâcha-t-elle dans un souffle, en reculant vivement, pour ne s'arrêter que lorsque ses jambes vinrent buter contre le lavabo. A tâtons, ses mains cherchèrent le rebord du coffrage, et elle s'y arc-bouta. Un goût métallique lui remonta dans la bouche, et elle se força à avaler de grandes goulées d'air pour ne pas défaillir. Elle ferma les yeux, compta cinq pleines secondes avant de regarder à nouveau.

Sibyl Adams, qui était professeur à l'université, était

assise sur le siège. Elle avait la tête renversée en arrière, contre la cloison carrelée, les yeux clos. Son pantalon était descendu sur ses chevilles, elle avait les jambes grandes ouvertes. On l'avait poignardée à l'abdomen. Du sang débordait de la lunette, entre ses jambes, et gouttait sur le carrelage.

Sara s'obligea à pénétrer dans le box, à s'accroupir devant la jeune femme. Le chemisier de Sibyl était relevé, et elle put voir la large plaie verticale qui lui entaillait tout l'abdomen, tranchait son nombril en deux, pour s'arrêter à l'os pubien. Une autre entaille, beaucoup plus profonde, ouvrait la chair à l'horizontale, sous les seins. C'était la principale source d'hémorragie, un flux de sang régulier continuait de s'échapper du corps. Sara posa la main sur la blessure, essayant d'interrompre le saignement, mais le sang s'infiltra entre ses doigts, comme si elle essorait une éponge.

Sara s'essuya les mains sur son chemisier, puis elle ramena la tête de Sibyl en avant. Un faible gémissement s'échappa des lèvres de la jeune professeur, mais Sara fut incapable de discerner s'il s'agissait du simple relâchement d'air qu'exhalait un cadavre ou de la plainte d'une femme encore en vie.

« Sibyl ? » chuchota-t-elle, à peine capable de prononcer un mot. La peur lui étreignait la gorge comme une angine estivale.

« Sibyl ? » répéta-t-elle, en se servant de son pouce pour appuyer sur la paupière de la jeune femme et l'ouvrir. La peau était encore chaude au toucher, comme si elle était restée trop longtemps exposée au soleil. Un large hématome recouvrait tout le côté droit du visage. Elle put distinguer l'impact d'un coup de poing au-dessous de l'œil. Lorsqu'elle palpa l'hématome, l'os joua sous sa main avec un petit bruit sec, comme deux billes qui ripent l'une contre l'autre. Quand elle posa les doigts contre la carotide, une palpitation infime se fit perceptible, mais Sara ne put distinguer si c'était la vie, ou le tremblement de ses propres mains qu'elle percevait. Elle ferma les yeux, se concentra...

Sans avertissement, le corps fut secoué d'un violent soubresaut, plongea en avant et projeta Sara contre le sol. Du sang se répandit tout autour des deux femmes, et instinctivement elle s'agrippa pour se dégager de Sibyl, prise de convulsions. Avec ses mains, ses pieds, à tâtons, elle chercha à retrouver appui sur le carrelage glissant. Enfin, elle réussit à la retourner et lui maintint la tête afin de l'aider à surmonter cet accès. Mais les soubresauts cessèrent brusquement. Elle colla son oreille contre la bouche de Sibyl, épiant les bruits de respiration. Elle n'entendit rien.

Se redressant à genoux, elle entama une série de compressions, s'efforçant de ramener la vie dans le cœur de la jeune femme. Elle lui pinça le nez, lui souffla de l'air dans la bouche. Brièvement, la poitrine de Sibyl se souleva, mais rien de plus. Sara essaya encore, s'étouffa à cause du sang qui lui pénétra jusque dans l'arrière-gorge. Elle cracha à plusieurs reprises pour se vider la bouche, s'apprêtait à continuer, quand elle sentit qu'il était trop tard. Les yeux de Sibyl basculèrent dans leurs orbites et elle lâcha un râle, un sifflement, son souffle s'échappa avec un frisson sourd. Un filet d'urine se répandit entre ses jambes.

Elle était morte.

Deux

Grant County tenait son nom d'un certain Grant, pas Ulysses Grant, le général en chef nordiste, mais le bon Grant, Lemuel Patt Grant, un constructeur de voies ferrées qui, au milieu du XIXe siècle, prolongea la ligne d'Atlanta vers le fin fond de la Géorgie du Sud et jusqu'à l'océan. C'est en empruntant les rails de ce Grant que les trains acheminaient le coton et d'autres denrées dans toute la Géorgie. Cette ligne de chemin de fer avait fait apparaître sur la carte les noms de villes comme Heartsdale, Madison et Avondale, et plus d'une cité de Géorgie avait été baptisée du nom de ce Grant. Au début de la guerre de Sécession, alors colonel, Lemuel Patt Grant élabora également un plan défensif, dans l'éventualité où Atlanta serait assiégée. Malheureusement, il se défendait mieux côté lignes de chemin de fer que lignes de front.

Durant la Grande Dépression, les citoyens d'Avondale, Heartsdale et Madison décidèrent de fusionner leurs services de police et leurs brigades de pompiers, ainsi que leurs écoles. Cela permit de réduire les coûts de ces services indispensables et de convaincre les sociétés de chemin de fer de maintenir la ligne Grant en service : le comté avait un poids bien supérieur à la somme des villes qui le composaient. En 1928, une base militaire fut édifiée à Madison, attirant des familles de tous les Etats-Unis dans ce minuscule Grant County. Quelques années plus tard, Avondale accueillit le dépôt pour l'entretien de la voie ferrée sur la ligne Atlanta-Savannah. Quelques années encore s'écoulèrent, et le collège universitaire de Grant surgit de terre à Heartsdale. Durant près de soixante ans, le comté prospéra, jusqu'à ce que la fermeture de la base, quelques fusions d'entreprises et les recettes économiques de Ronald Reagan, les Reaganomics, s'infiltrent partout, broyant tour à tour les économies de Madison et d'Avondale, à trois années d'intervalle. S'il n'y avait eu la faculté qui, en 1946, était devenue institut universitaire de technologie, spécialisé dans l'agro-industrie, Heartsdale aurait suivi la même pente descendante que ses villes sœurs.

En fait, cette faculté constituait la force vitale de la ville, et la première directive du maire de Heartsdale à Jeffrey Tolliver, le chef de la police, s'il voulait conserver son poste, était de veiller au bien-être de cet établissement universitaire. Et c'était exactement ce dont s'occupait Jeffrey, en plein conciliabule avec la police du campus, en train de discuter d'un plan d'action à la suite d'une récente série de vols de bicyclettes, quand son téléphone portable sonna. De prime abord, il ne reconnut pas la voix de Sara et crut à un appel émanant d'un plaisantin. Depuis huit ans qu'il la connaissait, il ne l'avait jamais entendue aussi désemparée. Sa voix tremblait quand elle prononça trois mots qu'il ne se serait jamais attendu à entendre de sa bouche : j'ai besoin de toi.

Après avoir franchi le portail du campus, Jeffrey prit

à gauche et, au volant de sa Lincoln Town Car, remonta Main Street en direction du restaurant. Cette année, le printemps était très précoce, et les cornouillers qui longeaient la rue étaient déjà en fleur, tissant leur rideau blanc au-dessus de la chaussée. Les dames du club de jardinage avaient planté des tulipes dans de petites jardinières en bordure des trottoirs, et deux ou trois gamins du lycée balayaient la rue au lieu de passer une semaine en heures de colle. La propriétaire de la boutique de vêtements avait disposé un portant à l'extérieur, et la quincaillerie avait installé un belvédère complet autour de sa balancelle de véranda. Jeffrey savait que cette scène contrastait fortement avec celle qui l'attendait au restaurant.

Il abaissa la vitre, laissant entrer l'air frais à l'intérieur de sa voiture où l'on étouffait. Sa cravate lui serrait la gorge, et il se surprit à la retirer, sans même y songer. Mentalement, il se repassait en boucle le coup de fil de Sara, en s'efforçant d'en tirer quelque chose de plus que le seul récit des faits dans leur évidence brute. Sibyl Adams avait été poignardée à mort, à l'intérieur du restaurant Grant Filling Station.

Vingt années à son poste de flic n'avaient pas préparé Jeffrey à ce genre de nouvelles. Il avait effectué la moitié de sa carrière à Birmingham, dans l'Alabama, où le meurtre était rarement une surprise. Il ne se passait pas une semaine sans qu'on l'appelle pour enquêter sur un homicide, généralement un produit dérivé de l'extrême pauvreté de la ville : ventes de drogue qui avaient mal tourné, disputes familiales où les armes à feu s'étaient trouvées trop facilement à portée de main. Si l'appel de Sara lui était parvenu de Madison ou même d'Avondale, Jeffrey n'en aurait pas été étonné. Dans ces petites villes de la périphérie, la drogue et la violence des gangs étaient en train de se transformer rapidement en un véritable problème. Heartsdale, en revanche, était le joyau au cœur de ces trois cités. En dix ans, le seul décès suspect survenu avait touché une vieille femme qui avait eu une crise cardiaque en surprenant son petit-fils en train de lui voler sa télévision.

« Chef ? »

Jeffrey tendit la main vers le bas de son tableau de bord et attrapa son micro.

« Ouais ? »

Marla Simms, la standardiste du commissariat, lui annonça :

« Je me suis occupée de ce que vous vouliez.

— Bien, fit-il. Silence radio jusqu'à nouvel ordre », ajouta-t-il après un temps.

Marla se tut, évitant de poser la question qui s'imposait. Grant était encore une petite ville et, même au commissariat, il y avait des gens susceptibles de parler. Jeffrey voulait maintenir cette histoire sous le boisseau aussi longtemps que possible.

« Bien compris ? lui demanda Jeffrey.

— Oui, monsieur », lui répondit-elle enfin.

En descendant de voiture, Jeffrey fourra son téléphone portable dans la poche de son blouson. Frank Wallace, l'inspecteur principal de sa brigade, se tenait déjà en sentinelle devant le restaurant.

« Un collègue dehors ou à l'intérieur ? », demanda Jeffrey.

L'autre secoua la tête.

« Brad est à la porte de derrière, lui indiqua-t-il. L'alarme est débranchée. A mon avis, c'est par là que le coupable a dû passer, à l'entrée comme à la sortie. »

Jeffrey regarda derrière lui, vers la rue. Betty Reynolds, la propriétaire du bazar, était dehors en train de balayer le trottoir, non sans jeter des regards suspicieux en direction du restaurant. Les gens n'allaient pas tarder à rappliquer par ici, si ce n'était par curiosité, au moins pour venir dîner.

Jeffrey se retourna vers Frank.

« Personne n'a rien vu ?

— Rien, lui confirma son inspecteur. Elle est entrée en venant de chez elle. Pete m'a précisé qu'elle déjeune ici tous les lundis, après l'heure d'affluence du déjeuner. »

Jeffrey parvint à acquiescer sèchement, tout en pénétrant dans l'établissement. Le Grant Filling Station était situé en plein centre de Main Street. Avec ses larges boxes rouges et ses comptoirs mouchetés de blanc, ses rambardes chromées et ses distributeurs de pailles, il devait conserver à peu près la même allure que le jour où le père de Pete avait ouvert l'affaire. Même les épais carreaux de linoléum sur le sol, tellement usés par endroits qu'on apercevait l'adhésif noir au travers, étaient d'origine. Depuis ces dix dernières années, Jeffrey était venu prendre son déjeuner ici quasiment tous les jours. Cet endroit était une source de réconfort, un lieu familier, après son travail qui l'amenait au contact de la lie de l'humanité. Il regarda autour de lui la salle d'un seul tenant, sachant que pour lui elle ne serait plus jamais pareille.

Tessa Linton était assise au comptoir, la tête entre les mains. Pete Wayne était assis lui aussi, face à elle, fixant la fenêtre d'un regard absent. Mis à part le jour où la navette Challenger avait explosé, c'était la première fois que Jeffrey le voyait à l'intérieur du restaurant sans sa toque en papier. Malgré tout, les cheveux de Pete étaient ramassés en bouchon, formant une ogive au sommet du crâne, ce qui lui allongeait encore le visage.

« Tess ? », fit Jeffrey en lui posant la main sur l'épaule. Elle s'inclina vers lui, en larmes. Il lui caressa les cheveux, en adressant un signe de tête à Pete.

En temps normal, Pete Wayne était un homme jovial, mais aujourd'hui il avait l'air absolument en état de choc. C'est à peine s'il paraissait reconnaître Jeffrey, et il ne détacha pas le regard des fenêtres alignées sur la façade du restaurant, les lèvres remuant légèrement, sans qu'aucun son n'en sorte.

Il s'écoula quelques instants de silence, puis Tessa se redressa. Elle trifouilla le distributeur de serviettes jusqu'à ce que Jeffrey lui offre son mouchoir. Il attendit qu'elle se soit mouchée pour lui demander :

« Où est Sara ? »

Elle replia le mouchoir.

« Elle est encore aux lavabos. Je ne sais... La voix de Tessa s'étrangla. Tout ce sang... Elle n'a pas voulu me laisser entrer. »

Il hocha la tête, lui dégagea le visage en lui ramenant les cheveux en arrière. Sara était très protectrice avec sa sœur cadette, et pendant toute la durée de leur mariage, par transfert, Jeffrey avait repris à son compte cet instinct de protection. En un sens, même depuis leur divorce, Jeffrey n'avait pas cessé de considérer Tessa et les Linton comme sa famille.

« Ça va ? », lui demanda-t-il.

Elle fit signe que oui.

« Vas-y. Elle a besoin de toi. »

Jeffrey tâcha de ne pas réagir à ce propos. Si Sara n'était pas le coroner du comté, il ne la fréquenterait jamais. Qu'il faille la mort de quelqu'un pour qu'elle se retrouve dans la même pièce que lui, voilà qui en disait long sur leur relation.

En se dirigeant vers le fond de la salle, il sentit une sorte de terreur s'emparer de lui. Il savait qu'il s'était produit là quelque chose de violent. Il savait que Sibyl Adams avait été assassinée. A part cela, quand il tira d'un coup sec sur la porte des toilettes pour dames, il n'avait aucune idée de ce qui l'attendait. Et ce qu'il vit lui coupa littéralement le souffle.

Sara était assise au milieu du local, la tête de Sibyl Adams sur ses genoux. Il y avait du sang partout, sur le corps, sur elle, son chemisier et son pantalon en étaient imbibés, sur le devant, comme si on l'en avait aspergée au jet. Des empreintes de chaussures et de mains marquaient le sol, comme s'il y avait eu lutte intense.

Jeffrey resta sur le seuil, prenant la mesure de tout cela, s'efforçant de retrouver son souffle.

« Ferme la porte », lui chuchota Sara, la main posée sur le front de Sibyl.

Il fit ce qu'elle lui disait, en contournant par le pourtour de la pièce. Sa bouche s'ouvrit, mais rien ne voulut en sortir. Il y avait bien les questions évidentes à poser, mais une part de lui-même ne voulait pas connaître les réponses. Une part de lui-même avait envie de sortir Sara de ce local, de l'installer dans sa voiture et de rouler jusqu'à ce que l'un et l'autre perdent le souvenir de la vision et de l'odeur de ces toilettes. Le fiel de la violence flottait dans l'air, morbide et poisseux, jusqu'au fond de sa gorge. Rien qu'à se tenir là, il se sentait sale.

« Elle ressemble à Lena, dit-il enfin, en faisant allusion à la sœur jumelle de Sibyl Adams, qui était inspectrice dans sa brigade. L'espace d'une seconde, j'ai cru... Il secoua la tête, incapable de poursuivre.

— Lena a les cheveux plus longs.

— Ouais », reconnut-il, incapable de quitter la victime du regard. Jeffrey avait vu beaucoup de choses horribles au cours de son existence, mais il n'avait jamais été personnellement lié à la victime d'un crime de sang. Ce n'était pas qu'il connaissait bien Sibyl, mais dans une ville aussi petite que Heartsdale, tout le monde était le voisin de tout le monde.

Sara s'éclaircit la gorge.

« Tu l'as déjà annoncé à Lena ? »

Sa question lui fondit dessus comme une enclume. Deux semaines après avoir pris ses fonctions de chef de la police, il avait embauché Lena Adams, à peine sortie de l'académie de Macon. En ces années de leurs débuts, elle était une nouvelle venue, une étrangère, tout comme Jeffrey. Huit ans plus tard, il l'avait promue inspectrice. A trente-trois ans, elle était le plus jeune inspecteur et la seule femme officier de la brigade. Et maintenant, on venait d'assassiner sa sœur, sur leur territoire, à deux pas de chez eux, à moins de deux cents mètres du commissariat. Il en éprouvait un sentiment presque étouffant de responsabilité personnelle.

« Jeffrey ? »

Jeffrey avala une grande goulée d'air, qu'il relâcha lentement.

« Elle est partie à Macon, déposer certaines pièces

à conviction, répondit-il enfin. J'ai appelé la police de la route et je leur ai demandé de la ramener ici. »

Sara le regardait. Elle avait les yeux rougis, mais elle n'avait pas pleuré. Jeffrey préférait cela, car jamais il ne l'avait vue pleurer. Il se dit que s'il la voyait en larmes, quelque chose en lui lâcherait.

« Savais-tu qu'elle était aveugle ? », lui demanda-t-elle.

Jeffrey s'adossa contre le mur. Sans trop savoir pourquoi, il avait oublié ce détail.

« Elle n'a même rien vu venir », chuchota-t-elle. Elle pencha la tête, regarda Sibyl. Comme d'habitude, Jeffrey était incapable de s'imaginer ce que pensait Sara. Il décida d'attendre qu'elle parle. Manifestement, elle avait besoin de temps pour reprendre ses esprits.

Il fourra les mains dans ses poches, considérant l'espace qui l'entourait. Il y avait là deux boxes avec des portes en bois, en face d'un lavabo si vieux que les manettes d'eau chaude et froide étaient installées de part et d'autre du robinet. Il y avait au-dessus un miroir moucheté d'or aux bords abîmés. En tout, la pièce ne devait pas mesurer plus de vingt mètres carrés, mais les minuscules carreaux noir et blanc du sol la faisaient paraître encore plus petite. La flaque de sang sombre qui s'élargissait sur le carrelage n'arrangeait rien. Jeffrey n'avait jamais souffert de claustrophobie, mais le silence de Sara formait dans la pièce comme une quatrième présence. Pour essayer de prendre un peu de distance, il leva les yeux au plafond, qui était blanc.

Enfin, Sara parla. Sa voix était plus forte, plus assurée.

« Quand je l'ai trouvée, elle était aux toilettes. »

Faute de n'avoir rien de mieux à dire, Jeffrey sortit

un petit carnet à spirale. Il attrapa un stylo dans sa poche de poitrine et se mit à noter le récit qu'elle lui fit des événements qui avaient précédé cet instant. Quand elle décrivit la mort de Sibyl avec des détails cliniques, sa voix devint monocorde.

« Ensuite j'ai demandé à Tess de m'apporter mon téléphone portable. » Elle se tut, et il répondit à sa question avant qu'elle ait pu la formuler.

« Elle tiendra le coup, lui assura-t-il. J'ai appelé Eddie en venant ici.

— Tu lui as annoncé ce qui s'était passé ? »

Jeffrey essaya de sourire. Le père de Sara ne comptait pas parmi ses plus grands admirateurs.

« J'ai eu de la chance qu'il ne m'ait pas raccroché au nez. »

Elle n'alla pas jusqu'à sourire, mais son regard croisa enfin celui de Jeffrey. Il y lut une douceur qu'il n'y avait plus perçue depuis des lustres.

« J'ai besoin d'effectuer les examens préliminaires, ensuite nous pourrons l'emmener à la morgue. »

Jeffrey rangea son carnet dans la poche de son blouson, tandis que Sara laissait la tête de Sibyl doucement glisser sur le sol. Elle s'assit, accroupie, s'essuya les mains sur son pantalon.

Elle dit :

« Je veux qu'elle soit propre avant que Lena ne la voie. »

Jeffrey approuva d'un signe de tête.

« Elle est au moins à deux heures d'ici. Cela devrait nous donner le temps d'examiner la scène du crime. » Il désigna la porte du box. Le loquet était arraché.

« Ce loquet était comme ça, quand tu l'as découverte ?

— Ce loquet était déjà comme ça quand j'avais sept ans, lui rétorqua Sara, en lui désignant sa serviette à côté de la porte. Passe-moi une paire de gants. »

Jeffrey ouvrit la serviette, en veillant à ne pas toucher le sang sur les poignées. D'une poche intérieure, il sortit une paire de gants en latex. Quand il se retourna, Sara était debout aux pieds du corps. Son expression avait changé, et malgré le sang qui tachait ses vêtements, elle semblait avoir retrouvé son calme.

Pourtant, il fallait qu'il lui pose sa question.

« Tu es certaine d'avoir envie de t'occuper de ça ? On peut faire venir quelqu'un d'Atlanta. »

Elle secoua la tête tout en enfilant les gants avec des gestes efficaces et rodés.

« Je refuse qu'un étranger la touche. »

Jeffrey comprenait ce qu'elle voulait dire. Cette affaire relevait du comté. Des gens du comté allaient prendre soin d'elle.

Elle contourna le corps, les mains sur les hanches. Il savait qu'elle voulait prendre un peu de recul par rapport à la scène, s'extraire de l'équation. Jeffrey se surprit à étudier son ex-épouse, tandis qu'elle se livrait à cet examen. Sara était une femme grande, d'un mètre quatre-vingts, à quelques centimètres près, avec des yeux d'un vert profond et des cheveux roux foncé. Il laissa errer son esprit, se remémorant le plaisir qu'il avait eu à vivre avec elle, quand sa voix perçante le ramena à la réalité.

« Jeffrey ? », fit-elle d'un ton cassant, en lui lançant un regard dur.

Il se tourna vers elle, conscient que son esprit avait dû s'aventurer vers un ailleurs apparemment plus serein.

Elle soutint son regard une seconde de plus, puis se tourna vers le box. Jeffrey prit une autre paire de gants dans la serviette de Sara et les enfila tout en l'écoutant.

« Comme je disais, commença-t-elle, quand je l'ai trouvée, elle était sur le siège. Puis elle s'est affolée et nous avons glissé à terre. Je l'ai alors mise sur le dos. »

Elle souleva les mains de Sibyl, vérifiant le dessous des ongles.

« Ici, il n'y a rien. J'imagine qu'elle a été surprise, qu'elle n'a rien compris de ce qui lui arrivait, jusqu'à ce qu'il soit trop tard.

— Tu penses que ça s'est terminé vite ?

— Pas si vite que ça. Tout ce qu'il a pu lui faire m'a l'air d'avoir été préparé. Jusqu'à ce que j'arrive, la scène du crime était très propre. Si je n'avais pas eu besoin de me rendre aux toilettes, elle n'aurait pas saigné en dehors du box. Sara détourna le regard. Et elle n'aurait peut-être pas saigné du tout, si je n'étais pas arrivée trop tard. »

Jeffrey tenta de la réconforter.

« Tu ne pouvais pas savoir. »

Elle repoussa l'excuse d'un haussement d'épaules.

« Elle a des hématomes aux poignets, là où ses bras se sont cognés à la barre pour handicapés. Et puis... Elle entrouvrit légèrement les jambes de Sibyl... Tu vois, là, sur ses jambes ? »

Jeffrey regarda les endroits qu'elle lui indiquait. La peau à l'intérieur des deux genoux était éraflée.

« Qu'est-ce que c'est ? questionna-t-il.

— Le siège des toilettes, lui expliqua-t-elle. Le rebord, en dessous, est assez anguleux. J'imagine qu'elle a serré les jambes, quand elle s'est défendue. On voit qu'un peu de peau s'est prise entre le rabat et le siège. »

Jeffrey jeta un coup d'œil vers la lunette, puis revint vers Sara.

« Tu crois qu'il l'a repoussée sur le siège, avant de la poignarder ? »

Sara ne lui répondit pas. A la place, elle désigna le torse nu de Sibyl.

« L'entaille n'est profonde qu'au milieu de la coupure en croix, expliqua-t-elle en appuyant sur l'abdomen, entrouvrant ainsi la blessure, afin qu'il puisse se rendre compte. Je dirais qu'il s'agissait d'une lame à double tranchant. On peut voir la forme en V de chaque côté de la perforation. » Elle introduisit l'index à l'intérieur de la blessure sans difficulté. La peau émit un bruit de succion et Jeffrey grinça des dents, en regardant ailleurs. Quand il ramena la tête vers Sara, elle l'interrogeait du regard.

« Ça va ? », s'enquit-elle.

Il hocha la tête, craignant d'ouvrir la bouche.

Elle remua le doigt à l'intérieur de l'orifice percé dans la poitrine de Sibyl Adams. Du sang suinta de la blessure.

« J'estime la longueur de la lame à dix centimètres au moins, conclut-elle, sans le quitter des yeux. Cet examen te perturbe ? »

Il s'en défendit d'un signe de la tête, alors qu'en réalité ce sang lui retournait l'estomac.

Sara ressortit le doigt, tout en continuant.

« Une lame très aiguisée. Il n'y a pas trace de la moindre hésitation sur le pourtour de l'incision, donc, comme je disais, dès le début il savait ce qu'il faisait.

— Et qu'est-ce qu'il voulait ? »

Son ton de voix fut très terre à terre.

« Il lui a découpé l'estomac. Il a frappé des coups très précis, un vers le bas, un en travers, avec ensuite une dernière poussée de la lame vers l'intérieur de la partie supérieure du torse. Ce fut le coup mortel, j'imagine. La cause du décès aura probablement été l'exsanguination.

— Elle a saigné à mort ? »

Sara haussa les épaules.

« Pour le moment c'est la meilleure hypothèse, oui. Elle a saigné à mort. Cela lui a probablement pris dix minutes. Les convulsions ont été causées par le choc. »

Jeffrey fut saisi d'un frisson qu'il ne put réprimer. Il désigna la plaie.

« C'est une blessure en croix, non ? »

Sara étudia les entailles.

« En effet. Qu'est-ce que ça pourrait bien être d'autre ?

— A ton avis, c'est la signature d'un ordre religieux ?

— Dans un cas de viol, qui peut l'affirmer ? fit-elle, mais elle s'interrompit en constatant son expression. Eh bien, quoi ?

— On l'a violée ? reprit-il, en jetant un coup d'œil sur Sibyl Adams, en quête de signes manifestes de lésions. Elle ne présentait pas d'hématomes sur les cuisses ou de griffures autour de la région pelvienne. Tu as découvert quelque chose ? »

Sara se tut. Enfin, elle rompit ce silence.

« Non. Je veux dire, je n'en sais rien.

— Qu'as-tu découvert ?

— Rien. Elle retira ses gants avec un claquement

sec. Uniquement ce que je viens de te communiquer. Je peux terminer ce travail à la morgue.

— Je ne...

— Je vais appeler Carlos pour qu'il vienne la chercher, ajouta-t-elle, en faisant allusion à son assistant. Retrouve-moi là-bas quand tu auras terminé, d'accord ? » Comme il ne répondait rien, elle poursuivit. « Jeff, pour ce qui est d'affirmer s'il y a eu viol, je n'en sais rien. Franchement. Ce n'était qu'une supposition. »

Jeffrey resta perplexe. Ce qu'il savait de son ex-femme, c'était qu'elle ne lançait jamais de suppositions au hasard.

« Sara ? lui demanda-t-il. Ça va ? »

Sara lâcha un rire forcé.

« Si ça va ? Seigneur, Jeffrey, quelle question stupide. » Elle se dirigea vers la porte, mais sans l'ouvrir. Quand elle reprit la parole, sa phrase fut claire et laconique. « Il faut que tu trouves l'individu qui a commis ça.

— Je sais.

— Jeffrey, ce n'est pas un coup isolé, c'est une agression qui participe d'un rituel. Regarde son corps. Regarde ce qu'il a fait d'elle. » Elle marqua un temps d'arrêt, avant de reprendre. « Qui que ce soit, celui qui a tué Sibyl Adams était organisé. Il savait où la coincer. Il l'a suivie dans les toilettes. C'est un meurtre méthodique, commis par quelqu'un qui veut proclamer quelque chose. »

Quand il se rendit compte qu'elle exprimait la vérité, il se sentit pris d'un étourdissement. Il avait déjà été confronté à ce genre de meurtre. Il savait de quoi elle voulait parler. Ce n'était pas du travail d'amateur.

Celui qui avait perpétré ce carnage œuvrait probablement en ce moment même à la préparation d'un acte beaucoup plus spectaculaire encore.

Sara semblait douter qu'il comprenne.

« Tu penses qu'il va s'en tenir à une seule victime ? »

Jeffrey n'hésita pas un seul instant.

« Non. »

Trois

Lena Adams grimaça, envoya un appel de phares à la Honda Civic bleue devant elle. La vitesse limite affichée sur cette portion précise de l'autoroute 20 de Géorgie était fixée à 100 kilomètres à l'heure, mais comme dans beaucoup de régions rurales de l'Etat, Lena considérait ces panneaux comme une invite destinée aux touristes en route pour la Floride ou qui en revenaient. En l'occurrence, les plaques de la Civic étaient immatriculées dans l'Ohio.

« Allez », gémit-elle, en vérifiant son compteur de vitesse. Elle était coincée par un semi-remorque à dix-huit roues sur sa droite et ce Nordiste en Civic devant elle, manifestement déterminé à la maintenir juste au-dessus de la vitesse limite. Pendant une seconde, Lena regretta de ne pas avoir emprunté l'une des voitures de patrouille de Grant County. Non seulement elles étaient plus souples à conduire que sa Celica, mais en plus elle aurait eu le plaisir de flanquer la frousse aux chauffards.

Miraculeusement, le semi-remorque ralentit, laissant la Civic se ranger sur le côté. Lena adressa un signe joyeux de la main au conducteur de la voiture, qui lui répondit en lui tendant son majeur dressé à la verticale. Elle espérait qu'il avait compris la leçon. Conduire dans le Sud c'était le summum de la sélection darwinienne.

Quand elle sortit des limites de l'agglomération de Macon, la Celica grimpa jusqu'à 150 à l'heure. Lena sortit une cassette de son boîtier. Sibyl lui avait enregistré de la musique spéciale voiture pour le trajet du retour. Elle engagea la cassette dans la radio et sourit en reconnaissant l'intro de *Bad Reputation*, par Joan Jett. Au lycée, cette chanson avait été l'hymne des deux sœurs, et elles avaient passé plus d'une nuit à foncer sur la route du retour, en chantant « *I don't give a damn about my bad reputation* » à pleins poumons. Par la grâce d'un oncle dévoyé, les deux filles étaient alors considérées comme des moins-que-rien ne profitant d'aucun avantage, ni de celui d'être particulièrement pauvres, ni non plus d'être très blanches de par leur mère à moitié espagnole.

Aller porter des pièces à conviction au laboratoire du Georgia Bureau of Investigation de Macon, ce n'était, dans la machinerie générale, guère plus qu'un travail de coursier, mais Lena était contente de s'être vu assigner cette mission. Jeffrey lui avait dit qu'elle pouvait prendre sa journée, histoire de lever le pied, un euphémisme pour lui signifier qu'elle devait parvenir à dominer son caractère emporté. Frank Wallace et Lena se prenaient constamment de bec sur le problème qui avait hanté leur tandem dès le début. A cinquante-huit ans, Frank n'était pas emballé à l'idée de compter des femmes au sein de son unité, et à plus forte raison d'en avoir une pour équipière. Il refusait sans arrêt à Lena tout accès aux enquêtes en cours, tandis qu'elle, de son côté, multipliait les tentatives de s'y immiscer de force. Il faudrait bien que quelque chose finisse par casser. Comme Frank n'était qu'à deux ans de la retraite, Lena savait qu'elle ne serait pas la première à céder.

A dire vrai, Frank n'était pas un méchant type. Mis à part son côté grincheux qui allait de pair avec son âge, il donnait l'impression de consentir à quelques efforts. Dans ses bons jours, il était à même de comprendre que son besoin de dominer lui venait d'une région de son être plus profonde encore que son ego. Il était le genre d'homme à ouvrir les portes aux dames et à retirer son couvre-chef dans un intérieur. Frank était même franc-maçon, membre de la loge locale. Ce n'était pas le genre de bonhomme à laisser son équipière conduire un interrogatoire, et encore moins à l'autoriser à se placer en première ligne dans une perquisition. Dans ses mauvais jours, Lena avait eu envie de l'enfermer à clef dans son garage, avec le moteur de sa voiture en train de tourner.

Jeffrey avait eu raison d'estimer que ce trajet la calmerait. Lena était arrivée dans les temps à Macon, grattant trente bonnes minutes sur la distance grâce au V-6 de la Celica. Elle aimait bien son patron, qui était l'exact opposé de Frank Wallace. Frank était tout d'instinct tripal, alors que Jeffrey était plus cérébral. Le genre d'homme à se sentir à l'aise au milieu des femmes et à ne voir aucun inconvénient à ce qu'elles expriment leur opinion à voix haute. Le fait que, dès le premier jour, il ait tenu à la former dans son travail d'inspectrice n'avait pas échappé à Lena. Jeffrey ne l'avait pas promue pour respecter un quelconque quota imposé par le comté ou pour se faire mieux voir que son prédécesseur. Après tout, on était à Grant

County, une ville qui, cinquante ans plus tôt, ne figurait même pas encore sur les cartes. Jeffrey lui avait confié le poste parce qu'il respectait son travail et son état d'esprit. Le fait qu'elle soit une femme n'entrait absolument pas en ligne de compte.

« Merde », siffla-t-elle, en repérant l'éclair bleu derrière elle. Elle ralentit, se rangea, et la Civic la dépassa. Le Nordiste la klaxonna et lui fit signe de la main. Ce fut au tour de Lena d'adresser au type de l'Ohio un geste du majeur.

Le policier de la patrouille autoroutière de Géorgie prit son temps pour descendre de son véhicule.

Lena se retourna, attrapa son sac à main sur la banquette arrière, farfouillant dedans pour en sortir son insigne. Quand elle se tourna de nouveau, elle eut la surprise d'entrevoir le flic posté juste à l'arrière de sa voiture. Il avait la main posée sur la crosse de son arme, et elle se flanqua mentalement un coup de pied pour ne pas avoir attendu qu'il vienne à sa hauteur. Il devait s'imaginer qu'elle cherchait son pistolet.

Lena lâcha son insigne sur ses genoux et leva les mains, en hasardant un « désolé » par la fenêtre ouverte.

Le flic avança d'un pas hésitant, et sa mâchoire carrée se contracta tandis qu'il longeait la carrosserie. Il retira ses lunettes de soleil et l'observa de plus près.

« Ecoutez, commença-t-elle, les mains toujours levées. Je suis de la maison. »

Il l'interrompit.

« Etes-vous l'inspecteur Salena Adams ? »

Elle abaissa les mains, en adressant au policier en patrouille un regard perplexe. Il était un peu courtaud, mais il avait le torse musclé, comme souvent les hommes petits, chez qui c'est là une manière de surcompenser la stature qui leur manque. Il avait les bras si épais qu'il ne pouvait les laisser le long de son corps. Les boutonnières de son uniforme étaient tendues à craquer sur sa poitrine.

« On m'appelle Lena, lui suggéra-t-elle en lançant un coup d'œil sur sa plaque nominative. Je vous connais ?

— Non, m'dame, répliqua l'autre, en remettant ses lunettes de soleil en place. Je suis censé vous escorter jusqu'à Grant County.

— Je vous demande pardon ? s'étonna Lena, qui n'était pas sûre d'avoir bien entendu. Mon chef ? Jeffrey Tolliver ? »

Il hocha sèchement la tête.

« Oui, m'dame. »

Avant qu'elle ait pu lui poser d'autres questions, il rejoignait son véhicule. Elle attendit qu'il se soit engagé sur la route, puis elle se plaça dans son sillage. Il accéléra rapidement, frisant le 140 à l'heure en l'espace de quelques minutes. Ils dépassèrent la Civic bleue, mais Lena n'y prêta guère attention. Elle ne pensait qu'à une chose : qu'avait-elle encore fait ?

Quatre

Le Heartsdale Medical Center avait beau barrer toute l'extrémité de Main Street, il ne faisait pas grande impression. Ce petit hôpital ne comptait que deux étages et n'était équipé que pour traiter les égratignures et les maux d'estomac qui ne pouvaient attendre l'ouverture des cabinets médicaux, et guère plus. Il existait un autre établissement, plus développé, à une demi-heure de là, à Augusta, qui prenait en charge les cas graves. En somme, ce centre médical aurait été démoli depuis longtemps pour laisser place à des logements étudiants, s'il n'avait abrité la morgue du comté dans son sous-sol.

Comme le reste de la ville, l'hôpital avait été édifié durant l'expansion urbaine des années 30. A cette époque, les étages principaux avaient été rénovés mais, à l'évidence, la morgue ne revêtait pas autant d'importance aux yeux du conseil d'administration de l'établissement. Les murs étaient revêtus d'un carrelage bleu ciel si ancien qu'il redevenait à la mode. Les sols offraient un mélange de motifs en damier de linoléum vert et brun. Le revêtement du plafond avait connu sa part de dégâts des eaux, mais on avait pu en réparer le plus gros. Quant à l'équipement, il datait, mais demeurait fonctionnel.

Le bureau de Sara était situé dans le fond, séparé du reste des locaux par une grande baie vitrée. Elle était assise à sa table de travail, elle regardait par la fenêtre, elle tâchait de mettre de l'ordre dans ses pensées. Elle se concentra sur le bruit blanc de l'endroit : le compresseur du congélateur, le bruissement du jet d'eau de Carlos, qui lavait le sol. Comme ils étaient édifiés en sous-sol, les murs absorbaient les bruits plus qu'ils ne les réverbéraient, et elle se sentait rasséréée par ces bourdonnements et ces bruissements familiers. La sonnerie stridente du téléphone interrompit le silence.

« Sara Linton, fit-elle, s'attendant à entendre Jeffrey. Au lieu de son ex-mari, c'était son père.

— Salut, mon chou. »

Elle sourit et, au son de la voix d'Eddie Linton, elle se sentit gagnée d'une certaine légèreté.

« Salut, papa.

— J'ai une blague pour toi.

— Ah oui ? » Elle tâcha de conserver un ton détaché, sachant que chez son père, l'humour était le moyen d'affronter le stress. « Laquelle ?

— Un pédiatre, un avocat et un prêtre étaient à bord du *Titanic* au moment du naufrage, commença-t-il. Le pédiatre s'écrie : "Les enfants d'abord." L'avocat s'exclame : "Les enfants, on les envoie se faire foutre !" Et le prêtre de s'enquérir : "On a le temps ?" »

Elle éclata de rire, surtout pour lui faire plaisir. Il se tut, attendit qu'elle reprenne la parole. Elle lui demanda :

« Comment va Tessie ?

— Elle fait une sieste, lui répondit-il. Et toi ?

— Oh, moi, ça va. »

Elle se mit à dessiner des cercles sur son calendrier de bureau. En temps normal, elle n'était pas une gribouilleuse, mais elle avait besoin de s'occuper les mains. Elle avait envie de vérifier le contenu de son cartable, pour s'assurer que Tessa avait bien pensé à y ranger la carte postale, et en même elle n'avait pas envie de savoir où se trouvait cette carte.

Eddie interrompit ses pensées.

« Maman insiste, il faut que tu viennes demain matin pour le petit déjeuner.

— Ah oui ? », fit Sara, en dessinant des carrés pardessus les cercles qu'elle venait de tracer.

Sa voix prit une tonalité chantante.

« Des gaufres et du gruau et des toasts et du bacon. »

« Salut », lança Jeffrey.

Sara releva la tête d'un coup sec, et elle en lâcha son stylo.

« Tu m'as fait une peur, souffla-t-elle. Papa, Jeffrey est là... », ajouta-t-elle en s'adressant à son père.

Eddie Linton grommela une succession de borborygmes inintelligibles. A son humble avis, aucun des problèmes que pouvait créer Jeffrey Tolliver n'aurait résisté à un bon coup de parpaing sur le crâne.

« D'accord », dit-elle au téléphone en accueillant Jeffrey d'un sourire pincé. Il regardait l'inscription taillée dans le verre, à l'endroit où le père de Sara avait plaqué un bout d'adhésif sur le nom de TOLLIVER pour écrire celui de LINTON par-dessus au feutre noir. Comme Jeffrey avait trompé Sara avec la seule créatrice d'enseigne de la ville, il était peu probable que ce lettrage soit refait de façon plus professionnelle avant longtemps.

« Papa, l'interrompit Sara, je te verrai demain matin. » Elle raccrocha avant que son père puisse ajouter un seul mot.

« Laisse-moi deviner, ironisa Jeffrey. Il me transmet ses amitiés. »

Elle ignora l'allusion, refusant d'entrer avec lui dans une conversation à caractère personnel. C'était comme ça qu'il l'aspirait vers lui, en l'amenant à le considérer comme un individu normal, capable de se montrer sincère et de lui apporter son soutien, alors qu'en réalité, à la minute même où Jeffrey se figurerait être rentré dans ses bonnes grâces, il courrait se mettre à couvert. Ou plutôt, pour plus d'exactitude, se mettre sous les couvertures.

« Comment va Tessa ? lui demanda-t-il.

— Bien », lui dit-elle en sortant ses lunettes de leur étui. Elle les chaussa. « Où est Lena ? », s'enquit-elle.

Il consulta la pendule murale.

« A environ une heure d'ici. Frank me sonne sur mon alphapage dès qu'elle est à dix minutes. »

Elle se leva, en ajustant la ceinture de sa combinaison chirurgicale. Elle s'était douchée dans la salle de repos de l'hôpital, et avait rangé ses vêtements ensanglantés dans une pochette spécialement prévue pour les pièces à conviction, au cas où on en aurait besoin pour des examens éventuels.

« Tu as réfléchi à la manière dont tu allais lui annoncer la nouvelle ? », voulut-elle savoir.

Il secoua la tête, et ce geste voulait dire non.

« J'espère que nous pourrons dénicher quelque

chose de concret avant que j'aie à lui parler. Lena est un flic. Elle va exiger des réponses. »

Elle se pencha au-dessus de son bureau, frappa à la vitre. Carlos leva les yeux.

« Tu peux y aller, maintenant, lui dit-elle. Et là-dessus, elle expliqua ce qui se passait à Jeffrey. Il part déposer les échantillons de sang et d'urine au labo criminel. Ils vont examiner tout cela dès ce soir.

— Bien. »

Elle se cala contre le dossier de son siège.

« Dans les toilettes pour dames, tu as dégoté quelque chose ?

— Nous avons trouvé sa canne et ses lunettes derrière la cuvette. Elles étaient soigneusement essuyées.

— Et la porte du box ?

— Rien, ajouta-t-il. Enfin, disons, pas vraiment rien, mais toutes les femmes de la ville sont entrées et sorties de cet endroit. Au dernier décompte, Matt avait obtenu plus de cinquante empreintes différentes. »

Il sortit de sa poche quelques Polaroïds et les jeta sur le bureau. C'étaient des gros plans du corps gisant sur le sol, ainsi que des empreintes sanglantes de pas et de mains de Sara.

« J'ai pollué la scène du crime et j'imagine que cela n'a pas dû aider.

— Comme si tu avais eu le choix... »

Elle garda ses commentaires pour elle-même, tout en disposant les clichés suivant une séquence logique.

Jeffrey revint à sa première impression.

« Celui qui a commis cet acte savait ce qu'il faisait. Il savait qu'elle se rendait au restaurant seule. Il savait qu'elle n'y voyait pas. Il savait qu'à cette heure de la journée l'endroit serait désert.

— Tu penses qu'il l'a attendue ? »

Jeffrey haussa les épaules.

« Il semblerait. Il est probablement entré et sorti par la porte de derrière. Pete avait débranché l'alarme, histoire de pouvoir laisser ouvert pour aérer l'endroit.

— Oui, acquiesça-t-elle, se remémorant la porte de derrière, qui en règle générale était maintenue ouverte.

— Donc, nous sommes à la recherche d'un type qui était au courant de ses activités, n'est-ce pas ? Quelqu'un qui était familier de la configuration du restaurant. »

Sara n'avait guère envie de répondre à cette question, qui impliquait que le tueur vivait à Grant, connaissait les gens et les lieux comme seul un habitant l'aurait pu. A la place, elle se leva et se rendit dans le fond de la pièce, au meuble de classement métallique situé de l'autre côté de son bureau. Elle en sortit une blouse propre et l'enfila.

« J'ai déjà pris des radios et vérifié ses vêtements. A part ça, elle est prête. »

Jeffrey se retourna, et fixa la table, là-bas, au centre de la morgue. Sara suivit son regard, en songeant que Sibyl était beaucoup plus petite dans la mort qu'elle ne l'avait semblé dans la vie. Même elle, ne parvenait pas à s'habituer à cette façon dont la mort rapetissait les gens.

« Tu la connaissais bien ? », lui demanda-t-il.

« Je crois, répondit-elle. Nous avons toutes les deux participé à une journée d'information sur les carrières, l'an dernier, au collège d'enseignement secondaire. Et puis, tu sais, nous nous voyions de temps en temps à la bibliothèque.

— A la bibliothèque ? s'étonna Jeffrey. Je croyais qu'elle était aveugle.

— Ils ont des livres sur cassettes, j'imagine. » Elle s'immobilisa devant lui, les bras croisés. « Ecoute, il faut que je te dise. Lena et moi, nous nous sommes disputées, il y a de cela quelques semaines. »

A l'évidence, cela le surprit. Sara ne l'avait pas été moins elle-même. Il y avait peu de gens en ville avec lesquels elle ne s'entendait pas. Mais Lena Adams était certainement du nombre.

Elle s'expliqua.

« Elle a appelé Nick Shelton au Georgia Bureau of Investigation pour lui réclamer un rapport toxicologique dans une affaire. »

Jeffrey secoua la tête, incrédule.

« Pourquoi ? »

Elle haussa les épaules. Elle ne comprenait toujours pas pourquoi Lena avait effectué cette démarche sans la consulter, surtout si l'on considérait qu'il était de notoriété publique que Sara entretenait d'excellentes relations de travail avec Nick Shelton, l'agent de terrain du Georgia Bureau of Investigation affecté à Grant County.

« Et puis ? insista Jeffrey.

— J'ignore ce qu'elle s'imaginait pouvoir obtenir en appelant Nick directement. On s'est expliquées. Ça n'a pas été jusqu'au sang, mais je n'irais pas jusqu'à affirmer que nous nous sommes séparées en termes amicaux. »

Jeffrey haussa les épaules, comme pour signifier : qu'est-ce que tu y peux ? Lena avait toujours été une enquiquineuse professionnelle. A l'époque où Sara et Jeffrey étaient mariés, ce dernier avait souvent exprimé sa préoccupation devant le comportement emporté de la sœur de Sibyl.

« Si elle a été... » Il marqua un temps d'arrêt... « Si elle a été violée, Sara. Je ne sais quoi dire.

— Allons-y », lui fit-elle en guise de réponse, et elle pénétra dans la morgue. Elle se rendit au placard des fournitures, chercha une blouse chirurgicale. Puis se figea, les mains posées sur les portes. Elle repensait à leur conversation en se demandant comme cela avait pu virer de l'évaluation médico-légale à une discussion sur l'indignation de Jeffrey dans l'éventualité où Sibyl Adams n'aurait pas seulement été assassinée, mais violée.

« Sara ? s'enquit-il. Qu'est-ce qui ne va pas ? »

Elle sentit sa colère éperonnée par cette question idiote.

« Qu'est-ce qui ne va pas ? » répéta-t-elle. Elle trouva la blouse et referma les portes en les claquant. Le cadre métallique en vibra. Elle se retourna, déchira l'emballage stérile. « Ce qui ne va pas, c'est que je suis fatiguée de t'entendre me demander ce qui ne va pas quand ça me paraît assez évident, bon sang. » Elle s'interrompit, en dépliant la blouse d'un coup sec. « Réfléchis, Jeffrey. Aujourd'hui, une femme est littéralement morte dans mes bras. Pas une banale étrangère, non, quelqu'un que je connaissais. A l'heure qu'il est, je devrais être chez moi, en train de prendre une douche ou de promener les chiens, et au lieu de ça il faut que j'entre dans cette pièce et que je découpe cette femme encore plus qu'elle ne l'est déjà, afin d'en conclure si tu vas devoir appréhender ou non tous les pervers de la ville. »

Elle essaya d'enfiler la blouse, mais ses mains tremblaient de colère. La manche s'obstinait à lui échapper et elle se tourna pour trouver un meilleur angle, quand Jeffrey s'approcha pour l'aider.

D'un ton mauvais, elle l'arrêta sèchement.

« Ça va, je l'ai. »

Il leva les mains en l'air, comme pour signaler sa reddition.

« Désolé. »

Sara se débattit maladroitement avec les cordons, qu'elle finit par emmêler.

« Merde, siffla-t-elle en tâchant de défaire le nœud.

— Je pourrais m'arranger pour que Brad promène les chiens », proposa Jeffrey.

Sara lâcha les cordons, elle renonçait.

« Ce n'est pas le problème, Jeffrey.

— Je sais bien », répliqua-t-il, en s'avançant vers elle comme vers un chien enragé. Il attrapa les cordons et elle le regarda faire, les yeux baissés sur le nœud qu'il essayait de desserrer. Elle laissa son regard remonter vers la tête de Jeffrey, où elle remarqua quelques mèches grises perdues dans la chevelure noire. Elle aurait eu envie de lui communiquer la faculté de la réconforter, au lieu de le voir sans arrêt tourner tout à la plaisanterie. Elle avait envie qu'il développe comme par magie une certaine compréhension. Au bout de dix ans, elle aurait pourtant dû savoir à quoi s'en tenir.

Avec un sourire, il eut raison de ce nœud, comme si, par ce simple geste, il avait tout arrangé.

« Là », s'écria-t-il.

Il lui prit le menton dans la main.

« Ça va aller, fit-il, et cette fois ce n'était pas une question.

— Mais oui, s'agaça-t-elle, en s'écartant. Ça va. Elle sortit une paire de gants en latex, et fit face à la tâche qui l'attendait. Finissons-en avec cet examen préliminaire avant que Lena ne rentre. »

Elle s'approcha de la table d'autopsie en porcelaine boulonnée sur le sol au milieu de la salle. Incurvée, avec des bords relevés, la table blanche enserrait le corps menu de Sibyl. Carlos lui avait placé la tête sur un bloc de caoutchouc noir et l'avait recouverte d'un drap immaculé. S'il n'y avait eu cet hématome noir autour de l'œil, on aurait pu la croire endormie.

« Seigneur », souffla Sara en repliant le drap. Sortir le corps du lieu du meurtre n'avait pu qu'aggraver les dégâts. Le fort éclairage de la morgue faisait ressortir tous les aspects de la blessure. Les incisions dans l'abdomen étaient longues et nettes, et formaient une croix presque parfaite. Par endroits, la peau était plissée, ce qui détourna son attention de la profonde entaille à l'intersection de la croix. Après la mort, les blessures revêtaient un aspect sombre, presque noir. Les crevasses dans l'épiderme de Sibyl Adams béaient comme de petites bouches humides.

« La part de graisse dans ses tissus est assez faible », expliqua-t-elle. Elle désigna le ventre, où l'incision s'ouvrait plus largement au-dessus du nombril. A cet endroit, la coupure était plus profonde, et la peau tendue comme une chemise trop juste dont un bouton aurait craqué.

« Le bas de l'abdomen contient de la matière fécale, à l'endroit où les intestins ont été déchirés par la lame. Je ne sais pas si la profondeur de l'entaille était voulue ou si c'est accidentel. Elle paraît distendue. »

Elle indiqua les lèvres de la plaie.

« Tu vois ces stries ici à l'extrémité de la blessure. Il a peut-être tourné son couteau dedans. Un mouvement de torsion. Et puis... » Elle s'interrompit, tâchant de se représenter les faits au fur et à mesure.

« Il y a des traces d'excréments sur ses mains, ainsi que sur les barres du box, j'en conclus donc qu'elle a reçu le coup de couteau, qu'elle a porté les mains à son ventre, et puis, pour une raison que j'ignore, elle a empoigné les barres. »

Elle leva les yeux vers Jeffrey pour voir s'il tenait le coup. Il avait l'air enraciné dans le sol, médusé par la vision du corps de Sibyl. D'après sa propre expérience, Sara savait que le mental pouvait vous jouer des tours, arrondir les angles aigus d'une image de violence. Même pour elle, le fait de revoir Sibyl ainsi était peut-être encore pire que de l'avoir découverte dans les toilettes du restaurant.

Sara toucha le corps, et fut surprise de le sentir encore chaud. La température de la morgue était toujours basse, même l'été, car la pièce était en sous-sol. Sibyl aurait dû être bien plus froide que cela.

« Sara ? s'enquit Jeffrey.

— Rien », répondit-elle, peu disposée à se perdre en conjectures. Elle appuya sur le pourtour de la blessure, au centre de la croix. « Il s'agit d'une lame à double tranchant, reprit-elle. Ce qui doit pouvoir t'aider un peu. Dans la plupart des agressions à coups de couteau, on emploie des armes de chasse à dents de scie, exact ?

— Ouais. »

Elle pointa le doigt sur une marque brunâtre au bord de la plaie. En nettoyant le cadavre, elle avait eu l'occasion de repérer certaines choses que l'examen initial dans les toilettes du restaurant ne lui avait pas révélées.

« C'est la marque de la garde, donc il a fait pénétrer la lame à fond. En l'ouvrant, je suppose que je vais trouver une colonne vertébrale ébréchée. Quand j'y introduis mon doigt, je sens des irrégularités. Il reste sûrement des échardes d'os là à l'intérieur. »

D'un signe de tête, Jeffrey l'invita à poursuivre.

« Si nous avons de la chance, nous pourrons en retirer des informations sur la lame. En tout cas quelque chose concernant la garde de l'arme. Après que Lena l'aura vue, je pourrai retirer la peau et vérifier. »

Elle désigna l'entaille en pointe au centre de la croix.

« Le coup a été violent, j'en déduis donc que le tueur l'a porté alors qu'il était dans une position de surplomb. Tu vois comme la blessure suit un angle d'à peu près quarante-cinq degrés ? » Elle étudia l'incision, tâchant d'en comprendre le sens. « J'irais presque jusqu'à affirmer que le coup de couteau dans le ventre est différent de la blessure à la poitrine. Ce n'est pas cohérent.

— Et à quoi est-ce dû ?

— Les perforations n'ont pas la même forme.

— C'est-à-dire ?

— Je ne peux rien affirmer », admit-elle en toute sincérité. Elle laissa tomber cet aspect pour le moment, et se concentra sur la plaie au centre de la croix. « Donc, il est probable qu'il se tient au-dessus d'elle, les jambes fléchies, et il attrape le couteau à sa ceinture (elle s'accompagna du geste), puis il le lui plonge en pleine poitrine.

— Et pour ça il utilise deux couteaux différents ?

— Je ne peux pas le certifier », admit Sara, en revenant vers la blessure à l'abdomen. Quelque chose ne collait pas.

Jeffrey se gratta le menton, en considérant cette plaie au ventre.

« Pourquoi ne l'a-t-il pas frappée au cœur ? s'étonna-t-il.

— Eh bien, premièrement, le cœur ne se trouve pas au centre de la poitrine, or si l'on veut frapper au centre de la croix, c'est là qu'il faut porter le coup. Deuxièmement, autour du cœur, il y a des côtes et du cartilage. Pour passer au travers, il aurait fallu plusieurs coups de couteau. Et cela aurait abîmé ce motif en croix, vu ? Elle s'interrompit. Si le cœur avait été perforé, il y aurait eu beaucoup plus de sang, qui se serait répandu à très grande vitesse. Il souhaitait peut-être éviter ça. » Elle haussa les épaules, en levant les yeux vers Jeffrey. « S'il avait voulu atteindre le cœur, j'imagine qu'il aurait pu passer sous la cage thoracique, pour remonter ensuite dans un mouvement vertical, mais c'était plutôt risqué.

— Es-tu en train de m'expliquer que l'agresseur possédait certaines connaissances médicales ?

— Sais-tu où se trouve le cœur ? », le questionna-t-elle.

Il posa la main sur sa poitrine, du côté droit.

« Exact. Tu sais aussi que les côtes ne se rejoignent pas tout du long de l'os médian du torse. »

Il tapota de la main contre sa poitrine, au centre.

« Ici, c'est quoi.

— Le sternum, répondit-elle. Cependant, l'entaille est située plus bas, dans l'excroissance xiphoïde. Je ne saurais affirmer si c'est un coup de chance ou le résultat d'un calcul.

— En clair ?

— En clair, si tu es fermement décidé à inciser une croix dans l'abdomen de quelqu'un, et si tu loges une lame de couteau en plein milieu, l'excroissance xiphoïde est le meilleur endroit où le poignarder si tu veux que la lame traverse. Le sternum comporte trois parties, ajouta-t-elle, en illustrant son propos sur son propre torse. Le manubrium, qui en est la partie supérieure, le corps, qui en est la partie principale, et l'excroissance xiphoïde. Des trois, la xiphoïde est la plus tendre. Surtout chez quelqu'un de cet âge. Elle avait quoi, le début de la trentaine ?

— Trente-trois ans.

— L'âge de Tessa, marmonna Sara, et le temps d'une seconde elle eut une vision éclair de sa sœur. Elle chassa cette image de son esprit, et se concentra sur le cadavre. L'excroissance xiphoïde se calcifie avec l'âge. Le cartilage durcit. Donc, si je voulais poignarder quelqu'un en pleine poitrine, c'est là que je marquerais mon X.

— Il voulait peut-être éviter de lui entailler les seins ? »

Sara réfléchit à la question.

« J'y vois une motivation plus intime. Elle tâcha de trouver ses mots. Je n'en sais rien, j'aurais plutôt tendance à penser qu'il avait eu envie de lui découper les seins. Tu vois pourquoi je dis ça ?

— Surtout si c'est un crime sexuel, renchérit-il. Je veux dire, dans un viol, il est généralement question de pouvoir, d'accord ? Ce qui est en jeu, c'est une sorte de rage à l'encontre des femmes, une volonté de les dominer. Pourquoi aurait-il planté son arme à cet emplacement au lieu de choisir un des endroits du corps qui font justement d'elle une femme ?

— Dans le viol, il est aussi question de pénétration, le contredit-elle. Et cela s'applique probablement au cas qui nous occupe. La blessure est profonde, elle a presque traversé de part en part. Je ne crois pas... Mon Dieu, murmura-t-elle.

— Qu'y a-t-il ? », s'enquit Jeffrey.

L'espace de quelques secondes, elle resta muette. Elle avait la gorge si serrée qu'elle eut l'impression d'étouffer.

« Sara ? »

La tonalité d'un bip emplit la morgue. Jeffrey consulta son alphapage.

« Ce ne peut pas être Lena, remarqua-t-il. Cela t'ennuie si je me sers de ton téléphone ?

— Pas du tout. » Sara croisa les bras, éprouvant le besoin de se protéger contre ses propres pensées. Elle attendit que Jeffrey se soit assis à son bureau pour continuer son examen du corps.

Elle alluma la lampe au-dessus d'elle, afin de mieux pouvoir étudier la région pelvienne. Ajustant le spéculum, elle marmonna une prière adressée à elle-même, à Dieu, à quiconque accepterait de l'entendre, mais ce fut en pure perte. Le temps que Jeffrey soit de retour, elle avait acquis une certitude.

« Alors ? », lui demanda-t-il.

Quand elle retira ses gants, les mains de Sara tremblaient.

« Elle a subi des sévices sexuels, précédemment, dans le cours de l'agression. » Elle marqua un temps de silence, laissa tomber les gants souillés sur la table, s'imaginant Sibyl Adams assise sur les toilettes, plaquant les mains sur sa blessure béante à l'abdomen, puis s'arc-boutant contre les barres disposées de chaque côté du box, totalement aveugle à ce qui lui arrivait.

Il attendit quelques fractions de seconde avant d'insister.

« Alors ? »

Sara posa les mains sur le rebord de la table.

« Elle avait de la matière fécale dans le vagin. »

Jeffrey n'avait pas l'air de bien saisir.

« Il l'a d'abord sodomisée ?

— Il n'y a pas trace de pénétration anale.

— Mais tu as découvert de la matière fécale, reprit-il, sans comprendre davantage.

— Tout au fond du vagin, compléta Sara, se refusant à achever son explication jusqu'au bout. Elle perçut dans sa propre voix comme un tremblement inaccoutumé. Cette incision abdominale a été pratiquée en profondeur dans un but précis, Jeffrey. Elle s'interrompit, cherchant ses mots, pour décrire l'horrible découverte qu'elle venait de faire.

— Il l'a violée, fit Jeffrey, et ce n'était pas dit sur le ton d'une question. Il y a eu pénétration vaginale.

— Oui », lui confirma Sara, toujours en train de chercher le moyen d'expliciter la chose. Finalement, elle lui livra la vérité. « Il y a eu pénétration vaginale après un viol perpétré dans la plaie. »

Cinq

La nuit tomba vite, la température chutant avec le soleil. Jeffrey traversait la rue pile au moment où Lena se garait sur le parking du commissariat. Avant qu'il ait pu arriver à sa hauteur, elle était déjà descendue de voiture.

« Que se passe-t-il ? », lui demanda-t-elle, mais il vit qu'elle avait compris la gravité de la situation. « C'est mon oncle ? », fit-elle en se réchauffant les bras, saisie par la fraîcheur du soir. Elle portait un T-shirt léger et un jean au lieu de son uniforme habituel, mais il est vrai que son aller-retour à Macon s'inscrivait en dehors de son service.

Jeffrey retira sa veste et la lui tendit. Les révélations de Sara lui pesaient sur la poitrine comme un bloc de pierre. Si cela n'avait tenu qu'à lui, Lena n'aurait jamais appris exactement ce qui était arrivé à Sibyl Adams. Elle n'aurait jamais su ce que cette brute avait infligé à sa sœur.

« Entrons à l'intérieur, proposa-t-il, en la prenant par le coude.

— Je n'ai pas envie d'entrer à l'intérieur », répliqua-t-elle, en dégageant son bras. La veste de Jeffrey s'aplatit au sol, entre eux.

Il se baissa pour la récupérer. Quand il releva les yeux, elle avait les mains campées à hauteur des hanches. Depuis qu'il la connaissait, Lena Adams affichait une amertume de la taille de l'Everest. Quelque part au fond de sa tête, Jeffrey s'était imaginé qu'elle allait avoir besoin d'une épaule pour pleurer ou de paroles de réconfort. Il ne se résolvait pas à admettre que Lena soit dépourvue de la moindre vulnérabilité, peut-être parce qu'elle était une femme. Peut-être parce que quelques minutes plus tôt, il avait vu sa sœur éventrée, à la morgue. Il aurait dû se rappeler que Lena Adams était plus coriace que ça. Il aurait dû prévoir sa colère.

Jeffrey renfila sa veste.

« Je ne veux pas en parler dehors.

— Qu'est-ce que tu vas m'annoncer ? demanda-t-elle. Tu vas me raconter que c'était lui qui conduisait, c'est ça ? Et qu'il est sorti de la route, hein ? »

Elle énumérait cette progression sur le bout de ses doigts, reproduisant devant lui, presque terme à terme, la procédure édictée par le manuel de la police quand il s'agissait d'informer quelqu'un de la mort d'un membre de sa famille. Amenez la chose, conseillait le manuel. Ne vous précipitez pas sur les gens d'un seul coup. Laissez le temps au membre de la famille, à la personne aimée, de se faire à cette idée.

Lena poursuivit l'énumération, haussant le ton à chaque phrase.

« Il a été heurté par une voiture ? Hein ? Et on l'a emmené à l'hôpital ? Et ils ont essayé de le sauver, mais ils n'y sont pas parvenus. Ils ont tout tenté, hein ?

— Lena... »

Elle recula vers sa voiture, puis se retourna.

« Où est ma sœur ? Tu lui as déjà annoncé ? »

Jeffrey inspira, respira lentement.

« Regarde-moi ça, siffla Lena, en se tournant vers le commissariat et en agitant la main. Marla Simms regardait par l'une des fenêtres de la façade. Allez, sors de là, Marla, beugla Lena.

— Allons », fit Jeffrey, en tâchant de l'arrêter.

Elle s'écarta de lui.

« Où est ma sœur ? »

Jeffrey était incapable de remuer les lèvres. Au prix d'un effort de volonté pure, il parvint à lui répondre.

« Elle était au restaurant. »

Lena pivota sur elle-même, prit la direction du restaurant.

« Elle est allée aux toilettes », continua-t-il.

Lena s'arrêta net.

« Il y avait quelqu'un là-bas, qui l'attendait. Il l'a poignardée en pleine poitrine. » Jeffrey attendit qu'elle exécute un demi-tour, mais elle n'en fit rien. Elle gardait les épaules bien droites, dans une immobilité digne d'une étude de portrait en pied. « Le docteur Linton, poursuivit-il, déjeunait là-bas avec sa sœur. Elle est allée aux toilettes et c'est elle qui l'a découverte. »

Lena se retourna enfin, lentement, les lèvres légèrement entrouvertes.

« Sara a essayé de la sauver. »

Elle le regarda droit dans les yeux. Il s'efforça de ne pas détourner le regard.

« Elle est morte. »

Ces mots restèrent en suspens comme des moucherons autour d'un réverbère.

Lena porta la main à sa bouche. Elle décrivit un

cercle, comme si elle était à moitié ivre puis revint vers Jeffrey. Elle le transperça du regard, une question brûlait dans ses yeux. Etait-ce une plaisanterie ? Pouvait-il se montrer si cruel ?

« Elle est morte », répéta-t-il.

Elle respira par brefs à-coups, en staccato. Il vit presque son esprit déjà passer à l'action, tandis qu'elle intégrait l'information. Lena se dirigea vers le commissariat, puis s'arrêta. Elle fit volte-face vers Jeffrey, bouche bée, mais ne dit rien. Sans avertissement, elle fonça en direction du restaurant.

« Lena ! », s'écria Jeffrey, en courant derrière elle. Elle était rapide pour sa taille, et ses souliers de ville ne lui permettaient pas de concurrencer les baskets de la jeune femme qui frappaient le revêtement du trottoir. Il pressa le pas pour la rattraper avant qu'elle n'atteigne l'établissement.

Il cria de nouveau son nom alors qu'elle en approchait, mais elle dépassa le restaurant en trombe, prit à droite vers le centre médical.

« Non », grogna Jeffrey, pressant encore le pas davantage. Elle se rendait à la morgue. Il prononça encore une fois son nom, mais elle traversa sans même regarder derrière elle pour s'engager dans la rampe d'accès de l'hôpital. Elle s'engouffra dans les portes coulissantes, les faisant sauter de leur châssis, déclenchant l'alarme.

Jeffrey la suivait de quelques secondes à peine. Il contourna l'angle du mur menant à l'escalier, il entendait ses tennis claquer sur les marches revêtues de caoutchouc. Un coup sourd se répercuta dans l'étroite cage d'escalier lorsqu'elle ouvrit la porte de la morgue.

Jeffrey s'arrêta sur la quatrième marche en partant

du bas. Il perçut le « Lena » surpris de Sara, suivi d'un gémissement douloureux.

Il se força à descendre les dernières marches, à pénétrer dans la morgue.

Lena était inclinée sur sa sœur, elle lui tenait la main. A l'évidence, Sara avait tâché de couvrir d'un drap les lésions les plus terribles, mais presque toute la partie supérieure du torse de Sibyl était encore bien visible.

Lena se tenait aux côtés de sa sœur, elle respirait par halètements brefs, tremblant de tout son corps, comme saisie de refroidissement jusqu'à la moelle des os.

Sara fusilla Jeffrey du regard. Il se défendit d'un geste des mains, un geste d'impuissance. Il avait essayé de l'arrêter.

« Quelle heure était-il ? demanda Lena en claquant des dents. A quelle heure est-elle morte ?

— Vers deux heures et demie, lui répondit Sara. Elle avait du sang sur ses gants, et elle les glissa sous ses aisselles, comme pour les dissimuler.

— Elle est si chaude.

— Je sais. »

Lena baissa la voix.

« J'étais à Macon, Sibby », confia-t-elle à sa sœur, en lui ramenant les cheveux en arrière pour lui dégager le visage. Jeffrey était heureux de voir que Sara avait pris le temps de la peigner, pour retirer un peu de sang.

Le silence emplit la morgue. Il était étrange de voir Lena debout au côté de cette morte. Sibyl était sa jumelle, elle lui ressemblait en tout. Elles étaient toutes deux petites, à peu près un mètre soixante et à peine plus de soixante kilos. Elles avaient la même peau olivâtre. Les cheveux bruns de Lena étaient plus longs que ceux de sa sœur, et ceux de Sibyl plus bouclés. Leurs deux visages formaient l'archétype du contraste, l'un était neutre et sans émotion, l'autre plein de chagrin.

Sara se tourna légèrement de côté, pour retirer ses gants.

« Montons à l'étage, d'accord ? suggéra-t-elle.

— Vous étiez présente, lâcha Lena d'une voix sourde. Qu'avez-vous fait pour la secourir ? »

Sara baissa les yeux sur ses mains.

« J'ai fait ce que j'ai pu. »

Lena caressa le visage de sa sœur.

« Qu'est-ce que vous avez pu faire, au juste ? », insista-t-elle d'une voix un peu plus cassante.

Jeffrey amorça un pas en avant mais, d'un regard sec, Sara l'arrêta, comme pour lui signifier qu'il avait eu l'occasion de lui apporter son aide une dizaine de minutes plus tôt, et qu'il l'avait laissée passer.

« Tout a été très rapide, expliqua-t-elle à Lena, manifestement à contrecœur. Elle a été prise de convulsions. »

Lena reposa la main de Sibyl sur la table. Elle remonta le drap et, tout en parlant, le borda sous le menton de sa sœur.

« Vous êtes pédiatre, d'accord ? Qu'est-ce que vous avez tenté au juste pour secourir ma sœur ? » Elle planta ses yeux dans ceux de Sara. « Pourquoi n'avez-vous pas appelé un vrai médecin ? »

Sara lâcha un rire bref, incrédule. Elle prit une profonde inspiration avant de répondre.

« Lena, je crois que vous feriez mieux de laisser Jeffrey vous ramener chez vous, maintenant.

— Je n'ai aucune envie de rentrer chez moi, riposta la policière d'une voix calme, presque sur le ton de la conversation. Avez-vous appelé une ambulance ? Avez-vous appelé votre petit ami ? »

En penchant un peu la tête, elle désigna Jeffrey.

Sara noua ses mains dans son dos. Elle avait l'air de se contenir, physiquement.

« Nous n'allons pas avoir cette conversation tout de suite. Vous êtes trop bouleversée.

— Je suis trop bouleversée, répéta Lena, en serrant les mains. Vous me trouvez bouleversée ? s'exclama-t-elle, élevant la voix cette fois. Vous croyez que je suis trop bouleversée pour vous demander pourquoi vous n'avez rien pu tenter pour ma sœur, bordel ? »

Aussi vite que tout à l'heure sur le parking, quand elle s'était emportée, Lena se retrouva devant Sara, tout près de son visage.

« Vous êtes médecin ! hurla Lena. Comment peut-elle mourir alors qu'un médecin était présent dans la pièce ? »

Sara ne répondit pas. Elle détourna le regard.

« Vous n'êtes même pas capable de me regarder en face, se moqua Lena. Vous en êtes capable ou non ? »

Le regard de Sara ne changea pas de direction.

« Vous laissez crever ma sœur et vous n'êtes même pas foutue de me regarder en face.

— Lena, fit Jeffrey, finissant par intervenir. Il lui posa la main sur le bras, tâchant de la faire reculer.

— Laisse-moi », cria-t-elle, en le frappant de ses poings. Elle commença par lui bourrer la poitrine de coups, mais il lui empoigna les mains, en serrant fermement. Elle continua de lutter contre lui, en criant, en crachant, et à coups de pied. Lui tenir les mains, c'était comme empoigner un câble sous tension. Il ne lâcha pas prise, encaissant son torrent d'injures, la laissant tout déballer jusqu'à ce qu'elle s'écroule par terre. Il s'assit à côté d'elle, la tint contre lui, elle sanglotait. Quand il songea à lever les yeux vers Sara, elle avait disparu.

Quelques instants plus tard, Jeffrey était de retour à son bureau. Il sortit un mouchoir d'une main, tout en maintenant de l'autre le combiné du téléphone contre son oreille. Il porta le tissu à sa bouche, tamponnant le sang, pendant qu'une version métallique de la voix de Sara le priait d'attendre le signal sonore.

« Salut, dit-il, en retirant le carré de tissu de sa bouche. Tu es là ? Il attendit quelques secondes. Je voulais m'assurer que tu allais bien, Sara. Quelques secondes supplémentaires s'écoulèrent. Si tu ne décroches pas, je me rends jusque chez toi. » Après ça, il s'attendit à une réponse, mais rien ne vint. Il entendit la bande défiler jusqu'au bout et raccrocha.

Frank frappa à sa porte.

« La gamine est dans la salle de bains », expliqua-t-il, faisant allusion à Lena. Jeffrey savait qu'elle détestait qu'on l'appelle la gamine, mais c'était la seule manière qu'avait trouvée Frank Wallace de témoigner sa sollicitude envers son équipière.

« Elle a une méchante droite, hein ? commenta Frank.

— Ouais. Jeffrey replia son mouchoir pour utiliser

un coin d'étoffe encore propre. Elle sait que je l'attends ?

— Je vais m'assurer qu'elle ne fasse pas de détours, proposa Frank.

— Bien, aquiesça Jeffrey, merci. »

Il vit Lena traverser la salle du poste de police, le menton relevé dans une attitude de défi. Quand elle arriva devant son bureau, elle prit son temps pour fermer la porte, avant de s'affaler dans l'un des deux fauteuils situés en face de lui. Elle avait l'air d'une adolescente convoquée dans le bureau du principal du collège.

« Je suis désolée de t'avoir frappé, grommela-t-elle.

— Ouais, lui répliqua Jeffrey, en tenant toujours son mouchoir. Dans le championnat Auburn-Alabama, j'ai vu pire. Elle ne répondit pas. Et à l'époque, j'étais dans les tribunes », plaisanta-t-il.

Lena s'accouda et appuya le menton dans sa main.

« De quelles pistes disposes-tu ? le questionna-t-elle. Des suspects ?

— Nous sommes justement en train de consulter l'ordinateur. Nous devrions sortir une liste dans la matinée. »

Elle se passa la main devant les yeux. Il plia son mouchoir, en attendant qu'elle reprenne la parole.

Elle chuchota.

« Elle a été violée ?

— Oui.

— Salement ?

— Je ne sais pas.

— J'ai vu l'entaille, insista Lena. C'est un malade de Jésus, ou quoi ? »

Il lui dit la vérité.

« Je ne sais pas.

— T'as pas l'air d'en savoir des masses, lâcha-t-elle enfin.

— Tu as raison, admit-il. J'ai besoin de te poser quelques questions. »

Elle ne releva pas les yeux, mais il la vit hocher la tête imperceptiblement.

« Fréquentait-elle quelqu'un ? »

Elle finit par lever la tête.

« Non.

— D'anciens petits amis ? »

Il y eut un flottement dans son regard, et cette fois-ci la réponse ne vint pas aussi vite que la précédente.

« Non.

— Tu en es sûre ?

— Oui, j'en suis sûre.

— Même pas une relation vieille de quelques années ? Sibyl est venue s'installer ici il y a, quoi, six ans ?

— C'est exact, confirma Lena, d'une voix redevenue hostile. Elle a accepté un poste au collège pour être près de moi.

— Elle vivait avec quelqu'un ?

— Qu'est-ce que ça veut dire ? »

Jeffrey lâcha son mouchoir.

« Ça veut dire ce que ça veut dire, Lena. Elle était aveugle. Je suppose qu'elle avait besoin d'un coup de main pour s'en sortir. Vivait-elle avec quelqu'un ? »

Lena fit la moue, comme si elle hésitait entre répondre et se taire.

« Elle partageait une maison avenue Cooper, avec Nan Thomas.

— La bibliothécaire ? »

Voilà qui expliquerait pourquoi Sara l'avait aperçue à la bibliothèque.

« J'imagine qu'il va falloir que j'apprenne la nouvelle à Nan aussi », grommela Lena.

Jeffrey estimait que Nan devait déjà être au courant. A Grant, les secrets ne le demeuraient pas longtemps.

« Je peux m'en charger, lui proposa-t-il néanmoins.

— Non, refusa-t-elle en lui lançant un regard cinglant. J'estime qu'il vaut mieux que ça vienne de quelqu'un qui la connaisse. »

Pour Jeffrey, le sous-entendu était clair, mais il choisit de ne pas se confronter à elle sur ce terrain. Elle cherchait à nouveau la bagarre, cela, au moins, c'était évident.

« Je suis certain qu'elle a déjà dû en entendre parler. Elle ne sera pas au fait des détails.

— Tu veux dire qu'elle n'est pas au courant du viol ? La jambe de Lena s'agitait, prise d'un tressautement nerveux. Il vaut mieux que je ne lui parle pas de cette blessure en croix, je suppose ?

— Probablement pas, répondit-il. Nous avons besoin de maintenir certains détails confidentiels, au cas où il y aurait des aveux.

— Des aveux, j'aimerais bien en recevoir, même des faux, marmonna Lena, la jambe toujours tremblante.

— Ce soir, il ne faut pas que tu restes seule, lui conseilla-t-il. Tu veux que j'appelle ton oncle ? » Il tendit la main vers le téléphone, mais elle l'arrêta dans son geste, c'était non.

« Ça va, lui assura-t-elle, en se levant. Je pense que je te verrai demain. »

Jeffrey se leva lui aussi, heureux d'en finir.

« Je t'appelle dès que nous avons quelque chose. »

Elle lui lâcha un drôle de regard.

« A quelle heure a lieu la réunion ? »

Il comprit où elle voulait en venir.

« Je ne suis pas disposé à te laisser travailler sur cette affaire, Lena. Il faut que tu le saches.

— Tu ne comprends pas, reprit-elle. Si tu ne me laisses pas travailler là-dessus, alors tu auras un autre macchabée pour ta petite amie de la morgue. »

Six

Lena frappa du poing à la porte d'entrée de la maison de sa sœur. Elle allait regagner sa voiture pour y prendre son jeu de clefs de secours quand Nan Thomas lui ouvrit.

Nan était plus petite que Lena, et devait peser cinq kilos de plus. Ses cheveux courts et châtain terne, ses épais verres de lunettes la faisaient ressembler au prototype de la bibliothécaire qu'elle était.

Les yeux de Nan étaient gonflés et bouffis, des larmes coulaient encore sur ses joues. Elle tenait un mouchoir en papier roulé en boule dans la main.

« Tu dois être au courant, je pense », commença Lena.

Nan se retourna, rentra dans la maison, laissant la porte ouverte pour Lena. Les deux femmes ne s'étaient jamais entendues. Si Nan Thomas n'avait pas été la maîtresse de Sibyl, Lena ne lui aurait jamais adressé deux mots.

La maison était un pavillon de plain-pied construit dans les années 1920. L'essentiel de l'architecture originelle subsistait encore, depuis les planchers jusqu'aux moulures très simples des cadres de porte. L'entrée donnait sur un vaste salon avec une cheminée d'un côté et la salle à manger de l'autre. La cuisine était en face. Deux petites chambres et une salle de bains complétaient ce plan fort simple.

Lena se dirigea résolument vers le fond du couloir. Elle ouvrit la première porte sur la droite, pénétra dans la chambre que Sibyl avait transformée en bureau. La pièce était propre et en ordre, avant tout par nécessité. A cause de la cécité de Sibyl, les objets devaient être à leur place, sinon elle aurait été incapable de les trouver. Des livres en braille étaient soigneusement empilés sur les rayonnages. Des magazines, également en braille, étaient alignés sur la table basse devant un vieux futon. Un ordinateur était installé sur le bureau, le long du mur du fond. Lena l'allumait quand Nan entra dans la pièce.

« Qu'est-ce que tu fabriques ?

— Il faut que j'examine ses dossiers.

— Pourquoi ? insista Nan, en se postant devant le bureau. Elle posa la main sur le clavier, comme si elle aurait pu arrêter Lena.

— J'ai besoin de voir s'il n'y avait rien de bizarre, si personne ne la suivait.

— Et tu crois trouver ça ici ? lança Nan, en se saisissant du clavier. Elle ne s'en servait que pour l'école. Tu ne connais même pas le fonctionnement du logiciel de reconnaissance vocale. »

Lena lui reprit le clavier des mains.

« Je vais me débrouiller.

— Ah mais non, se rebiffa Nan. C'est aussi ma maison. »

Lena, les mains sur les hanches, gagna le centre de la pièce. Elle remarqua une pile de feuilles, à côté d'une vieille machine à écrire en braille. Lena les ramassa, et se tourna vers Nan.

« Qu'est-ce que c'est ? »

Nan se précipita, s'empara des feuilles.

« C'est son Journal.

— Tu saurais le lire ?

— C'est son journal intime, se récria Nan, horrifiée. Ce sont ses pensées personnelles. »

Lena se mordilla la lèvre inférieure, s'essayant à une tactique plus diplomatique. Son aversion de longue date envers Nan n'était pas un secret dans cette maison.

« Tu sais déchiffrer le braille, non ?

— Un peu.

— Il faut que tu me résumes ce que ça raconte, Nan. Quelqu'un l'a tuée. Lena tapota sur les pages. Elle était peut-être suivie. Elle avait peut-être peur de quelque chose dont elle ne voulait pas nous parler. »

Nan se détourna, la tête penchée sur ces feuilles. Elle laissa courir ses doigts sur les lignes de points, mais Lena voyait bien qu'elle ne lisait pas. Sans savoir pourquoi, elle avait l'impression que la bibliothécaire touchait ces pages uniquement parce que Sibyl les avait touchées, comme si elle pouvait ainsi s'imprégner d'un peu de sa personne, et pas seulement de ses mots.

« Elle se rendait toujours au restaurant le lundi, souligna Nan. C'était sa sortie, l'occasion pour elle de faire quelque chose par elle-même.

— Je sais.

— Nous étions censées préparer des burritos, ce soir. » Nan reposa la pile de feuilles sur le bureau.

« Fais ce que tu as à faire, ajouta-t-elle encore. Je serai dans le salon. »

Lena attendit qu'elle soit sortie, puis elle poursuivit la tâche qu'elle avait entamée. Pour l'ordinateur, Nan avait raison. Lena ne savait pas se servir du logiciel, et Sibyl ne l'utilisait que pour l'école. Sibyl dictait à la machine ce dont elle avait besoin, et son assistante s'assurait des tirages de copies.

La deuxième chambre était légèrement plus grande que la première. Lena resta sur le seuil, avisa le lit bien bordé. Un ours en peluche était coincé entre les oreillers. Cet ourson était vieux, tout pelé par endroits. Sibyl ne l'avait quasiment jamais quitté de toute son enfance, et s'en séparer lui avait semblé une hérésie. Lena s'appuya contre la porte, une image de sa sœur enfant lui revint, debout avec son ourson. Elle ferma les yeux, laissa ce souvenir l'envahir. Il n'y avait pas grand-chose, dans son enfance, dont elle ait envie de conserver le souvenir, mais une journée en particulier ressortait du lot. Quelques mois après l'accident qui avait rendu sa sœur aveugle, elles se trouvaient dans le jardin derrière la maison, et Lena poussait Sibyl sur la balançoire. Elle tenait l'ourson contre sa poitrine, la tête rejetée en arrière comme si elle humait la brise, un grand sourire lui barrait le visage alors qu'elle se délectait de ce plaisir tout simple. Cela témoignait d'une telle confiance, Sibyl sur la balançoire et se fiant à sa sœur pour qu'elle ne la pousse ni trop fort ni trop haut. Lena s'était sentie responsable, transportée, et avait continué de la pousser jusqu'à en avoir mal aux bras.

Elle se frotta les yeux, referma la porte de la chambre, passa dans la salle de bains et ouvrit l'armoire à pharmacie. Mis à part les vitamines et les plantes habituelles de Sibyl, elle était vide. Elle fouilla le placard, au milieu des rouleaux de papier toilette et de serviettes hygiéniques, des gels capillaires et des serviettes de bain. Que cherchait-elle ? Elle n'en savait trop rien. Sibyl ne cachait pas les objets. Si tel avait été le cas, elle aurait été elle-même la dernière personne à pouvoir les retrouver.

« Sibby, souffla-t-elle, en revenant devant le miroir de l'armoire à pharmacie. C'est elle qu'elle y vit, et non Sibyl. Elle s'adressa à son reflet, en chuchotant. Dis-moi quelque chose. Je t'en prie. »

Elle ferma les yeux, essayant d'évoluer dans l'espace à la manière de sa sœur aveugle. La pièce était petite et, en se tenant au centre, elle arrivait à toucher les deux murs avec les mains. Elle ouvrit les yeux, non sans un soupir de lassitude. Il n'y avait rien, là.

De retour dans le salon, elle vit Nan Thomas assise sur le canapé. Elle tenait le Journal de Sibyl sur ses genoux, et ne leva pas les yeux quand Lena entra.

« Je suis en train de lire ce qui concerne les dernières journées, expliqua-t-elle d'un ton neutre. Rien de particulier. Elle se faisait du souci pour un élève qui séchait l'école.

— Un type ? »

Nan secoua la tête.

« Une fille. Une nouvelle. »

Lena appuya la tête contre le mur.

« Avez-vous eu des allées et venues d'ouvriers ces derniers mois ?

— Non.

— C'est le même facteur qui a toujours desservi la

maison ? Pas de livreurs d'UPS ou de Federal Express ?

— Personne de nouveau. On est à Grant County, Lee. »

En entendant ce diminutif familier, Lena se hérissa. Elle tâcha de ravaler sa colère.

« Elle n'a jamais signalé qu'elle se sentait suivie, rien de ce genre ?

— Non, pas du tout. Elle était parfaitement normale. » Nan serra les feuilles contre sa poitrine. « Ses classes étaient très bien. Et nous étions très bien. » Un léger sourire se dessina sur ses lèvres. « Nous étions censées partir une journée pour Eufalla, ce week-end. »

Lena sortit ses clefs de voiture de sa poche.

« Parfait, lâcha-t-elle avec une pointe de mordant, s'il te venait quoi que ce soit en tête, je te conseille de m'appeler.

— Len... »

Lena leva la main.

« Ça va, ça va. »

Nan prit cet avertissement avec un froncement de sourcils.

« Si je pense à quelque chose, je t'appelle. »

A minuit, Lena achevait sa troisième bouteille de Rolling Rock et franchissait la limite de Grant County, à la sortie de Madison. Elle envisagea de jeter la bouteille vide par la fenêtre, mais à la dernière minute changea d'avis. Son sens tordu de la moralité la fit rigoler : elle conduisait en état d'ivresse, mais elle ne souillerait pas la voie publique. Il y avait une limite à tout.

Angela Norton, la mère de Lena, avait grandi en voyant son frère plonger dans un puits sans fond, mélange d'alcool et de drogue. Hank avait expliqué à Lena que sa mère était catégoriquement contre l'alcool. Quand Angela avait épousé Calvin Adams, la seule règle existant dans leur foyer était celle qui lui interdisait de sortir boire avec ses collègues policiers. Cal était connu pour commettre ici ou là certaines entorses, mais pour l'essentiel il avait honoré les souhaits de son épouse. Trois mois après leur mariage, il arrêtait une voiture lors d'un contrôle de routine, sur un chemin de terre aux abords de Reece, en Géorgie, et le conducteur lui avait braqué un pistolet sous le nez. Atteint de deux balles dans la tête, Calvin était déjà mort avant que son corps ne touche terre.

A vingt-trois ans, Angela n'était guère préparée à devenir veuve. Quand elle perdit connaissance à l'enterrement de son mari, sa famille mit cela sur le compte de son état nerveux. Quatre semaines de nausées matinales plus tard, un médecin lui délivra enfin son diagnostic. Elle était enceinte.

A mesure que sa grossesse progressait, le moral d'Angela baissait. Elle n'était déjà pas d'une nature très gaie. La vie à Reece n'était pas facile, et la famille Norton avait connu sa part d'épreuves. Hank Norton était réputé pour son tempérament volage et il était considéré comme appartenant à l'espèce des ivrognes méchants, de ceux qu'on n'aurait pas trop envie de croiser dans une ruelle obscure. Dès son plus jeune âge, instruite par l'exemple de son frère aîné, Angela avait appris à ne pas trop chercher la bagarre. Deux semaines après avoir donné naissance à des jumelles, Angela Adams succombait à une infection. Elle avait vingt-quatre ans. Hank Norton était le seul parent disposé à accueillir les fillettes.

A entendre la version de Hank, Sibyl et Lena avaient bouleversé son existence. Le jour où il les avait ramenées chez lui, il cessa de maltraiter son organisme. Il prétendait avoir rencontré Dieu à travers leur présence et affirmait, encore à ce jour, se rappeler chaque minute de ce qu'il avait éprouvé en tenant Lena et Sibyl dans ses bras pour la première fois.

A la vérité, Hank ne se shoota plus au speed une fois les deux fillettes installées avec lui. En revanche, il n'avait arrêté de boire que bien plus tard. Elles avaient alors huit ans. Une mauvaise journée à son boulot avait poussé Hank à la beuverie. Une fois à court d'alcool, il avait décidé de se rendre au magasin en voiture plutôt qu'à pied. Sa voiture n'atteignit même pas la rue. Sibyl et Lena étaient en train de jouer à la balle dans le jardin, devant la maison. Lena ne comprenait toujours pas ce qui avait pu passer par la tête de Sibyl quand elle s'était lancée à la poursuite de la balle dans l'allée du garage. La voiture l'avait heurtée par le flanc, le pare-chocs en acier était venu la frapper à la tempe au moment où elle se baissait pour récupérer la balle.

Les services de police du comté avaient été sollicités, mais l'enquête n'avait rien donné. L'hôpital le plus proche était à une quarantaine de minutes en voiture de Reece. Hank eut tout le temps de dessaouler et de produire un récit convaincant. Lena se souvenait encore de ce trajet dans la voiture avec lui, de sa manière de remuer la bouche tandis qu'il échafaudait son histoire dans sa tête. A l'époque, la petite Lena de huit ans n'était pas tout à fait sûre de saisir ce qui était arrivé, et quand la police l'avait interrogée, elle avait abondé dans le sens de Hank.

Parfois, il lui arrivait encore de rêver de cet accident, et dans ces songes-là le corps de Sibyl rebondissait sur le sol exactement comme l'avait fait la balle. Que Hank ait prétendument jamais touché à la moindre goutte d'alcool depuis lors demeurait pour elle sans incidence. Le mal était fait.

Elle ouvrit une autre bouteille de bière, retirant les deux mains du volant pour faire pivoter la capsule. Elle en avala une longue gorgée, et le goût la fit grimacer. L'alcool ne l'avait jamais attirée. Elle détestait perdre la maîtrise d'elle-même, elle détestait cette sensation de vertige et d'engourdissement. Se saouler convenait aux faibles, c'était la béquille des gens trop fragiles pour vivre leur propre existence, pour tenir debout. Boire, c'était une fuite. Elle prit une autre lampée de bière, estimant qu'il n'était pas de moment mieux choisi que l'instant présent pour s'y prêter.

Elle prit la sortie, s'engagea un peu trop sec dans le virage, et la Celica chassa des roues arrière. Tenant son volant d'une seule main et s'accrochant fermement à la bouteille de l'autre, elle corrigea la trajectoire. Un autre virage à droite, encore plus sec, au sommet de la rampe, la fit déboucher sur le Reece Stop'n'Save. La boutique à l'intérieur était plongée dans le noir. Comme la plupart des commerces de la ville, la station-service fermait à dix heures. Pourtant, si sa mémoire lui était utile à quelque chose, il lui suffirait de quelques pas derrière le bâtiment pour démasquer un groupe d'ados en train de boire, de fumer des cigarettes et de se livrer à des choses que leurs parents n'auraient aucune envie de savoir. Plus d'une fois, par une nuit sans lune, Lena et Sibyl s'étaient rendues là, en se faufilant en douce hors de la maison sous l'œil relativement peu vigilant de Hank.

Une fois les bouteilles vides ramassées, elle descendit de voiture. Elle tituba, son pied s'étant coincé dans la portière. Une bouteille lui échappa des mains et éclata contre le béton. En poussant un juron, elle écarta les éclats de verre de ses pneus et se dirigea vers la poubelle. Tout en jetant les canettes vides, elle fixa son reflet dans les vitres opaques du magasin. L'espace d'une seconde, elle eut l'impression de regarder Sibyl. Elle tendit la main vers la surface de verre, toucha ses lèvres, ses yeux.

« Seigneur », soupira Lena. C'était l'une des nombreuses raisons pour lesquelles elle n'aimait pas boire. L'alcool la transformait en véritable paquet de nerfs.

La musique du bar braillait jusque dans la rue. Hank considérait comme une épreuve de volonté le fait de posséder un bar sans jamais s'imbiber. La Hut portait bien son nom, avec une touche sudiste en prime. Le toit était en chaume sur la profondeur nécessaire, juste assez pour donner le change, et la surface du plan incliné était tapissée de taule rouillée. Des photophores munis d'ampoules orange et rouge en guise de flammes étaient piqués de chaque côté de l'entrée, et la peinture de la porte voulait donner l'impression d'une texture de brins d'herbe. Quant à la peinture des murs, elle était pelée, mais grosso modo on arrivait encore à y discerner un motif de bambous.

Ivre comme elle l'était, Lena eut le bon sens de bien regarder des deux côtés avant de traverser la rue. Quand elle s'engagea dans le parking tapissé de gravier, ses pieds accusaient environ dix secondes de retard sur son corps, et elle maintenait les bras écartés pour préserver son équilibre. Sur la cinquantaine de véhicules garés là, quarante à peu près étaient des pick-up. Le nouveau Sud étant ce qu'il était, au lieu de râteliers de fusils, leurs flancs étaient équipés de glissières chromées et de filets dorés. Les autres véhicules étaient des Jeeps et des quatre-roues motrices. Des numéros du championnat Nascar étaient peints sur les lunettes arrière. La Mercedes de Hank couleur crème, millésime 1983, était la seule berline du parking.

La Hut puait la fumée de cigarettes, et elle dut respirer par petits à-coups pour ne pas étouffer. Elle se rendit au comptoir, mais ses yeux la brûlaient. En vingt et quelques années, l'endroit n'avait pas changé. Le sol était encore tout collant de bière et tout craquant d'enveloppes de cacahuètes. Sur la gauche, il y avait des boxes qui recelaient sûrement plus de particules d'ADN que n'en contenait le labo du FBI à Quantico. Sur la droite, un comptoir tout en longueur était composé de tonneaux de deux cent cinquante litres et de cœurs de pin. Une scène occupait le mur du fond, les toilettes hommes et dames étant situées de part et d'autre. Au centre du bar, il y avait ce que Hank appelait la piste de danse. Presque tous les soirs, les lieux étaient pleins à craquer d'hommes et de femmes à divers stades d'ivresse et d'excitation sexuelle. Le Hut était un bar « deux-trente », ce qui signifiait qu'à deux heures et demie du matin tout le monde avait l'air parfaitement dans son assiette.

Hank était invisible, mais Lena savait qu'en cette soirée réservée aux amateurs, il ne serait pas loin. Un lundi sur deux, les clients de la Hut étaient invités à monter sur scène et à se couvrir de honte devant le reste de la ville. Rien que d'y penser, elle en eut des frissons. Comparée à Reece, Heartsdale était une métropole en constante effervescence. Si l'usine de pneus n'avait pas existé, la quasi-totalité des hommes de cette salle aurait quitté la région depuis longtemps. En l'état actuel des choses, ils se satisfaisaient de se saouler à mort et de faire semblant d'être heureux.

Elle se glissa sur le premier tabouret qu'elle put trouver. La chanson country du juke-box avait un accompagnement de basse qui cognait fort, et elle s'accouda au bar, les mains en conque sur les oreilles, histoire de s'écouter penser.

Elle sentit un coup sur le bras et leva les yeux juste à temps pour découvrir l'exemple parfait de ce que le dictionnaire *Webster's* aurait défini comme un plouc, en train de s'asseoir à côté d'elle. La figure était brûlée par le soleil depuis le cou jusqu'à la racine des cheveux, le personnage ayant travaillé dehors coiffé d'une casquette de base-ball. Sa chemise était impeccablement amidonnée, et ses boutons de manchette le serraient autour de ses poignets épais. Soudain, le juke-box s'interrompit, et elle articula la mâchoire pour se déboucher les oreilles et ne plus avoir l'impression d'être dans un tunnel.

Son gentleman de voisin lui cogna de nouveau le bras.

« Salut, madame », lui lança-t-il avec un sourire.

Elle leva les yeux au ciel, croisant le regard du barman.

« Un Jack Daniel's sur glace, commanda-t-elle.

— C'est ma tournée », déclara l'homme, en plaquant sur le bar un billet de dix dollars. Quand il parlait, les mots s'entrechoquaient dans sa bouche comme les wagons d'un train qui déraille, et Lena se rendit compte qu'il était ivre à un degré qu'elle n'aurait jamais pu envisager de concurrencer.

L'homme lui lâcha un sourire sirupeux.

« Tu sais, mon sucre d'orge, j'aimerais vraiment te connaître bibliquement. »

Elle se pencha vers lui, tout près de son oreille.

« Si jamais je découvre que tu es parvenu à tes fins, je te découpe les couilles avec mes clefs de bagnole. »

Il ouvrit la bouche pour répondre, mais il fut éjecté de son tabouret de bar avant d'avoir pu sortir un mot. Hank se tenait là, le col de chemise du gaillard serré dans sa pogne, et il expédia l'importun dans la foule. Le regard qu'il posa sur Lena était, s'imagina-t-elle, aussi dur que le sien.

Elle n'avait jamais apprécié son oncle. A l'inverse de Sibyl, elle n'était pas du genre à pardonner. Même quand elle conduisait Sibyl à Reece pour lui rendre visite, elle passait le plus clair de son temps dans la voiture ou assise sur les marches du perron, les clefs à la main, prête à repartir dès que Sibyl aurait franchi la porte de la maison.

Hank Norton avait eu beau avoir passé l'essentiel de sa vie, entre le début de la vingtaine et la fin de la trentaine, à s'injecter du speed dans les veines, ce n'était pas un idiot. L'apparition de Lena, en plein milieu de la nuit, sur le seuil de l'établissement légendaire dont il était le propriétaire, ne pouvait signifier qu'une chose.

Ils ne s'étaient toujours pas quittés du regard quand la musique se remit à beugler, faisant trembler les murs, propageant sa vibration depuis le sol jusqu'au tabouret de bar. Elle vit plus qu'elle n'entendit ce que Hank lui demandait.

« Où est Sibyl ? »

Coincé derrière le bar, une dépendance plus qu'un véritable lieu de travail, le bureau de Hank était une petite boîte en bois sous un toit en zinc. Une ampoule était suspendue à un cordon électrique effiloché : l'installation devait dater des grands chantiers du New Deal. Des affiches de bières et d'alcools étaient punaisées au mur du fond, laissant à peu près dix mètres carrés libres pour un bureau et deux chaises de part et d'autre. Tout autour, il y avait des piles de boîtes bourrées de tickets de caisse que Hank avait accumulés durant toutes ces années passées à gérer le bar. Le ruisseau qui coulait sous cette cabane maintenait dans l'air un certain degré d'humidité et de moisissure. Lena se figurait Hank aimant bien travailler dans cet endroit sombre et humide, passant ainsi ses journées dans un réduit semblable à une bouche.

« Je vois que tu as rénové », remarqua Lena, en posant son verre sur l'une des boîtes. Elle n'aurait su affirmer si elle n'était plus saoule du tout ou si elle l'était trop pour s'en apercevoir.

Hank jeta un bref coup d'œil à son verre, puis il revint à Lena.

« Tu ne bois pas. »

Elle leva le sien pour porter un toast.

« A ma vocation tardive. »

Hank se redressa dans son fauteuil de bureau, les mains croisées sur le ventre. Il était grand et maigre, avec une peau qui avait tendance à peler en hiver. Malgré un père espagnol, Hank ressemblait davantage à sa mère, une femme à la mine terreuse, le caractère aussi fielleux que le teint. Elle avait toujours considéré que son oncle avait grosso modo l'air d'un serpent albinos.

« Qu'est-ce qui t'amène par ici ? demanda-t-il.

— Je passais, c'est tout », parvint-elle à répondre entre deux gorgées. Le whisky prit dans sa bouche un goût amer. Tout en finissant de vider son verre, elle garda un œil sur Hank, puis elle le reposa brutalement sur la boîte. Lena ignorait ce qui la retenait. Pendant des années, elle avait attendu d'avoir le dessus sur Hank Norton. C'était son tour de lui faire du mal, autant qu'il en avait causé à Sibyl.

« Tu t'es mise à sniffer de la coke, toi aussi, ou alors t'as pleuré ? »

Elle s'essuya la bouche du revers de la main.

« A ton avis ? »

Hank la dévisagea, en se frottant les mains l'une contre l'autre. C'était plus qu'une manie, Lena le savait. Le speed avait très vite provoqué de l'arthrite. Comme ses veines étaient presque toutes calcifiées à cause de l'additif utilisé pour couper la poudre, le sang ne circulait guère dans les mains. Elles étaient glacées et lui faisaient mal quasiment tous les jours.

Tout d'un coup, il cessa de les frotter.

« Finissons-en, Lee. J'ai le spectacle à mettre en route. »

Lena tenta d'ouvrir la bouche, mais rien ne s'en échappa. Pour une part, sa colère lui venait de cette attitude désinvolte de Hank, celle qui avait marqué leur relation depuis le début. Et d'autre part, elle ignorait comment le lui annoncer. Elle avait beau haïr son oncle, il n'en était pas moins un être humain. Et Hank avait adoré Sibyl. Au collège, Lena ne pouvait pas emmener sa sœur partout avec elle, et Sibyl avait donc passé pas mal de temps avec lui. Il s'était noué là un lien indéniable, et si elle avait une puissante envie de blesser son oncle, elle se sentait obligée d'observer une certaine retenue. Lena avait aimé Sibyl, et Sibyl avait aimé Hank.

Hank attrapa un stylo-bille, le retourna plusieurs fois tête et pointe sur le bureau, avant de finalement demander :

« Qu'est-ce qui ne va pas, Lee ? Tu as besoin d'argent ? »

Si seulement c'était aussi simple, songea-t-elle.

« Ta bagnole est en panne ? »

Elle secoua la tête, lentement, d'un côté, de l'autre.

« C'est Sibyl », devina-t-il, et sa voix s'étrangla dans sa gorge.

Comme Lena ne répondait pas, il hocha lentement la tête, joignant les mains, comme pour une prière.

« Elle est malade ? », demanda-t-il, et sa voix laissait entendre qu'il s'attendait au pire. Par cette simple phrase, il trahissait davantage d'émotion que Lena ne lui avait jamais vu en exprimer depuis qu'elle le connaissait. Elle l'observa attentivement, comme si c'était la première fois. Sa peau pâle était tachetée de ces points rouges que les hommes attrapent sur le visage avec l'âge. Ses cheveux, argentés depuis toujours, aussi loin que remontaient ses souvenirs, viraient au jaune terne sous l'ampoule de soixante watts. Sa chemise hawaiienne était fripée, ce qui n'était pas son style, et ses mains tremblaient légèrement.

Lena procéda de la même manière que Jeffrey Tolliver.

« Elle est allée déjeuner au restaurant, dans le centre, commença-t-elle. Tu sais, celui qui est en face de la boutique de vêtements ? »

Il se borna à un léger hochement de tête.

« Elle s'y est rendue à pied, en partant de chez elle, continua-t-elle. Elle faisait ça toutes les semaines, uniquement pour se prouver qu'elle était capable de faire quelque chose par elle-même. »

Les mains de Hank se nouèrent à hauteur du visage, ses index vinrent au contact de son front.

« Et donc, euh. » Elle attrapa son verre, elle avait besoin de s'occuper. Elle sirota le peu d'alcool qui stagnait entre les glaçons, avant de poursuivre. « Elle est allée aux toilettes, et quelqu'un l'a tuée. »

Il y avait très peu de bruit, dans ce minuscule bureau. Des sauterelles crissaient à l'extérieur. Un gargouillement montait du ruisseau. Une palpitation sourde et lointaine provenait du bar.

Sans préambule, Hank se retourna, fouilla dans les boîtes.

« Qu'est-ce que tu as bu, ce soir ? » demanda-t-il.

Lena fut surprise de sa question, mais elle n'aurait pas dû. Malgré l'endoctrinement que lui avaient fait subir les Alcooliques Anonymes, Hank Norton était passé maître dans l'art d'esquiver tout désagrément. C'était avant tout son besoin d'évasion qui l'avait conduit vers les drogues et l'alcool.

« De la bière, dans la voiture, lui avoua-t-elle, jouant le jeu, trop heureuse que, pour une fois, il ne s'enquière pas des détails sanglants. Et un Jack Daniel's ici. »

Il observa un temps de silence, la main autour de la bouteille de Jack Daniel's.

« Alcool sur bière, t'es pas tirée d'affaire », lui rappela-t-il, mais sa voix s'étrangla sur la dernière partie de la phrase.

Elle lui tendit son verre, faisant tinter les glaçons pour attirer son attention. Elle observa Hank, pendant qu'il la servait, nullement surprise quand elle le vit se passer la langue sur les lèvres.

« Comment ça va dans le boulot ? », souffla-t-il d'une voix grêle. Sa lèvre inférieure tremblait légèrement. Il émanait de lui une expression de complet chagrin, en total contraste avec les mots qui franchissaient ses lèvres.

« Ça marche comme tu veux ? »

Elle hocha la tête. Elle se sentait comme sonnée, en plein dans un accident de voiture. Elle comprenait enfin le sens du mot « irréel ». Dans cet espace restreint, rien ne lui paraissait plus concret du tout. Le verre dans sa main lui semblait sans consistance aucune. Hank était à des kilomètres. Elle était dans un rêve.

Avec un sursaut, Lena tâcha de s'en extraire en vidant son verre d'un trait. L'alcool vint lui entamer la gorge comme du feu, un feu solide et incandescent, comme si elle avait avalé de l'asphalte en fusion.

Quand elle eut ce geste, Hank ne la regardait pas elle, mais son verre.

Il ne lui en fallait pas plus.

« Sibyl est morte, Hank », répéta-t-elle.

Sans autre forme d'avertissement, les yeux de son oncle se mouillèrent de larmes, et elle n'en pensa rien, si ce n'est qu'il avait l'air très, très vieux. C'était comme de regarder une fleur se faner. Il sortit son mouchoir et s'essuya le nez.

Elle répéta ces mots, presque sur le même ton que Jeffrey Tolliver plus tôt dans la soirée.

« Elle est morte. »

La voix de Hank vacilla quelque peu.

« Tu es sûre ? »

Lena eut un rapide hochement de tête.

« Je l'ai vue. Quelqu'un l'a salement poignardée », ajouta-t-elle.

La bouche de Hank s'ouvrit et se referma, pareille à celle d'un poisson. Il soutint le regard de Lena, comme il en avait l'habitude quand il cherchait à la surprendre en flagrant délit de mensonge. Finalement, il détourna le regard.

« Ça ne rime à rien », grommela-t-il.

Elle aurait pu lui tendre la main, tapoter la sienne, cette vieille main, s'efforcer peut-être de le réconforter, mais elle n'en fit rien. Lena se sentait figée sur sa chaise. Au lieu de penser à Sibyl, ce qui avait été sa réaction initiale, elle se concentra sur Hank, sur ses lèvres humides, sur les poils qui lui sortaient du nez.

« Oh, Sibby. » Il soupira, s'essuya les yeux. Quand il déglutit, elle vit sa pomme d'Adam rebondir. Il attrapa la bouteille, posa la main sur le goulot. Sans rien demander, il dévissa le capuchon et versa un autre verre à sa nièce. Cette fois, le liquide sombre arriva presque à ras bord.

Il s'écoula encore un peu de temps, puis Hank se moucha bruyamment et se tamponna les yeux avec son mouchoir.

« Je vois pas qui a pu la tuer. » Ses mains tremblaient de plus en plus, et il n'en finissait pas de replier ce mouchoir. « Ça ne rime à rien, grommela-t-il. Toi, je pourrais comprendre.

— Merci beaucoup. »

Cette repartie suffit à provoquer l'irritation de Hank.

« Je veux dire, à cause de ton boulot. Maintenant tu vas arrêter de prendre la mouche, avec ton foutu caractère. »

Lena ne commenta pas. C'était une de ses injonctions familières dont il avait le secret.

Il posa ses deux paumes à plat sur le bureau, dévisagea Lena.

« Quand c'est arrivé, tu étais où ? »

Lena avala son verre cul sec, et cette fois la brûlure fut moins intense. Quand elle le reposa sur le bureau, Hank la dévisageait toujours.

« A Macon, marmonna-t-elle.

— Ce crime, c'est une histoire de haine pure et simple, alors ? »

Lena tendit la main pour reprendre la bouteille.

« J'en sais rien. Peut-être. » Elle versa le whisky, et il y eut des remous dans la bouteille. « Peut-être qu'il lui est tombé dessus parce qu'elle était homo. Peut-être parce qu'elle était aveugle. » Elle lui lança un regard à la dérobée, et enregistra son expression chagrinée. Elle décida de lui faire part de ses supputations. « Les violeurs ont tendance à choisir des femmes qu'ils peuvent dominer, Hank. Elle offrait une cible facile.

— Et donc ça remonte à moi, tout ça, hein ?

— Ce n'est pas ce que j'ai dit. »

Il empoigna la bouteille.

« D'accord », la coupa-t-il, en laissant atterrir la bouteille à moitié vide au fond de son carton. A présent, il y avait de la colère dans sa voix, et il en revenait aux aspects pratiques. Tout comme elle, Hank n'était pas à son aise avec le côté émotionnel des choses. Sibyl avait souvent relevé que la raison principale de la mésentente de Hank et Lena tenait au fait qu'ils étaient trop semblables. Assise là avec lui, s'imprégnant de son chagrin et de sa colère qui emplissaient le minuscule espace, elle s'aperçut que Sibyl ne s'était pas trompée. En un sens, il lui offrait le spectacle d'elle-même dans vingt ans, et elle ne pouvait rien inventer pour empêcher cela.

« Tu as causé avec Nan ? s'enquit-il.

— Ouais.

— Il faut préparer la cérémonie », ajouta-t-il, en prenant son stylo et en dessinant une boîte sur le calendrier de son bureau. Sur cette boîte, il inscrivit le mot ENTERREMENT en lettres majuscules. « Il y a quelqu'un à Grant qui ferait du bon boulot, à ton avis ? Il attendit la réponse. Je veux dire, c'est là qu'elle avait presque tous ses amis.

— Quoi ? s'écria Lena, son verre en suspens au bord des lèvres. De quoi tu parles ?

— Lee, il faut prendre des dispositions. Il faut veiller sur Sibby. »

Elle termina son verre. Quand elle posa les yeux sur Hank, il avait les traits brouillés. En fait, toute la pièce était dans le flou. Elle avait la sensation de se trouver à bord d'un chariot de montagnes russes, et son estomac réagit en conséquence. Elle porta la main à sa bouche, réprimant un vomissement.

Hank avait déjà probablement vu cette expression à maintes reprises, très certainement dans un miroir. Il était à côté d'elle, il lui maintint une poubelle sous le menton, juste au moment où elle perdait la bataille.

Mardi

Sept

Dans la maison de ses parents, Sara était penchée au-dessus de l'évier, et elle essayait de décoincer le robinet avec le tournevis de son père. Elle avait passé l'essentiel de la soirée à la morgue, pour parachever l'autopsie de Sibyl Adams. Elle n'avait aucune envie de rentrer dans une maison plongée dans l'obscurité et de dormir seule. Si l'on ajoutait à cela le message de Jeffrey sur son répondeur, qui la menaçait de débarquer chez elle, elle n'avait pas vraiment eu le choix du lieu où coucher cette nuit-là. Elle était allée chercher ses chiens en douce et en vitesse, et n'avait pas même pris la peine de quitter sa combinaison médicale.

Elle essuya la sueur de son front, jeta un œil à l'horloge de la cafetière électrique. Il était six heures et demie du matin et elle avait dormi deux heures en tout. Chaque fois qu'elle fermait les yeux, elle repensait à Sibyl Adams assise sur le siège, aveugle à ce qui lui arrivait, éprouvant dans sa chair tout ce que son agresseur lui infligeait.

Le positif des choses, c'était que, mis à part une catastrophe familiale, la journée qui s'avançait ne risquait guère d'être pire que celle de la veille.

Cathy Linton entra dans la cuisine et sortit une tasse d'un placard avant de remarquer la présence de sa fille aînée, debout à côté d'elle.

« Qu'est-ce que tu fabriques ? »

Sara enfila un joint neuf sur le filetage.

« Le robinet fuyait.

— Deux plombiers dans la famille, se lamenta Cathy en se versant du café, et c'est ma fille médecin qui finit par réparer le robinet qui fuit. »

Sara eut un sourire, clef à molette à l'épaule. Les Linton formaient une famille de plombiers, et elle avait consacré le plus clair des étés de sa scolarité à travailler avec son père, à curer des canalisations et à souder des tuyaux. Elle se disait parfois que c'était la seule raison qui l'avait poussée à terminer ses études secondaires avec un an d'avance et à passer ses vacances d'été à réviser son diplôme de premier cycle : ainsi, elle ne finirait pas comme son père, à inspecter des réduits infestés d'araignées. Ce n'était pas qu'elle n'aimait pas son père, mais, à l'inverse de Tessa, Sara était incapable de surmonter sa peur des araignées.

Cathy se jucha sur le tabouret de la cuisine.

« Tu as dormi ici cette nuit ?

— Eh oui », lui répondit-elle, en se lavant les mains. Elle ferma le robinet et sourit en constatant qu'il ne fuyait plus. Ce succès allégea un peu le fardeau qui pesait sur ses épaules.

Cathy sourit à son tour, en signe d'approbation.

« Au moins, si ta carrière médicale tombe à l'eau, tu pourras toujours te reconvertir dans la plomberie.

— Tu sais, c'est ce que papa m'a dit quand il m'a conduite à la fac en voiture, le premier jour.

— Je sais, fit Cathy, je crois que j'aurais pu le

tuer. » Elle avala une gorgée de café, en observant sa fille par-dessus le rebord de la tasse. « Pourquoi n'es-tu pas rentrée chez toi ?

— J'ai travaillé tard et j'ai eu envie de venir ici, c'est tout. Ça ne t'ennuie pas ?

— Bien sûr que non, pas du tout, se récria Cathy, en tendant une serviette à sa fille. Ne sois pas ridicule. »

Sara se sécha les mains.

« J'espère que je ne vous ai pas réveillés, en rentrant.

— Pas moi, la rassura sa mère. Pourquoi n'as-tu pas dormi chez Tess ? »

Sara s'occupa les mains en ajustant la serviette bien droite sur le porte-serviettes. Tessa habitait un appartement de deux pièces au-dessus du garage. Ces dernières années, certaines nuits, Sara n'appréciait guère de dormir seule chez elle. En général, elle préférait rentrer chez sa sœur plutôt que de risquer de réveiller son père qui ne pouvait réprimer l'envie de discuter longuement avec elle de ce qui la perturbait.

« Je ne voulais pas l'embêter, mentit-elle.

— Oh, n'importe quoi. Cathy éclata de rire. Seigneur Jésus, Sara, après quasiment un quart de million de dollars englouti dans tes études à l'université, on ne t'a pas appris à mentir mieux que ça ? »

Sara sortit son mug préféré et se versa un peu de café.

« Tu aurais mieux fait de m'envoyer en fac de droit. »

Cathy croisa les jambes, en fronçant le sourcil. C'était une femme de petite taille, qui se maintenait en forme grâce au yoga. Ses cheveux blonds et ses yeux bleus avaient pour ainsi dire sauté leur tour avec Sara, pour se transmettre à Tessa. N'était-ce leur similitude de tempéraments, on aurait eu le plus grand mal à admettre que Cathy et Sara étaient mère et fille.

« Alors ? », insista Cathy.

Sara ne parvint pas à réprimer un sourire.

« Disons simplement que quand je suis rentrée, Tess était un peu occupée, et restons-en là.

— Elle s'occupait toute seule ?

— Non ! » Elle partit d'un grand rire gêné, et sentit ses joues s'empourprer. « Mon Dieu, maman ! »

Au bout d'un petit moment, Cathy l'interrogea à voix basse.

« Etait-ce Devon Lockwood ?

— Devon ? » Elle fut surprise d'entendre ce nom-là. Elle n'avait pas eu le loisir de voir exactement avec qui Tessa s'agitait dans son lit, mais franchement, elle se serait attendue à tout, sauf à entendre prononcer le nom de ce Devon Lockwood, le nouvel aide-plombier qu'Eddie Linton avait embauché deux semaines auparavant.

Cathy la fit baisser d'un ton.

« Ton père va entendre, lui murmura-t-elle.

— Entendre quoi ? » lança Eddie, qui entrait dans la cuisine en traînant les pieds. Quand il vit Sara, son regard s'alluma. « Mais c'est mon bébé, s'exclama-t-il, en lui appliquant sur la joue un baiser bien claquant. C'est toi que j'ai entendue rentrer ce matin ?

— C'était moi, avoua-t-elle.

— J'ai quelques échantillons de peinture dans le garage, lui proposa-t-il. Après manger, on pourrait peut-être aller y jeter un œil, choisir une jolie couleur pour ta chambre. »

Elle avala une gorgée de café.

« Papa, je ne reviens pas m'installer ici. »

Il pointa le doigt sur sa tasse.

« Ce truc-là va t'empêcher de grandir.

— Ce serait une chance », grommela Sara. Depuis la classe de troisième, elle était la plus grande de la famille, dépassant son père d'un cheveu.

Elle se glissa sur le tabouret libéré par sa mère. Elle regarda ses parents se livrer à leur rituel matinal, son père s'affairant dans la cuisine, se mettant dans les pattes de sa mère, jusqu'à ce que Cathy le pousse sur une chaise. Eddie lissa ses cheveux souples en se penchant sur le journal du matin. Sa chevelure poivre et sel rebiquait dans trois directions différentes, à peu près comme ses sourcils. Le T-shirt qu'il portait était si vieux et si usé que les trous se multipliaient à hauteur des omoplates. Voilà plus de cinq ans que le motif de son pantalon de pyjama s'était effacé, et ses chaussons se déchiquetaient à hauteur des talons. Sara ne pardonnerait jamais à ses parents de lui avoir légué le cynisme de sa mère et le sens vestimentaire de son père.

« A ce que je vois, l'*Observer* va se servir de cette histoire jusqu'à la corde. »

Sara jeta un œil sur le gros titre du journal local de Grant County : « ASSASSINAT MACABRE D'UN PROFESSEUR DE L'UNIVERSITÉ ».

« Qu'est-ce que ça raconte ? » s'enquit-elle, incapable de tenir sa langue.

Il lut en suivant le texte du doigt.

« *Sibyl Adams, professeur au Grant Institute of Technology, a été sauvagement frappée à mort hier, au restaurant Grant Filling Station. La police locale est per-*

plexe. Le chef de la police, Jeffrey Tolliver... » Ici, Eddie s'interrompit.

« Ce salopard, maugréa-t-il à mi-voix.... *signale que ses services explorent toutes les pistes qui permettront de traduire en justice le meurtrier du jeune professeur.*

— Elle n'a pas été frappée à mort », rectifia Sara, sachant fort bien que ce n'était pas le coup de poing que Sibyl Adams avait reçu au visage qui l'avait tuée. Elle eut un frisson en repensant aux conclusions d'ordre physiologique auxquelles elle avait abouti lors de l'autopsie.

Eddie parut remarquer sa réaction.

« Est-ce qu'on lui a fait subir autre chose ? »

Elle fut étonnée que son père pose cette question. En temps normal, sa famille se gardait de l'interroger sur cette facette de son existence. Dès le début, il ne lui avait pas échappé que cet autre métier qu'elle exerçait à temps partiel les mettait pour le moins mal à l'aise.

« Comme quoi ? », s'enquit-elle, avant de saisir l'allusion de son père. Avec une expression où se lisait l'appréhension, Cathy leva les yeux de la pâte à crêpes qu'elle était en train de battre.

Tessa entra dans la cuisine en trombe, en faisant sauter la porte battante sur ses gonds, s'attendant manifestement à se retrouver seule avec Sara. Sa bouche s'arrondit en un O parfait.

Cathy, debout devant la cuisinière, en train de faire cuire des crêpes, lui lança un « Bonjour, ma cocotte » par-dessus son épaule.

Tessa se dirigea tête baissée sur la cafetière.

« Bien dormi ? lui demanda Eddie.

— Comme un bébé », répliqua Tessa, en lui déposant un baiser au sommet du crâne.

Cathy agita sa spatule en direction de Sara.

« Tu vois, tu aurais beaucoup à apprendre de ta sœur... »

Tessa eut le bon sens d'ignorer ce commentaire. Elle ouvrit la porte-fenêtre qui donnait sur la terrasse et tendit la tête vers l'extérieur, signifiant à Sara qu'elle devait la suivre.

Cette dernière obtempéra, retenant son souffle jusqu'à ce qu'elle ait soigneusement refermé la porte derrière elles.

« Alors, Devon Lockwood ? chuchota-t-elle.

— Moi, je ne leur ai pas encore parlé de ton rendez-vous avec Jeb », riposta Tessa du tac au tac.

Sara serra les lèvres, manière d'accepter la trêve.

Tessa prit place dans la balancelle de la véranda, en repliant une jambe sous elle.

« Qu'est-ce que tu fabriquais dehors, si tard ?

— J'étais à la morgue », lui expliqua-t-elle, en s'asseyant à côté de sa sœur. Elle se frotta les bras pour les réchauffer et lutter contre la fraîcheur matinale. Elle ne portait que sa combinaison et un mince T-shirt, guère suffisant pour la température qu'il faisait à cette heure-ci. « J'avais besoin de vérifier deux ou trois choses. Lena... » Elle s'interrompit, pas certaine de pouvoir communiquer à Tessa ce qui s'était produit à la morgue la nuit dernière. Elle avait beau savoir que c'était le chagrin de Lena qui s'était exprimé là, elle restait encore blessée par ces accusations. « Je voulais en avoir le cœur net, tu comprends ? » ajouta-t-elle.

Le visage de Tessa avait perdu toute sa gaieté.

« Tu as découvert quelque chose ?

— J'ai télécopié un rapport à Jeffrey. Je pense que ça devrait l'aider à se construire des pistes solides. » Elle marqua un temps de silence, afin de s'assurer que sa sœur était bien attentive. « Ecoute, Tessa. Sois prudente, d'accord ? Je veux dire, ferme tes portes à clef. Ne sors pas seule. Ce genre de précautions.

— Ouais. Tessa la rassura d'une pression de la main. D'accord. Bien sûr.

— Je pense que... » Elle s'interrompit à nouveau, ne voulant pas la terroriser, mais se refusant tout autant à l'exposer au danger. « Vous êtes toutes les deux du même âge, toi et Sibyl. Tu vois à quoi je fais allusion ?

— Ouais », répondit Tessa, mais elle n'avait manifestement aucune envie d'aborder le sujet. Sara ne pouvait lui en tenir rigueur. Pour sa part, connaissant jusque dans les détails les plus sordides ce qui était arrivé à Sibyl Adams, elle avait du mal à entamer cette journée.

« J'ai mis la carte postale... », commença Tessa, mais elle l'arrêta.

« Je l'ai trouvée dans ma serviette, fit-elle. Merci.

— Oui », dit Tessa, avec une sorte d'immobilité dans la voix.

Sara fixa du regard le lac au loin, sans songer à cette carte postale, sans songer à Sibyl Adams, à Jeffrey ou à quoi que ce soit d'autre. Cette étendue d'eau dégageait une telle impression de paix que, pour la première fois depuis des semaines, elle se sentit sereine. Si elle plissait les yeux, elle pouvait discerner le ponton derrière sa propre maison. Il était pourvu d'un hangar à bateaux couvert, une petite construction flottante pareille à une grange, comme presque tous les pontons du lac.

Elle s'imagina, assise dans une des chaises de la terrasse, sirotant un margarita en lisant un roman de pacotille. Pourquoi se représentait-elle ainsi, elle n'en savait rien. Ces derniers temps, elle avait rarement eu l'occasion de lire, elle n'appréciait guère le goût de l'alcool et, à la fin de la journée, elle louchait presque à force de consulter des dossiers médicaux, des revues de pédiatrie et des manuels d'intervention médicolégale.

Tessa mit un terme à ses pensées.

« J'imagine que tu n'as pas trop dormi, cette nuit ? »

Sara secoua la tête, en s'appuyant contre l'épaule de sa sœur.

« Qu'as-tu ressenti, à te retrouver avec Jeffrey, hier ?

— J'aimerais pouvoir prendre une pilule et tout oublier le concernant. »

Tessa l'entoura de son bras.

« C'est pour ça que tu n'as pas trouvé le sommeil ? »

Sara poussa un soupir, ferma les yeux.

« Je n'en sais rien. Je pensais simplement à Sibyl. A Jeffrey.

— Au bout de deux années, continuer de craquer pour lui, ça fait long, observa Tessa. Si tu veux vraiment rompre, il faut que tu sortes avec quelqu'un d'autre. Je veux dire vraiment sortir avec quelqu'un, et pas envoyer le type balader dès qu'il s'approche d'un peu trop près. »

Sara se redressa, ramenant les genoux contre sa poitrine. Elle savait fort bien ce que suggérait sa sœur.

« Je ne suis pas comme toi. Je suis incapable de coucher avec le premier venu. »

Tessa ne se formalisa pas de cette remarque. Et cela ne surprit pas Sara. Que Tessa Linton menait une vie sexuelle plutôt active, à peu près tout le monde en ville était au courant, en dehors de leur père.

« Quand nous sommes sortis ensemble, Steve et moi, j'avais seize ans, reprit-elle en faisant allusion à son premier petit ami un peu sérieux. Ensuite, bon, tu sais ce qui s'est passé à Atlanta. Tessa hocha la tête. Jeffrey m'a fait aimer le sexe. Je veux dire, pour la première fois de mon existence, je me suis sentie un être humain à part entière. Elle serra les poings, comme si elle avait pu se raccrocher physiquement à cette sensation. Tu n'as pas idée de ce que cela signifiait pour moi, de subitement me réveiller, après toutes ces années passées à me concentrer sur la fac et le boulot, sans voir personne et sans mener aucune vie personnelle véritable. »

Tessa garda le silence, laissant sa sœur s'exprimer.

« Je me souviens de notre première sortie, continua-t-elle. Il me ramenait à la maison en voiture, il pleuvait, et subitement il s'est arrêté. J'ai cru que c'était une blague, parce qu'à peine quelques minutes auparavant, on venait d'évoquer le fait qu'on adorait marcher sous la pluie. Mais il a laissé ses feux allumés et il est descendu de voiture. » Sara ferma les yeux, revoyant Jeffrey debout sous la pluie, le revers de son manteau relevé, pour se protéger du froid. « Il y avait un chat sur la route. Qui s'était fait écraser. Il était mort, évidemment. »

Tessa demeura silencieuse, elle attendait.

« Et ? s'enquit-elle.

— Et il l'a ramassé, il l'a posé sur le bas-côté, pour que personne ne l'écrase davantage. »

Tessa ne fit rien pour dissimuler sa stupeur.

« Il l'a pris dans ses mains ?

— Oui. » Sara sourit tendrement à ce souvenir.

— Il a touché un chat mort ?

Elle rit devant sa réaction.

« Je ne t'avais jamais raconté ça ?

— Je crois que je m'en souviendrais. »

Sara se redressa dans la balancelle, en la stabilisant du bout des pieds.

« En fait, pendant le dîner, il m'avait raconté à quel point il détestait les chats. Et le voilà qui s'arrête au beau milieu de la route, dans le noir, sous la pluie, pour retirer cet animal mort de la chaussée, et que personne ne vienne encore lui faire du mal. »

Tessa ne parvenait pas à masquer sa répugnance.

« Et ensuite il est remonté en voiture avec ses mains qui avaient tripoté un chat crevé ?

— C'est moi qui ai pris le volant, parce qu'il ne voulait rien toucher. »

Tessa fronça le nez.

« Et c'est là le moment où ça devient romantique ? Parce que moi, je me sens l'estomac légèrement retourné. »

Sara lui lâcha un regard en coin.

« Je l'ai ramené à la maison, et naturellement il fallait bien qu'il entre se laver les mains. Elle en riait encore. Il avait les cheveux trempés à cause de la pluie, et il maintenait ses mains levées, comme un chirurgien qui n'aurait pas voulu salir sa combinaison. » Elle leva les mains, paumes tournées vers elle, pour illustrer la scène.

« Et ensuite ?

— Ensuite je l'ai emmené dans la cuisine pour qu'il

se lave les mains, parce que c'est là que j'avais mon savon antibactérien, et il n'aurait pas pu appuyer sur le flacon sans le contaminer. Elle soupira profondément. Et il s'est penché au-dessus de l'évier pour se laver les mains, ensuite je les lui ai savonnées, et elles paraissaient si fortes, si chaudes, et il est toujours si sûr de lui qu'il s'est contenté de lever les yeux et de m'embrasser, sur les lèvres, sans la moindre hésitation, comme s'il savait depuis le début qu'en m'occupant de ses mains, je ne pouvais avoir qu'une seule chose en tête, songer à l'effet que ça me ferait de les sentir sur moi, quand elles me toucheraient.

— A part l'épisode du chat, remarqua Tessa, c'est l'histoire la plus romantique que j'aie jamais entendue.

— Enfin, bon. » Sara se leva, se dirigea vers la balustrade de la terrasse. « Je suis certaine qu'il arrive à faire croire à toutes ses petites amies qu'elles sont uniques. Pour ça, à mon avis, il est très fort.

— Sara, tu ne comprendras jamais que le sexe, chez certaines personnes, n'a rien à voir avec ça. Quelquefois, c'est juste une affaire de baise. Elle marqua un temps d'arrêt. Parfois, c'est juste un moyen d'attirer l'attention sur soi.

— Il a attiré la mienne, ça ne fait aucun doute.

— Il t'aime encore. »

Sara se retourna, assise sur la balustrade.

« Il veut que je revienne uniquement parce qu'il m'a perdue.

— Si tu voulais sérieusement l'effacer de ton existence, reprit Tessa, tu aurais démissionné de ton poste. »

Sara ouvrit la bouche pour réagir, mais comment

expliquer à sa sœur que, certains jours, son travail devenait le seul moyen pour elle de rester saine d'esprit. Des maux de gorge et des otites, elle avait la force d'en supporter des quantités, avant que son mental ne sature. Lâcher son poste de légiste reviendrait à renoncer à une partie de son existence qu'elle appréciait réellement, en dépit de ses aspects macabres.

« Je ne sais pas ce que je vais décider », répondit-elle enfin, sachant fort bien que Tessa ne la comprendrait pas.

Il n'y eut pas de réponse. Sa sœur regardait en direction de la maison. Jeffrey Tolliver se tenait à côté de la cuisinière, et il s'entretenait avec leur mère.

La maison des Linton était disposée sur deux niveaux, et elle avait connu de constantes rénovations tout au long de ses quarante années d'existence. Quand Cathy s'était découvert un intérêt pour la peinture, ils avaient construit dans le grenier un studio avec une salle d'eau. Quand Tessa s'était découvert un intérêt pour les garçons, on avait rénové le sous-sol de telle sorte qu'Eddie puisse atteindre ledit sous-sol depuis n'importe quel endroit de la maison en trois secondes. Il y avait un escalier à chaque extrémité de la pièce, et la salle de bains la plus proche était un étage au-dessus.

Ce sous-sol n'avait pas énormément changé depuis que Tessa avait déménagé pour le campus de la fac. La moquette était vert avocat et le sofa d'un ton rouille foncé. Un combiné table de ping-pong/table de billard trônait au centre de la pièce. Une fois, Sara s'y était cassé la main en plongeant sur une balle et en frappant le meuble télévision.

Les deux chiens de Sara, Billy et Bob, étaient sur le canapé quand Jeffrey et elle descendirent les marches. Elle frappa dans ses mains, tâchant de les faire déguerpir. Les lévriers ne bronchèrent pas avant que Jeffrey lance un coup de sifflet feutré. Quand il s'avança pour les cajoler, ils agitèrent la queue.

Tout en grattant le ventre de Bob, Jeffrey n'y alla pas par quatre chemins.

« J'ai essayé de te joindre au téléphone, hier soir. Où étais-tu ? »

Elle estimait qu'il n'avait aucun droit de regard sur ce genre d'information.

« Tu as déniché quelque chose au sujet de Sibyl, ou pas encore ? », lui répliqua-t-elle.

Il secoua la tête.

« Selon Lena, elle ne fréquentait personne. Cela exclut l'hypothèse de l'ex-petit ami en pétard.

— Et personne dans son passé ?

— Personne, répéta-t-il en écho. Je compte poser quelques questions à sa colocataire aujourd'hui même. Elle vivait avec Nan Thomas. Tu sais, la bibliothécaire ?

— Ouais, fit-elle, sentant que certains déclics commençaient à se produire dans sa tête. Tu as reçu mon rapport ? »

Il secoua la tête de nouveau, sans comprendre.

« Comment ça ?

— C'est là que j'étais, la nuit dernière, je complétais mon autopsie.

— Comment ça ? répéta-t-il encore. Tu ne peux pas

conduire une autopsie sans que personne d'autre n'y assiste.

— Je sais, Jeffrey », lui rétorqua sèchement Sara, en croisant les bras. Une personne remettant en cause ses compétences au cours des douze dernières heures, cela lui suffisait amplement. « C'est pour ça que j'ai appelé Brad Stephens, précisa-t-elle.

— Brad Stephens ? »

Il lui tourna le dos, marmonnant quelque chose entre ses dents tout en caressant Billy sous le menton.

« Que disais-tu ?

— Je disais que tu te comportais bizarrement, ces derniers temps. Il lui fit de nouveau face. Tu as effectué l'autopsie au beau milieu de la nuit ?

— Je suis désolée que tu trouves ça bizarre, mais j'ai deux métiers, et pas seulement celui que j'exerce pour ton compte. » Il tenta de l'interrompre, mais elle poursuivit. « Au cas où tu l'aurais oublié, j'ai une pleine cargaison de patients à la clinique en plus de ce qui m'occupe à la morgue. Des patients, en l'occurrence... (elle consulta sa montre, sans réellement noter l'heure qu'il était...) que je dois commencer de recevoir d'ici quelques minutes. Elle se campa, les deux mains aux hanches. Tu avais une raison pour venir ici ?

— Vérifier où tu étais, lui précisa-t-il. Manifestement, tu te portes très bien. J'imagine que cela ne devrait pas me surprendre outre mesure. Tu te portes toujours très bien.

— C'est exact.

— Sara Linton, plus solide que l'acier. »

Elle lui lâcha un regard qu'elle espérait suffisamment condescendant. Ils s'étaient joué cette comédie tant de fois à l'époque de leur divorce qu'elle aurait pu réciter les deux rôles de leurs scènes par cœur. Sara était trop indépendante. Jeffrey trop exigeant.

« Il faut que j'y aille, annonça-t-elle.

— Attends une minute, insista-t-il. Ce rapport ?

— Je te l'ai faxé. »

Ce fut son tour de se caler les mains sur les hanches.

« Ouais, ça, je l'ai reçu. Tu crois avoir trouvé quelque chose ?

— Oui, répondit-elle. Non. »

Elle croisa les bras, dans une posture défensive. Elle détestait ça, quand il rétrogradait du niveau de la dispute à une question d'ordre professionnel. C'était un truc minable, et qui la prenait toujours au dépourvu. Elle reprit légèrement contenance.

« Il faut d'abord que j'aie un retour sur ces analyses de sang, dans la matinée. Nick Shelton est censé me rappeler à neuf heures, et ensuite je te fais signe. Je te l'ai écrit sur la page de garde de mon rapport, ajouta-t-elle.

— Pourquoi as-tu fait analyser ce sang ? s'enquit-il.

— Une intuition », répondit-elle. C'était tout ce qu'elle était disposée à lui communiquer pour le moment. Elle n'aimait pas trop s'avancer sur la base d'informations tronquées. Elle était médecin, pas diseuse de bonne aventure. Jeffrey ne l'ignorait pas.

« Expose-moi ça », continua-t-il.

Sara n'en avait aucune envie. Elle jeta de nouveau un coup d'œil vers l'escalier, afin de s'assurer que personne n'écoutait.

« Tu as lu mon rapport, reprit-elle.

— Je t'en prie. Je veux entendre ton commentaire, de ta bouche. »

Sara s'appuya contre le mur. Elle ferma les yeux une brève seconde, non pas pour s'aider à se remémorer les faits, mais pour prendre un peu de distance par rapport à ce qu'elle savait.

« Elle a été agressée dans les toilettes, commença-t-elle. Elle a été probablement facile à maîtriser, en raison de sa cécité et de l'effet de surprise. Je pense qu'il l'a d'abord attaquée au couteau, en lui soulevant son chemisier, pour pratiquer cette incision en forme de croix. La blessure au ventre n'est intervenue que plus tard. Elle n'est pas assez profonde pour permettre une pénétration complète. A mon avis, il n'a introduit son pénis que pour la souiller, et rien d'autre. Ensuite, il l'a violée, un viol vaginal, ce qui expliquerait les excréments que j'y ai découverts. Je ne suis pas certaine qu'il ait joui. Je ne pense pas que la jouissance ait été son objectif.

— Tu crois qu'il était plus question pour lui de la souiller ? »

Elle haussa les épaules. Beaucoup de violeurs souffraient d'une sorte de dysfonctionnement sexuel. Elle ne voyait pas pourquoi il en irait autrement avec celui-ci. Le viol dans les entrailles soulignait ce dysfonctionnement.

« Cela se pimentait peut-être de l'excitation de commettre cet acte dans un lieu semi-public. Même si l'affluence du déjeuner était passée, quelqu'un aurait pu entrer et le surprendre. »

Jeffrey se gratta le menton, à l'évidence pour s'accorder le temps d'absorber ces informations.

« C'est tout ce que tu désirais ?

— Tu serais en mesure de te libérer un petit moment pour passer sur place ? lui demanda-t-il. Je peux organiser une réunion à neuf heures et demie.

— Une réunion avec tout le monde ? »

Il secoua la tête.

« Je n'ai aucune envie de tenir tout le monde au courant », corrigea-t-il et, pour la première fois depuis longtemps, elle se sentit complètement en phase avec lui.

« Ce sera parfait, acquiesça-t-elle.

— Tu peux venir à neuf heures et demie ? », répéta-t-il.

Elle passa en revue le programme de sa matinée. Les parents de Jimmy Powell seraient dans son bureau à huit heures. Enchaîner une réunion éprouvante après l'autre faciliterait probablement sa journée. Qui plus est, elle savait que plus tôt elle informerait les inspecteurs sur les résultats de l'autopsie de Sibyl Adams, plus vite ils pourraient se mettre en chasse de l'individu qui l'avait tuée.

« Oui, confirma-t-elle en se dirigeant vers l'escalier. J'y serai.

— Attends une minute, fit-il. Lena sera là, elle aussi. »

Elle se retourna, en secouant la tête.

« Pas question. Je ne vais pas détailler par le menu les circonstances du meurtre de Sibyl devant sa sœur.

— Il faut qu'elle soit présente, Sara. Fie-toi à moi sur ce point. » Il dut déduire ce qu'elle en pensait, rien qu'à voir le regard qu'elle lui lança. « Elle veut connaître les détails. C'est sa manière à elle d'aborder les faits. C'est un flic.

— Ça ne va pas lui faire du bien.

— Elle a pris sa décision toute seule, insista-t-il. D'une manière ou d'une autre, elle finira par avoir connaissance des faits, Sara. Il vaut mieux qu'elle reçoive la vérité par notre intermédiaire plutôt qu'en lisant je ne sais trop quels mensonges qu'écriront les journaux. » Il s'interrompit, vraisemblablement parce qu'il voyait bien qu'il n'était pas parvenu à la faire changer d'avis. « S'il s'agissait de Tessa, toi aussi tu voudrais savoir ce qui s'est passé.

— Jeffrey, soupira Sara, se sentant sur le point de céder, bien malgré elle. Elle n'a aucun besoin de conserver ce souvenir-là de sa sœur. »

Il haussa les épaules.

« Peut-être que si. »

A huit heures moins le quart du matin, Grant County se réveillait à peine. Une soudaine pluie nocturne avait lavé les rues de leur pollen, et même s'il faisait encore froid, Sara roulait dans sa BMW Z3 capote baissée. Elle avait acquis ce cabriolet durant une de ses crises post-divorce, quand elle avait eu besoin de se remonter le moral. Cela avait produit son petit effet pendant environ deux semaines, après quoi les regards et les commentaires sur cette voiture tape-à-l'œil l'avaient amenée à se sentir un peu ridicule. Ce n'était pas le genre de véhicule fait pour circuler dans une petite ville, sachant que Sara était non seulement médecin, mais pédiatre. Si elle n'était pas venue au monde à Grant et si elle n'y avait pas été élevée, elle présumait qu'elle aurait été forcée de la revendre, sous peine de perdre la moitié de ses patients à la clinique. En fait, elle avait dû supporter les piques constantes de sa mère sur la sottise que cela dénotait de rouler dans une voiture de sport aussi voyante, surtout de la part d'une personne qui était à peine capable de coordonner décemment ses tenues.

Sur le chemin de la clinique, Sara adressa un salut à Steve Mann, le propriétaire de la quincaillerie. Il lui rendit son salut, avec un sourire de surprise. Steve était marié, père de trois enfants maintenant, mais Sara savait qu'il gardait un faible pour elle, avec la force durable qu'ont tendance à conserver les premières amours. Il avait été son premier amoureux véritable, et Sara éprouvait pour lui une certaine tendresse, mais pas davantage. Elle se rappelait ces moments étranges qu'elle avait vécus, adolescente, quand Steve la tripotait sur la banquette arrière de sa voiture. Le lendemain du soir où ils avaient fait l'amour pour la première fois, elle avait été trop gênée pour le regarder dans les yeux.

Steve était le genre de type heureux de prendre racine à Grant, qui avait allègrement troqué son statut d'avant-centre vedette de la Robert E. Lee High School pour celui d'employé dans la quincaillerie de son père. Au même âge, Sara n'avait pas eu d'envie plus pressée que celle de quitter Grant, d'aller vivre à Atlanta une existence plus grisante et plus exigeante que celle que sa ville natale pouvait lui offrir. Comment avait-elle fini par revenir ici, c'était là un mystère, pour elle et pour tout le monde.

Quand elle dépassa le restaurant, elle fit tout son possible pour regarder droit devant elle, se refusant à voir quoi que ce soit susceptible de lui rappeler l'après-midi de la veille. Tellement tendue à éviter ce côté de la rue qu'elle faillit renverser Jeb McGuire, qui traversait devant la pharmacie.

Elle freina et s'arrêta à sa hauteur, pour s'excuser.

« Je suis désolée. »

Jeb en rigola de bon cœur, tout en s'approchant de son cabriolet au petit trot.

« Tu essaies d'échapper à notre rendez-vous de demain ?

— Bien sûr que non », parvint-elle à lui répondre, en s'obligeant à sourire. Avec tout ce qui s'était passé, elle avait complètement oublié de lui confirmer leur soirée.

Elle était sortie avec Jeb par intermittence dès son installation à Grant, onze ans plus tôt, quand il avait racheté la pharmacie du bourg. Rien de sérieux ne s'était instauré entre eux et, à l'époque où Jeffrey était entré en piste, leurs relations s'étaient singulièrement refroidies. Pourquoi avait-elle décidé de sortir à nouveau en sa compagnie, après tout ce temps, elle l'ignorait.

Jeb ramena ses cheveux en arrière, se dégageant le front. Il était grand et maigre, avec une carrure de coureur. Tessa avait une fois comparé son corps à celui des lévriers de Sara. Il avait assez belle allure, tout de même, et certainement pas à chercher trop loin pour se trouver une femme qui accepte de sortir avec lui.

Il se pencha vers Sara.

« As-tu réfléchi à ce qui te plairait pour ce dîner ? », lui demanda-t-il.

Elle haussa les épaules.

« J'en suis incapable, mentit-elle. Surprends-moi. »

Jeb haussa le sourcil. Cathy Linton avait raison. Sara était une piètre menteuse.

avec toute cette histoire d'hier, que tu as orbée, commença-t-il en désignant le res- n signe de la main. Si tu préfères annuler, rendrais très bien. »

Devant cette proposition, elle se sentit toute retournée. Jeb Mc Guire était un chic type. En tant que pharmacien de la collectivité, il savait générer autour de lui, chez les gens qu'il servait, un certain degré de confiance et de respect. Et, pour compléter le tableau, il était assez bel homme. Le seul problème, c'est qu'il était trop gentil, trop agréable. Tous les deux, ils ne s'étaient jamais disputés, parce qu'il était trop nonchalant pour y attacher de l'importance. Au bout du compte, Sara le considérait plus comme un frère que comme un amant potentiel.

« Je n'ai pas envie d'annuler », lui assura-t-elle et, assez curieusement, c'était la vérité. Peut-être cela lui ferait-il du bien de sortir plus souvent. Peut-être Tessa avait-elle raison. Peut-être était-il temps.

Le visage de Jeb s'illumina.

« S'il ne fait pas trop frais, je peux venir avec mon bateau et on sortira sur le lac. »

Elle lui lâcha un regard taquin.

« Je croyais que tu ne t'achetais pas de bateau avant l'année prochaine ?

— La patience n'a jamais été mon point fort », admit-il, alors que le simple fait qu'il bavarde avec elle tendait à démontrer le contraire. Il pointa le pouce vers sa pharmacie, signifiant qu'il devait y aller. « Je te retrouve vers six heures, d'accord ?

— Six heures », confirma-t-elle, sentant un peu de l'enthousiasme de son cavalier déteindre sur elle. Elle mit sa voiture en prise, tandis qu'il rejoignait son officine à petites foulées. Marty Ringo, la femme qui tenait sa caisse, était postée à l'entrée, et il lui posa le bras autour des épaules tout en déverrouillant la porte.

Sara descendit en roue libre dans le parking de la clinique. La clinique pédiatrique de Heartsdale était de forme rectangulaire, avec une salle d'attente octogonale construite en briques de verre, située en débord sur la façade. Heureusement, le docteur Barney, qui avait personnellement conçu le bâtiment, était meilleur médecin qu'architecte. Cette salle en façade était exposée au sud, de sorte que les briques de verre la transformaient en fournaise l'été, et en glacière l'hiver. On connaissait le cas de certains patients qui avaient vu leur fièvre tomber rien qu'en attendant d'être reçus en consultation.

Quand Sara ouvrit la porte, la salle d'attente était déserte et fraîche. Elle regarda autour d'elle la pièce plongée dans la pénombre, songeant pour la première fois qu'elle devrait prévoir d'en refaire la décoration. Des chaises, qui n'avaient d'autre mérite que d'être purement utilitaires, étaient disposées là pour les patients et leurs parents. Sara et Tessa avaient passé plus d'une journée assises sur ces chaises, avec Cathy à côté d'elles, à attendre l'appel de leur nom. Dans un coin, il y avait une aire de jeu avec trois tables, pour que les enfants puissent dessiner ou lire. Il y avait là des exemplaires de *Highlights* à côté du magazine *People* et de la revue *House & Garden*. Des crayons de couleur étaient convenablement rangés sur leur plateau, avec des feuilles juste à côté.

En y repensant, Sara se demanda si ce n'était pas dans cette salle qu'elle avait décidé de devenir médecin. A l'inverse de Tessa, la perspective d'aller rendre visite au docteur Barney ne l'avait jamais effrayée, sans doute parce que Sara, enfant, était rarement malade. Elle aimait bien le moment où on les appelait et où elles devaient pénétrer dans les endroits auxquels seuls les médecins avaient accès. En cinquième, dès qu'elle avait manifesté un certain intérêt pour la science, Eddie avait déniché un professeur de biologie, au collège, qui avait besoin de faire remplacer son arrivée d'eau. En échange de ces travaux, le professeur avait donné des leçons particulières à Sara. Deux ans plus tard, un professeur de chimie avait eu besoin de faire rénover toute la plomberie de sa maison, et Sara put ainsi accomplir des expériences aux côtés des étudiants de la faculté.

Les lumières s'allumèrent et elle cligna des yeux. Nelly ouvrit la porte qui séparait les cabinets d'auscultation de la salle d'attente.

« Bonjour, docteur Linton, fit Nelly, en lui remettant une pile de messages et en se chargeant de sa serviette. J'ai reçu votre mot ce matin, au sujet de cette réunion au commissariat. J'ai déjà déplacé tous vos rendez-vous. Cela ne vous ennuie pas de prolonger un peu tard ? »

Sara fit non de la tête, tout en parcourant ses messages.

« Les Powell seront ici dans cinq minutes, et il y a un fax sur votre bureau. »

Elle leva les yeux vers elle pour la remercier, mais elle était déjà loin, probablement occupée à consulter le planning d'Elliot Felteau. Sara avait engagé Elliot immédiatement à la sortie de son internat à l'hôpital d'Augusta. Il était impatient d'apprendre tout ce qu'il serait en mesure d'apprendre, pour ensuite racheter des parts du cabinet. Elle ne savait pas trop quoi penser de la perspective de s'adjoindre un associé, mais elle n'ignorait pas non plus qu'Elliot ne serait pas en position de lui faire une offre avant une bonne dizaine d'années.

Molly Stoddard, l'infirmière attitrée de Sara, la retrouva dans le couloir.

« Quatre-vingt-quinze pour cent de blastes chez le jeune Powell », l'informa-t-elle, citant le contenu des résultats du labo.

Sara hocha la tête.

« Ils seront là d'une minute à l'autre. »

Molly gratifia Sara d'un sourire, lui laissant entendre qu'elle n'enviait pas la mission qui l'attendait. Les Powell étaient de braves gens. Ils avaient divorcé deux ans plus tôt, mais dès qu'il s'agissait de leurs enfants, ils faisaient preuve d'une solidarité surprenante.

« Peux-tu composer un numéro de téléphone pour moi ? lui demanda Sara. Je veux les envoyer consulter quelqu'un que je connais à Emory. Il mène des essais intéressants sur les cas de leucémie myéloblastique au stade précoce. »

Tout en faisant coulisser la porte de son bureau, elle lui indiqua le nom de ce confrère. Nelly avait posé sa serviette à côté de son fauteuil, et une tasse de café sur sa table de travail, juste à côté du fax qu'elle venait de lui mentionner. C'était le rapport du Georgia Bureau of Investigation concernant les analyses du sang prélevé sur Sibyl Adams. Nick avait griffonné ses excuses en tête de page, l'informant qu'il serait en réunion presque toute la journée, et qu'il n'ignorait pas qu'elle souhaiterait prendre connaissance de ces résultats dès que possible. Elle lut le rapport à deux reprises et sentit une douleur froide la saisir au creux du ventre, à mesure qu'elle en assimilait le contenu.

Elle se redressa sur son siège et parcourut la pièce du regard. Son premier mois en poste avait été mouvementé, mais ce n'était rien en comparaison de sa période à la Grady High School d'Atlanta. Il s'était peut-être écoulé trois mois avant qu'elle ne se soit habituée à cette cadence plus lente. Elle soignait des otites et des maux de gorge à foison, mais peu d'enfants présentaient des cas graves. Ces derniers étaient adressés à l'hôpital d'Augusta.

La mère de Darryl Harp avait été le premier parent à donner à Sara une photo de son enfant. D'autres suivirent son exemple, et elle ne tarda pas à les scotcher sur les murs de son bureau. Douze années avaient passé depuis cette première photo, et des portraits d'enfants tapissaient les murs de la pièce, débordant même jusque dans les toilettes. Elle pouvait regarder chacun de ces clichés et se rappeler le nom du gamin et même, dans presque tous les cas, son dossier médical. Et déjà, elle les voyait revenir à la clinique, jeunes adultes, et leur conseillait, à dix-neuf ans révolus, de songer à consulter plutôt un médecin généraliste. Il arrivait à certains d'entre eux d'en pleurer. Elle-même avait étouffé des larmes, à plus d'une occasion. Comme elle était incapable d'avoir des enfants, elle se surprenait souvent à nouer des liens forts avec ses petits patients.

Elle ouvrit sa serviette d'où elle sortit un dossier, s'arrêtant à la vue de la carte postale qu'elle avait reçue au courrier. Elle observa fixement la photographie du portail d'entrée de l'Emory University. Sara se souvint du jour où sa lettre d'admission était arrivée en provenance d'Emory. On lui avait proposé des bourses dans des écoles situées plus au nord, dotées de noms plus éminents, mais Emory avait toujours constitué l'un de ses rêves. Là-bas, la vraie médecine avait sa place, et elle ne s'imaginait pas vivre ailleurs que dans le Sud.

Elle retourna la carte, laissant courir son doigt sur l'adresse impeccablement imprimée. Depuis que Sara avait quitté Atlanta, elle recevait tous les ans, vers la mi-avril, une carte postale semblable à celle-ci. L'an dernier, c'était le « Monde de Coca-Cola », avec une accroche proclamant : « Il tient le monde entier dans Ses mains. »

Elle sursauta, c'était la voix de Nelly qui sortait du haut-parleur du téléphone.

« Docteur Linton ? fit Nelly. Les Powell sont ici. »

Son doigt resta en suspens sur le bouton rouge, qu'elle enfonça pour répondre. Elle laissa retomber la carte postale dans sa serviette.

« Je viens tout de suite les accueillir. »

Huit

Quand Lena et sa sœur étaient en cinquième, un garçon plus grand nommé Boyd trouvait amusant de s'approcher en douce de Sibyl et de claquer des doigts tout près de son oreille. Un jour, Lena l'avait suivi jusqu'à l'arrêt de bus et lui avait sauté sur le dos. Elle était petite et vive, mais Boyd avait un an – et vingt-cinq kilos – de plus qu'elle. Il l'avait réduite en bouillie avant que le chauffeur du bus ait pu les séparer.

En gardant cet épisode en tête, Lena Adams pouvait affirmer, en toute sincérité, qu'elle ne s'était jamais sentie aussi ravagée physiquement que le lendemain de la mort de sa sœur. Elle comprenait enfin pourquoi on appelait ça la gueule de bois, car elle avait l'impression que son corps tout entier était raide comme une bûche, et il lui fallut une bonne demi-heure sous la douche avant d'arriver à se tenir debout. Sous la pression à laquelle était soumis son cerveau, son crâne lui paraissait sur le point de se fendiller. Elle eut beau recourir à quantité de dentifrice, rien ne lui retira ce goût horrible qu'elle avait dans la bouche, et elle avait l'impression qu'on lui avait roulé l'estomac en boule avant de le saucissonner avec du fil dentaire.

Elle s'assit dans le fond de la salle de réunion du commissariat, fermement décidée à ne plus vomir. Certes, il ne lui restait plus grand-chose à rendre. Ses entrailles étaient vides au point que son estomac lui faisait carrément l'effet d'être concave.

Jeffrey s'avança en lui tendant une tasse de café.

« Bois-moi un peu ça », ordonna-t-il.

Elle ne discuta pas. A la maison, ce matin, Hank lui avait conseillé la même chose. Elle était trop mal à l'aise pour rien accepter de lui, et à plus forte raison un conseil, donc elle lui avait suggéré d'aller se foutre ce café quelque part.

Dès qu'elle eut reposé sa tasse, Jeffrey se permit un avis.

« Il n'est pas trop tard, Lena.

— Je veux être là, rétorqua-t-elle. Il faut que je sache. »

Il soutint son regard pendant ce qui lui parut une éternité. Au fond de ses prunelles, la moindre source de lumière se transformait en minuscules aiguilles, mais elle ne fut pas la première à détourner les yeux. Lena attendit qu'il ait quitté la salle pour se rasseoir sur sa chaise. Elle posa la tasse en équilibre sur un genou, et ferma les paupières.

Elle ne se rappelait absolument pas comment elle s'était débrouillée pour rentrer chez elle la nuit dernière. Le trajet d'une trentaine de minutes depuis Reece demeurait dans le flou. Elle n'ignorait pas que c'était Hank qui avait pris le volant, car lorsqu'elle était montée dans sa voiture, ce matin, pour venir au poste de police, le siège du conducteur était reculé à fond et le rétroviseur réglé selon un angle bizarre. La dernière chose dont Lena se souvenait, c'était d'avoir croisé son reflet dans la vitrine du Stop'n'Save. Le souvenir suivant, c'était la sonnerie tonitruante du téléphone, quand Jeffrey l'avait appelée pour lui parler de cette réunion, la suppliant quasiment de ne pas s'y présenter. Tout le reste s'était effacé de sa mémoire.

Le plus dur, ce matin, avait été de s'habiller. Après sa longue douche, Lena n'avait eu qu'une envie, ramper à nouveau au fond de son lit et se rouler en boule. Elle aurait été parfaitement heureuse de rester ainsi toute la journée, mais elle ne pouvait se permettre de céder à la faiblesse. La nuit dernière, elle avait commis une erreur, mais une erreur nécessaire. A l'évidence, elle avait eu besoin de se laisser aller, de plonger dans le chagrin aussi profondément qu'il lui était possible sans se démantibuler tout à fait.

Ce matin, c'était une autre histoire. Lena s'était forcée à enfiler ses mocassins et une jolie veste, le genre de tenue qu'elle portait tous les jours au boulot. En sanglant son holster, en vérifiant son arme, elle s'était sentie se couler à nouveau dans son rôle de flic, cessant ainsi d'être la sœur de la victime. Pourtant, sa tête était toujours douloureuse et ses pensées collaient à l'intérieur de ses méninges comme de la glu. Avec un élan de sympathie sans précédent chez elle, elle comprenait comment les alcooliques pouvaient se laisser prendre à leur vice. Quelque part dans un coin de sa tête, elle ne pouvait s'empêcher de penser qu'un bon verre bien raide lui serait d'un grand secours.

La porte de la salle de réunion s'ouvrit en couinant et Lena leva les yeux juste à temps pour apercevoir Sara Linton debout dans le couloir, dos à elle. Le docteur disait quelque chose à Jeffrey et le propos n'avait pas l'air très courtois. Lena éprouva un tiraillement de culpabilité, après la manière dont elle l'avait traitée la veille au soir. Elle avait eu beau lui tenir le langage qu'elle lui avait tenu, elle savait que Sara était un bon médecin. De l'avis général, elle avait renoncé à une carrière très prometteuse à Atlanta pour revenir à Grant. Elle lui devait des excuses, démarche qu'elle refusait même d'envisager pour le moment. Si on avait inscrit cet élément à son dossier professionnel, chez elle, le ratio crises de nerfs-séances d'excuses aurait lourdement penché du côté des premières.

« Lena, fit Sara. Venez avec moi. »

Elle cligna des yeux, ne comprenant pas à quel moment Sara avait traversé la salle. A présent, elle se tenait debout près de la porte du placard aux fournitures.

Lena se leva de sa chaise d'un seul coup et en oublia son café. Elle en renversa un peu sur son pantalon, posa le gobelet par terre et obéit à Sara. Ce placard était suffisamment grand pour qu'on puisse appeler cela une pièce, mais l'écriteau sur la porte lui avait valu cette désignation depuis des années, et personne n'avait pris la peine de clarifier la chose. Entre autres objets, on entreposait là les pièces à conviction, les mannequins pour les cours de réanimation cardio-pulmonaire que la police organisait à l'automne, et la trousse de secours d'urgence.

« Tenez, lui proposa Sara en tirant une chaise à elle. Asseyez-vous. »

Cette fois encore, Lena fit ce qu'on lui disait. Elle regarda le docteur Linton faire rouler vers elle une bouteille d'oxygène.

Elle accrocha un masque à la bouteille.

« Vous avez mal à la tête parce que l'alcool réduit

la quantité d'oxygène dans le sang. Elle ajusta la lanière de caoutchouc autour du masque et le lui tendit. Respirez lentement, profondément, et ça devrait commencer à aller mieux. »

Lena prit le masque, sans vraiment se fier au pronostic de Sara, mais au point où elle en était, elle aurait été capable de lécher le trou de balle d'un putois si on lui avait certifié que cela suffirait à arrêter ces élancements dans le crâne.

« Ça va mieux ? », lui demanda le docteur au bout de quelques inhalations.

Elle hocha la tête, parce que, effectivement, ça allait mieux. Elle ne se sentait pas encore dans son état normal, mais au moins elle réussissait à ouvrir complètement les yeux.

« Lena, lui dit-elle d'abord en lui reprenant le masque des mains, je voulais vous interroger sur une découverte que j'ai faite.

— Ah ouais ? lança Lena sur ses gardes. Elle s'attendait à ce qu'elle tente de la convaincre de ne pas assister à la réunion, aussi, l'entendre lui tenir ce langage ne manqua pas de la surprendre.

— Quand j'ai examiné Sibyl, reprit Sara Linton tout en rangeant la bouteille d'oxygène contre le mur, j'ai trouvé des stigmates physiques auxquels je ne m'attendais pas.

— Comme quoi ? s'écria Lena, son cerveau se remettant en marche.

— Je ne crois pas que cela ait une incidence sur cette affaire, mais il faut que j'informe Jeffrey de ce que j'ai découvert, en la matière ce n'est pas à moi de trancher. »

Même si Sara l'avait aidée à se débarrasser de sa

migraine, elle n'aurait pas la patience de la suivre dans ses petits jeux.

« De quoi parlez-vous ?

— Je veux parler du fait que, jusqu'à ce viol, l'hymen de votre sœur était intact. »

Lena sentit son estomac se retourner. Elle aurait dû y penser, mais il s'était produit trop d'événements au cours des dernières vingt-quatre heures pour qu'elle soit capable d'en tirer des conclusions logiques. Maintenant, le monde entier allait savoir que sa sœur était homo.

« Moi, cela m'est égal, Lena, s'empressa de préciser Sara. Vraiment. Elle pouvait vivre la vie qu'il lui plaisait de vivre, ça ne me pose aucun problème.

— Et qu'est-ce que ça signifie, bon sang ?

— Cela signifie ce que cela signifie », poursuivit-elle, estimant que le fait était en soi assez parlant. Lena ne lui apporta aucune réponse. « Lena, ajouta-t-elle, je suis au courant pour Nan Thomas. Moi, je me suis contentée d'effectuer le rapprochement, un point c'est tout. »

Lena s'adossa contre le mur, en fermant les yeux.

« J'imagine que vous comptiez me repasser le manche, hein ? Pour que j'annonce à tout le monde que ma sœur était gay ? »

Sara garda le silence un instant.

« Je n'avais pas prévu d'aborder la question dans mon intervention.

— Moi, je vais le lui annoncer, décida Lena, en rouvrant les yeux. Vous m'accordez une minute ?

— Bien sûr. »

Elle attendit que le docteur Linton soit sortie de la pièce, puis elle s'enfouit à nouveau la tête dans les mains. Elle avait envie de pleurer, mais les larmes ne venaient pas. Son corps était tellement déshydraté qu'elle était sidérée d'avoir encore de la salive dans la bouche. Elle prit une profonde inspiration, histoire de se ressaisir, et se leva.

Quand elle sortit du placard pour entrer dans la salle de réunion, Frank Wallace et Matt Hogan étaient déjà là. Frank lui adressa un signe de tête, mais Matt, de son côté, était surtout occupé à verser du lait dans son café. Les deux inspecteurs avaient la cinquantaine, et appartenaient tous deux à une époque très différente de celle dans laquelle Lena avait grandi. Comme tous les autres inspecteurs de grade supérieur, ils œuvraient dans le respect des vieilles règles de la fraternité policière, où le principe de la justice à tout prix finissait toujours par l'emporter. La police était leur famille, et tout ce qui arrivait à l'un de ses agents les affectait comme s'il s'agissait d'un de leurs frères. Si Grant était une communauté unie par des liens étroits, ces inspecteurs de police l'étaient encore plus. En réalité, Lena savait que tous ses camarades gradés étaient membres d'une loge locale. N'était le simple fait qu'elle ne possédait pas de pénis, elle aurait été conviée depuis longtemps à se joindre à eux, du moins le supposait-elle, si ce n'était par respect, du moins par obligation.

Elle se demandait ce que ces deux hommes penseraient en sachant qu'ils allaient travailler sur une affaire où il était question de démasquer l'auteur d'un viol perpétré sur une lesbienne. Une fois, il y avait très longtemps, Lena avait carrément entendu Matt entamer une phrase par ces mots : « Du temps où le Ku Klux Klan faisait du bon boulot... » Se montreraient-ils aussi vigilants une fois qu'ils sauraient pour Sibyl, ou leur colère s'évanouirait-elle ? Lena n'avait pas envie de l'apprendre à ses dépens.

Quand elle frappa à la porte ouverte du bureau de Jeffrey, il était en train de lire un rapport.

« Sara t'a mise au courant ? », lui demanda-t-il.

Elle n'appréciait guère sa manière de formuler la question, mais Lena acquiesça quand même tout en refermant derrière elle.

Jeffrey était manifestement surpris de la voir clore cette porte. Il reposa son rapport et attendit qu'elle soit assise avant de l'interroger.

« Qu'est-ce qui se passe ? »

Lena estima que le mieux était encore de cracher le morceau.

« Ma sœur était lesbienne. »

Ses mots restèrent suspendus au-dessus de leurs têtes comme dans un phylactère de bande dessinée. Elle réprima le besoin pressant de lâcher un rire nerveux. Elle ne leur avait jamais exprimé la chose à voix haute. La sexualité de Sibyl n'était pas un sujet que Lena abordait avec facilité, même avec sa propre sœur. Quand Sibyl s'était installée avec Nan Thomas, une petite année après son arrivée à Grant, Lena n'était pas entrée dans les détails. En toute honnêteté, elle n'avait pas voulu les connaître.

« Bon, fit Jeffrey, d'une voix qui trahissait la surprise, merci de m'avoir informé.

— Crois-tu que cela influencera l'enquête ? s'enquit-elle, en se demandant si tout cela n'était pas en vain.

— Je ne sais pas, admit-il, et elle eut l'impression qu'il disait la vérité. Est-ce qu'on lui a envoyé des lettres de menace ? Lui a-t-on adressé des réflexions désobligeantes ? »

Lena se posait la même question. Nan lui avait affirmé qu'il ne s'était rien produit de nouveau au cours des dernières semaines, mais elle n'était pas non plus sans savoir que Lena n'était pas trop ouverte sur le fait que Nan baisait avec sa sœur.

« A mon avis, toi, tu devrais en parler avec Nan.

— Nan Thomas ?

— Ouais, fit Lena. Elles vivaient ensemble dans Cooper Avenue. On pourrait peut-être y passer après la réunion ?

— Plus tard dans la journée, approuva-t-il. Vers quatre heures ? »

Lena hocha la tête en signe d'assentiment.

« Tu vas en parler aux gars ? », ne put-elle s'empêcher de demander.

Il parut étonné de cette question.

« A ce stade, je ne crois pas que ce soit nécessaire, lui dit-il après avoir longuement soutenu son regard. On ira causer avec Nan en fin de journée et on partira de là. »

Lena se sentit immensément soulagée.

Jeffrey consulta sa montre.

« On ferait mieux de rejoindre les autres pour la réunion. »

Neuf

Jeffrey se tenait devant la salle et il attendit que Lena sorte des toilettes. Après leur discussion, elle l'avait prié de lui accorder quelques minutes. Il espérait qu'elle en avait profité pour prendre le temps de se ressaisir. Malgré son tempérament, Lena Adams était une femme intelligente et un bon flic. Il n'aimait pas du tout la voir traverser cette épreuve seule, mais il savait aussi qu'elle ne l'affronterait pas autrement.

Sara était assise au premier rang, jambes croisées. Elle portait une robe en lin vert olive qui lui arrivait au-dessus des chevilles. Deux fentes remontaient le long des jambes, juste au-dessous des genoux. Ses cheveux roux étaient noués en queue-de-cheval, la même coiffure que le dimanche précédent, à l'office. Jeffrey se souvenait de l'expression de son visage quand elle l'avait remarqué, assis sur le banc derrière elle, et se demandait si elle serait jamais heureuse de le revoir, au moins une fois dans sa vie. Durant toute la messe, il était demeuré les yeux baissés, fixés sur ses mains, attendant le bon moment pour se glisser hors de sa rangée sans provoquer trop d'émoi.

Sara Linton était ce que le père de Jeffrey aimait appeler une grande flûte pleine d'eau. Jeffrey avait été attiré par la force de caractère de celle qui avait été sa femme, par son indépendance farouche. Il aimait sa réserve et sa manière de dénigrer ses copains du foot. Il aimait son mode de pensée et le fait de pouvoir avec elle aborder tous les aspects de son boulot en ayant l'assurance qu'elle comprendrait. Il aimait bien qu'elle ne sache pas cuisiner et qu'elle soit capable de trouver le sommeil au beau milieu d'un ouragan. Il aimait bien qu'elle soit une piètre maîtresse de maison et qu'elle ait de si grands pieds, au point de pouvoir même porter ses souliers à lui. Et ce qu'il aimait vraiment, c'était qu'elle connaissait tous ces aspects d'elle-même, et qu'en plus elle en était fière.

Bien sûr, son indépendance présentait un inconvénient. Même après six années de mariage, il n'était pas certain de savoir grand-chose sur elle. Sara s'y entendait si bien pour mettre en avant cette façade de force de caractère qu'au bout d'un certain temps, il en était venu à se demander si elle avait réellement besoin de lui. Entre sa famille, la clinique et la morgue, elle n'avait pas l'air d'avoir beaucoup de temps à lui consacrer.

Il avait beau être conscient que tromper Sara ne serait pas le meilleur moyen de faire bouger les choses, il ne se dissimulait pas non plus qu'à ce stade, il fallait qu'un obstacle cède dans leur mariage. Il avait envie de la voir souffrir. Il avait envie de la voir se battre pour le garder, lui et leur relation. Que la première partie de ce programme se soit bien réalisée, mais pas la seconde, voilà qui continuait de le faire gamberger. Parfois, il arrivait presque à Jeffrey d'être en colère contre elle, qu'un épisode aussi insignifiant, aussi stupide qu'une bête incartade sexuelle ait suffi à briser leur mariage.

Il était appuyé contre l'estrade, les mains croisées devant lui. Il chassa Sara de son esprit et se concentra sur la tâche qui l'attendait. Sur la table de jeu placée à côté de lui s'étalait une liste de soixante pages de noms et d'adresses. Tous les délinquants sexuels ayant fait l'objet d'une condamnation, demeurant ou venus s'installer dans l'Etat de Géorgie, étaient tenus de procéder à l'enregistrement de leur nom et de leur adresse auprès du Georgia Bureau of Investigation du Crime Information Center. Jeffrey avait passé la nuit précédente et l'essentiel de la matinée à confronter ces informations avec les soixante-sept résidents de Grant County portés sur ces registres depuis la promulgation de cette loi, en 1996. Passer leurs crimes en revue avait été une tâche assez affligeante en soi, notamment parce qu'il n'ignorait pas que les agresseurs sexuels étaient pareils aux cafards. Pour l'un d'entre eux que l'on repérait, il y en avait vingt autres dissimulés derrière les murs.

Il ne laissa pas son esprit s'attarder trop là-dessus en attendant d'ouvrir la réunion. La salle était loin d'être remplie. Frank Wallace, Matt Hogan et cinq autres inspecteurs faisaient partie de l'effectif des gradés. La présence de Jeffrey et Lena portait ce chiffre à neuf. Sur ces neuf-là, seuls Jeffrey et Frank avaient opéré dans des municipalités plus vastes que Grant. Il y avait de fortes chances pour que ce soit aussi le cas du tueur de Sibyl Adams.

Brad Stephens, un jeune agent qui savait tenir sa langue malgré sa jeunesse et son grade modeste, s'était posté juste à côté de la porte, au cas où quelqu'un aurait eu l'intention d'entrer. Brad était en quelque sorte la mascotte de la brigade et avait encore conservé une bonne part de sa rondeur enfantine ; cela lui donnait l'air enrobé d'un héros de dessin animé. Ses fins cheveux blonds semblaient toujours avoir été frottés contre un ballon. Sa mère lui apportait souvent son déjeuner au poste. En tout état de cause, il était ce que l'on avait coutume d'appeler un bon garçon. Brad était encore au lycée quand il avait pris contact avec Jeffrey pour intégrer la police. Comme la plupart des flics plus jeunes qu'il avait sous ses ordres, Stephens était originaire de Grant. Sa famille vivait là. Il avait donc un intérêt personnel à ce que les rues soient sûres.

Jeffrey s'éclaircit la gorge pour réclamer un peu d'attention, lorsque Brad ouvrit la porte à Lena. Si quelqu'un était surpris de sa présence, personne ne le manifesta. Elle choisit un siège dans le fond, croisa les bras, les yeux encore rougis par sa récente beuverie, ou d'avoir pleuré, ou les deux à la fois.

« Merci à tous d'être venus comme ça, au pied levé », commença Jeffrey. Il hocha la tête en direction de Brad, lui indiquant qu'il devait faire circuler les cinq paquets de fiches que le chef de la police avait collationnées. « En guise de préambule, permettez-moi de souligner que tout ce qui va se dire aujourd'hui dans cette salle devra être considéré comme strictement confidentiel. Ce que vous allez entendre n'est pas destiné à la consommation courante, et toute fuite serait de nature à sérieusement entraver notre enquête. »

Il attendit, tandis que Brad achevait son tour de la salle.

« Je n'en doute pas, vous savez tous à présent que

Sibyl Adams a été assassinée hier au Grant Filling Station. » Les hommes qui ne parcouraient pas les feuilles qu'on venait de leur remettre hochèrent la tête. Ce qu'il ajouta aussitôt fit relever la tête à tout le monde. « Avant de se faire tuer, elle a été violée. »

On eût dit, le temps qu'il laisse sa phrase exercer tout son effet, que la température de la salle montait subitement d'un cran. Ces hommes appartenaient à différentes générations. Les femmes leur étaient aussi mystérieuses que les origines de la planète. Rien ne pourrait davantage galvaniser leur action que cette annonce du viol de Sibyl.

Jeffrey leva son exemplaire de la liste, tandis que Brad faisait passer les paquets en respectant les noms inscrits par son supérieur sur chaque chemise.

« J'ai sorti la liste de ces criminels ce matin même. Je l'ai communiquée aux équipes habituelles, à l'exception de Frank et Lena. » Il vit cette dernière ouvrir la bouche pour protester, mais il poursuivit. « Brad va travailler avec toi, Lena. Et Frank avec moi. »

Elle se redressa sur son siège dans une posture de défi. Brad n'était tout de même pas au même niveau qu'elle et, à en juger par son regard, on voyait bien qu'elle comprenait très exactement la décision de Jeffrey. Elle comprendrait également, dès qu'elle en serait à interroger le troisième ou le quatrième homme de sa liste, que Jeffrey lui tenait la bride sur le cou. Les violeurs avaient tendance à s'attaquer aux femmes appartenant à leur groupe ethnique et à leur tranche d'âge. Lena et Brad interrogeraient tous les membres de minorités au-delà de la cinquantaine ayant une agression sexuelle à leur casier judiciaire.

« Le docteur Linton va vous communiquer le récapitulatif de tous les éléments scientifiques. Ma première hypothèse est que l'agresseur aurait des inclinations religieuses, voire même une tendance au fanatisme. Je ne souhaite pas que vous concentriez vos questions sur cet aspect, mais gardez-le en tête. » Il empila ses papiers sur l'estrade. « Si quelqu'un pointe le bout de son nez et mérite d'être surveillé, je veux un appel sur ma radio. Je ne veux pas d'un suspect qui s'effondre en garde à vue ou qui se fasse accidentellement brûler la cervelle. »

En prononçant ces derniers mots, Jeffrey évita soigneusement de croiser le regard de Sara. Jeffrey était un flic, il n'ignorait pas comment les choses se passaient dans la rue. Dès lors qu'il s'agissait de Sibyl Adams, il savait que tous les hommes présents dans cette salle auraient quelque chose à se prouver. Il comprenait aussi combien il était facile de franchir la limite entre la justice judiciaire et la justice humaine dès qu'on était sur le terrain, confronté au genre de brute qui avait pu violer une femme aveugle et lui découper une croix dans l'abdomen.

« Est-ce clair ? », insista-t-il, sans attendre de réponse et n'en recevant d'ailleurs aucune. « Je vais donc maintenant passer la parole au docteur Linton. »

Il se rendit dans le fond de la salle, restant en retrait, debout à la droite de Lena, tandis que Sara montait sur l'estrade. Elle s'approcha du tableau noir, tendit la main et déroula l'écran de projection. La plupart des hommes de cette salle l'avaient vue dans les langes, et le fait qu'ils aient tous sorti leur carnet de notes en disait long sur les capacités professionnelles du docteur Linton.

Elle adressa un hochement de tête à Brad et la pièce fut plongée dans l'obscurité.

Le projecteur vert s'alluma avec un ronronnement, envoyant un éclair de lumière blanche sur l'écran. Sara installa une photo sur le chariot et la glissa sous la plaque de verre.

« J'ai découvert Sibyl Adams dans les toilettes pour dames du restaurant Grant Filling Station vers deux heures et demie hier après-midi », expliqua-t-elle tout en mettant l'image au point.

La salle fut parcourue d'un remous quand le Polaroïd de Sibyl Adams gisant partiellement nue sur le sol des toilettes s'afficha avec netteté. Jeffrey se surprit à fixer du regard le trou visible à la poitrine de l'infortunée jeune femme, en se demandant quelle espèce d'animal avait pu lui infliger pareil traitement. Il n'avait aucune envie de penser à ce qui lui avait traversé l'esprit quand on l'avait violée par ce trou dans l'abdomen.

Sara poursuivit.

« Quand j'ai ouvert la porte, elle était assise sur les toilettes. Ses bras et ses jambes étaient grands ouverts et l'entaille que vous voyez là... (elle la désigna sur l'écran)... saignait abondamment. »

Jeffrey se pencha légèrement, tâchant de percevoir la réaction de Lena. Elle restait immobile, en état de choc, la colonne vertébrale formant un parfait angle droit par rapport au sol. Il comprenait son besoin d'entendre et de voir cela, mais il ne concevait pas comment elle tenait le coup. Si quelqu'un, dans sa famille, avait subi ce traitement, si Sara avait été souillée de la sorte, Jeffrey savait au fond de son cœur qu'il n'aurait pas envie de savoir. Il en était incapable.

Sara se tenait debout, les bras croisés.

« Je venais de constater que son pouls battait encore quand elle a été prise d'une attaque. J'ai tâché de maîtriser ses soubresauts, mais elle a rendu l'âme quelques secondes plus tard. »

Elle fit coulisser le tiroir du projecteur pour remplacer le cliché par un autre. L'appareil était un dinosaure que l'on avait emprunté au lycée. Elle n'avait guère eu l'opportunité d'envoyer les photos du meurtre chez Jiffy Photo pour agrandissement.

L'image suivante était un gros plan de la tête et du cou de Sibyl Adams.

« L'hématome sous l'œil a été provoqué par un coup assené d'en haut, probablement à un moment antérieur dans le cours de l'agression, un coup destiné à décourager toute résistance. On lui a tenu un couteau sous la gorge, une lame très affûtée, d'environ quinze centimètres de longueur. Je dirais qu'il s'agissait d'un couteau à désosser d'un modèle certainement très répandu dans toutes les cuisines. On aperçoit une légère coupure, ici. » Elle la souligna du bout du doigt, sur l'écran, au milieu du cou de Sibyl. « Cette coupure n'a pas saigné, mais la pression exercée était suffisante pour écorcher la peau. Elle leva les yeux, croisa le regard de Jeffrey. J'imagine que ce couteau a servi à l'empêcher de crier pendant qu'il la violait. »

Elle poursuivit.

« Il y a là une petite marque de morsure, sur l'épaule gauche. » L'image apparut. « Dans les affaires de viol, les traces de morsure sont fréquentes. Celle-ci montre uniquement l'empreinte d'une dent supérieure. Je n'ai rien trouvé de caractéristique dans la forme de cette morsure, mais j'ai envoyé le... » Elle s'interrompit, se souvenant probablement de la présence de Lena dans la salle. « L'empreinte de cette dent a été transmise au FBI pour confrontation. Si un agresseur identifié dans leurs fichiers correspond à cette empreinte, alors nous pourrons en conclure qu'il est l'auteur de ce crime. Toutefois, prévint-elle, comme nous le savons tous, le FBI n'accordera pas à cette affaire la première des priorités, et donc je ne crois pas qu'il faille nous accrocher à cet élément de preuve. Le scénario le plus raisonnable consisterait plutôt à réserver cette empreinte à fin de validation après coup. En d'autres termes, dénichons un suspect valable et pinçons-le sur la base de cette empreinte dentaire. »

Ensuite, l'écran dévoila une photographie de l'intérieur des jambes de Sibyl.

« On voit des griffures ici, au genou, à l'endroit où les jambes se sont arc-boutées à la lunette des toilettes, lors de l'agression. »

Une autre photo suivit, cette fois du postérieur de Sibyl. « Sur les fesses, elle présente des éraflures et des hématomes irréguliers, là encore en raison de la friction contre le siège des toilettes.

« Ses poignets, ajouta-t-elle en insérant un nouveau cliché, montrent d'autres contusions causées par les barres du box prévues pour les handicapés. En s'agrippant à ces barres, elle s'est cassé deux ongles, probablement en tentant de se relever pour échapper à son agresseur. »

Elle fit coulisser le cliché suivant.

« C'est un gros plan des incisions de l'abdomen, expliqua-t-elle. La première entaille a été pratiquée juste au-dessous de la clavicule, jusqu'à l'os pelvien. La seconde a été pratiquée de droite à gauche. » Elle marqua une pause. « A en juger d'après la profondeur irrégulière de la seconde blessure, j'en déduirais que le mouvement a été exécuté en revers, par un agresseur gaucher. L'entaille est plus profonde vers le flanc droit. »

Le Polaroïd suivant était un gros plan du torse de Sibyl. Sara garda le silence quelques secondes, songeant probablement à la même chose que Jeffrey. De si près, on voyait bien que la blessure en forme de perforation avait été distendue. Ce n'était pas la première fois qu'il sentait son estomac se retourner à l'idée de ce que l'on avait infligé à cette pauvre femme. Il espérait que Dieu n'avait pas permis qu'elle reste consciente durant son calvaire.

« C'est la dernière blessure, reprit-elle. Il s'agit d'une perforation du sternum. Elle se prolonge jusqu'à la colonne vertébrale. D'après moi, c'est la principale source d'hémorragie. » Sara se tourna vers Brad. « Lumière. »

Elle avança vers sa serviette.

« Le symbole sur sa poitrine, ajouta-t-elle, ressemble à une croix. Lors du viol, l'agresseur a enfilé un préservatif, ce qui, nous le savons, est une pratique fréquente destinée à éviter d'éventuels examens d'ADN. La lumière noire n'a révélé ni sperme ni sécrétions. Le sang prélevé sur la scène du crime appartient uniquement à la victime, à ce qu'il semble. » Elle sortit de sa serviette une feuille de papier. « Nos amis du Georgia Bureau of Investigation ont eu l'amabilité de tirer quelques sonnettes pour nous. Ils m'ont analysé ce sang. » Elle chaussa ses lunettes cerclées de cuivre et entama la lecture du document. « D'importantes concentrations d'hyoscyamine, d'atropine et de belladonine ainsi que des traces de scopolamine ont été retrouvées dans le sang et l'urine prélevés dans les régions centrales de l'organisme de la victime. » Elle leva les yeux. « Ceci laisse entendre que Sibyl Adams a ingéré une dose mortelle de belladone, une plante qui appartient à la famille des solanacées mortelles. »

Jeffrey jeta un œil vers Lena. Elle demeurait silencieuse, les yeux fixés sur Sara.

« Une surdose de belladone peut permettre de simuler un arrêt total du système nerveux parasympathique. Sibyl Adams était aveugle, mais ses pupilles étaient dilatées à cause de cette substance. Les bronchioles de ses poumons étaient enflées. La température au centre de son organisme était encore élevée, ce qui m'a conduite à m'interroger d'abord sur l'état de sa circulation sanguine. » Elle se tourna vers Jeffrey, pour répondre à la question qu'il lui avait posée plus tôt dans la matinée. « Lors de l'autopsie, sa peau était encore chaude au toucher. Aucun facteur environnemental n'était susceptible de causer pareil phénomène. J'en ai déduit que c'était dû à une substance présente dans son sang. »

Elle poursuivit.

« La belladone peut être décomposée en vue d'applications médicales, mais elle sert aussi de drogue euphorisante.

— Tu crois que le meurtrier lui en a administré ? lui demanda Jeffrey. Ou bien est-ce le genre de produit qu'elle a pu prendre toute seule ? »

Sara parut réfléchir à la question.

« Sibyl Adams était chimiste. Elle n'aurait certainement pas pris un médicament aussi volatile, pour ensuite sortir déjeuner. C'est un hallucinogène très puissant. Il affecte le cœur, la respiration et la circulation.

— Des solanacées, il en pousse un peu partout dans la ville, releva Frank.

— Ce sont des plantes assez communes, admit-elle. Leur transformation n'est pas très facile. En l'occurrence, c'est le mode d'ingestion qui constitue le point essentiel. Selon Nick, le moyen le plus commode et le plus répandu d'ingérer de la belladone, c'est de faire macérer les graines dans de l'eau chaude. Rien que ce matin, j'ai trouvé sur Internet trois recettes de préparation de thé à la belladone. »

Lena intervint.

« Sibyl aimait bien boire du thé.

— Nous y sommes, fit-elle remarquer. Les graines sont extrêmement solubles. J'imagine que quelques minutes après en avoir bu, elle aura commencé à ressentir une élévation de sa tension, des palpitations cardiaques, la bouche sèche et une extrême nervosité. Je suppose également que cela a suffi à la conduire aux toilettes, où son violeur l'attendait. »

Frank se tourna vers Jeffrey.

« Il faut qu'on parle de ça à Pete Wayne. Il lui a servi son déjeuner. Il lui a préparé son thé.

— Pas de soupçon de ce côté-là, le contredit Matt. Pete a toujours vécu dans cette ville. Ce n'est pas le genre d'acte qu'il aurait pu commettre. Et puis il est membre de la loge », ajouta-t-il ensuite, comme si c'était là un argument déterminant en faveur du patron du restaurant.

Les hommes de l'assistance laissèrent échapper quelques murmures.

« Et le coloré de Frank ? », lança quelqu'un, que Jeffrey ne sut identifier.

Il sentit un filet de sueur lui dégouliner dans le dos, ne saisissant que trop bien comment tout cela allait tourner. Il leva les mains pour exiger un peu de silence.

« Frank et moi allons nous charger de parler à Pete. Vous, les gars, vous avez une mission. Je veux vos rapports en fin de journée. »

Matt parut sur le point de prendre la parole, mais Jeffrey l'arrêta.

« En restant dans cette pièce à baver des théories farfelues, nous n'allons pas aider Sibyl Adams. » Il hésita un instant, puis il désigna les dossiers que Brad leur avait remis. « Frappez à toutes les portes de la ville s'il le faut, mais je veux un rapport sur tous les hommes figurant sur cette liste. »

Tandis que Jeffrey et Frank se rendaient à pied au restaurant, les mots « le coloré de Frank » restaient logés dans le crâne de Jeffrey comme un morceau de charbon ardent. Ces expressions locales lui étaient familières depuis l'enfance, mais voilà au moins trente ans qu'il ne les avait plus entendues. Il était sidéré de constater la persistance d'un pareil racisme ouvertement proclamé. Il n'était pas moins effrayé d'en avoir entendu la manifestation au sein de sa propre équipe. Il travaillait à Grant depuis dix ans, mais demeurait un étranger au comté. Ses origines sudistes ne suffisaient pas à lui valoir ses entrées au sein du réseau des vieux de la vieille. Le fait qu'il soit originaire de l'Alabama n'arrangeait rien. L'une des prières typiques, courantes dans les Etats du Sud, « Merci mon

Dieu, pour l'Alabama », signifiait en réalité « Merci mon Dieu, de ne pas nous avoir créés aussi pourris que ces gens-là ». C'était en partie la raison pour laquelle il tenait à garder Frank Wallace sous la main. Frank, lui, faisait partie de ces hommes-là. Il était membre du club.

Frank ôta son manteau, et le replia sur son bras tout en marchant. Il était grand et mince comme un roseau, avec un visage que des années de métier de flic avaient rendu impénétrable.

« Ce type, le Noir, Will Harris, rappela-t-il. Il y a quelques années, on m'a appelé pour une dispute conjugale. Il avait rossé sa femme. »

Jeffrey s'arrêta.

« Ah ouais ? »

Frank s'arrêta à son tour.

« Ouais, répéta-t-il en écho. Il l'avait salement amochée. Il lui avait éclaté la lèvre. Quand je suis arrivé sur les lieux, elle était par terre. Elle portait une de ces robes en coton, tu sais, qui ont l'air d'un sac. Il haussa les épaules. En tout cas, elle était déchirée.

— Tu crois qu'il l'avait violée ? »

Frank haussa les épaules.

« Elle n'aurait pas osé porter plainte. »

Jeffrey se remit en route.

« Quelqu'un d'autre est au courant de cette histoire ?

— Matt, fit Frank. A l'époque, c'était lui mon équipier. »

En ouvrant la porte du restaurant, Jeffrey perçut une terreur palpable.

« On est fermé, lança Pete depuis le fond de la salle.

— C'est Jeffrey, Pete », annonça-t-il.

Ce dernier sortit de la réserve aux fournitures en s'essuyant les mains sur son tablier.

« Salut, Jeffrey, lança-t-il avec un hochement de tête. Frank, ajouta-t-il ensuite.

— On devrait en avoir terminé ici dès cet après-midi, Pete, précisa Jeffrey. Tu pourras rouvrir dès demain.

— C'est fermé pour le restant de la semaine, répliqua l'autre en dénouant les cordons de son tablier. Ça me paraît pas correct de rouvrir après ce qui est arrivé à Sibyl et tout ça. » Il désigna la rangée de tabourets devant le bar. « Je vous prépare un café ?

— Ça serait parfait », le remercia Jeffrey qui prit le premier tabouret. Frank l'imita, en s'asseyant à côté de lui.

Jeffrey regarda Pete contourner le comptoir et sortir trois épais mugs en terre cuite. Le café écuma lorsqu'il le versa dans les tasses.

« Vous avez déjà quelque chose ? », s'enquit Pete.

Jeffrey prit un des mugs.

« Peux-tu nous faire le récit de ce qui s'est passé hier ? Je veux dire, à partir du moment où Sibyl Adams est entrée dans ton restaurant ? »

Pete s'adossa contre le gril.

« Je crois qu'elle est arrivée vers une heure et demie, commença-t-il. Elle venait toujours après le coup de feu de l'heure du déjeuner. J'imagine qu'elle n'avait pas trop envie de se balader à tâtons avec sa canne devant tout ce monde. Je me comprends, nous savions qu'elle était aveugle, bien sûr, mais elle n'avait pas envie d'attirer l'attention là-dessus. C'était bien clair. Au milieu de la cohue, elle était toujours un peu tendue. »

Jeffrey sortit son carnet de notes mais il n'avait pas franchement besoin d'en prendre. Ce qu'il constatait, c'était que Pete paraissait en savoir pas mal sur les habitudes de Sibyl Adams.

« Elle venait souvent ?

— Tous les lundis, réglée comme une horloge. Il plissa les yeux. Depuis ces cinq dernières années, à peu près, à ce qu'il me semble. Parfois, elle venait tard le soir avec d'autres enseignants ou avec Nan, la fille de la bibliothèque. Je crois qu'elles louaient une maison sur Cooper Avenue, toutes les deux. »

Jeffrey confirma d'un hochement de tête.

« Mais c'était seulement à l'occasion. En général, son jour, c'était le lundi, toujours toute seule. Elle entrait ici, commandait son déjeuner et ressortait généralement vers deux heures. » Il se passa la main sur le menton, son visage se voila d'un regard triste. « Elle laissait toujours un joli pourboire. Quand j'ai vu sa table vide, ça ne m'a pas mis la puce à l'oreille. J'ai dû me faire la réflexion, j'imagine, qu'elle était repartie à un moment où j'avais le dos tourné.

— Qu'a-t-elle commandé ? voulut savoir Jeffrey.

— La même chose que d'habitude, précisa Pete. Le numéro trois. »

Jeffrey savait que le numéro trois désignait une assiette de galettes avec des œufs, du bacon et, en garniture, du gruau de maïs.

« Sauf qu'elle ne mangeait pas de viande, souligna Pete, et donc je mettais toujours le bacon de côté. Et elle ne buvait pas de café non plus, donc je lui servais du thé chaud. »

Jeffrey nota cette précision.

« Quel genre de thé ? »

Pete farfouilla derrière le comptoir et en sortit une boîte de sachets sans marque particulière.

« Je me les suis procurés pour elle à l'épicerie. Elle ne buvait jamais de caféine. Il lâcha un petit rire. J'aimais bien prendre soin d'elle, tu sais ? Elle ne sortait pas beaucoup. Elle me confiait tout le temps qu'elle aimait bien venir ici, qu'elle s'y sentait à son aise. » Il tourna et retourna la boîte de thé.

« Et la tasse dans laquelle elle a bu ? s'enquit Jeffrey.

— Je n'en sais rien. Elles sont toutes pareilles, ces tasses. » Il se rendit au bout du comptoir et sortit un grand tiroir métallique. Jeffrey se pencha pour en inspecter le contenu. Ce tiroir était en réalité un grand lave-vaisselle rempli de tasses et d'assiettes.

« Ce sont celles d'hier ? », demanda-t-il.

Pete hocha la tête.

« Je peux pas trop affirmer laquelle était la sienne. J'ai mis le lave-vaisselle en route avant qu'elle... » Il s'interrompit, observa ses mains. « Mon père, il me répétait toujours de prendre bien soin des clients, comme ça les clients prendraient soin de vous. » Il releva la tête, des larmes dans les yeux. « C'était une chic fille, tu le sais, hein ? Pourquoi faut-il que quelqu'un ait voulu lui faire du mal ?

— Je ne sais pas, Pete, avoua Jeffrey. Ça t'ennuie si j'emporte ça ? » Il désigna la boîte à thé.

Pete haussa les épaules.

« Bien sûr que non, personne d'autre n'en buvait. » Il eut encore son petit rire. « J'ai essayé, une fois, juste pour goûter. Ce truc avait un goût d'eau boueuse. »

Frank sortit un sachet de la boîte. Il était enveloppé dans une pochette en papier scellée.

« Le vieux Will travaillait ici, hier ? »

Pete parut déconcerté par la question.

« Bien sûr, il travaille ici à l'heure du déjeuner tous les jours depuis cinquante ans. Il arrive aux environs de onze heures, il repart vers deux heures et quelques. » Il observa Jeffrey attentivement. « Une fois qu'il a terminé ici, il se charge de petits boulots un peu pour tout le monde en ville. Surtout du travail de jardinage, un peu de menuiserie.

— Il dresse les tables ? », s'enquit Jeffrey, mais il avait déjeuné suffisamment souvent ici pour savoir ce dont s'occupait Will Harris.

« Bien sûr, confirma Pete. Il dresse les tables, il lave les sols, il sert les gens. » Il adressa un regard à Jeffrey, l'air curieux. « Pourquoi ?

— Sans raison particulière », répondit Jeffrey. Il se pencha sur le comptoir, serra la main du bonhomme. « Merci, Pete. Si on a besoin d'autre chose, on te tiendra au courant. »

Dix

Le doigt de Lena courut en travers du plan des rues posé sur ses genoux.

« Ici, à gauche », indiqua-t-elle à Brad.

Il s'exécuta et engagea la voiture de patrouille dans Baker Street. Brad était bien, mais il avait tendance à prendre ce que les gens lui disaient pour argent comptant, et c'est pourquoi, tout à l'heure au poste, quand Lena avait raconté qu'elle avait besoin d'aller aux toilettes pour prendre ensuite la direction opposée à celle des lavabos pour dames, il n'avait pas pipé mot. Il y avait une blague récurrente au commissariat, qui consistait à lui planquer sa casquette. A Noël, on l'avait nichée sur la tête d'un des rennes qui trônaient en exposition devant l'hôtel de ville. Un mois plus tôt, Lena avait repéré le couvre-chef sur la statue de Robert E. Lee, devant le lycée.

Lena savait que lui attribuer Brad Stephens comme équipier constituait pour Jeffrey un moyen de la tenir en lisière de l'enquête. Si elle s'était penchée sur la question, elle aurait juré que tous les individus figurant sur leur liste étaient soit morts, soit trop vieux pour tenir debout.

« La prochaine à droite », fit-elle encore, le plan en

main cette fois. Lors de son détour prétendu par les toilettes, elle s'était faufilée dans le bureau de Marla et avait fouiné dans l'annuaire pour y dégoter l'adresse de Will Harris. Jeffrey commencerait par interroger Pete. Lena voulait confronter Will Harris avant que son chef ne parvienne jusqu'à lui.

« Ici, à droite, lui dit-elle en indiquant qu'il pouvait se garer. Tu peux rester là. »

Brad ralentit, en portant les doigts à ses lèvres.

« C'est quoi, l'adresse ?

— 431 », lui répondit-elle en repérant la boîte aux lettres. Elle fit coulisser sa ceinture de sécurité et ouvrit la portière avant que le véhicule ne se soit complètement immobilisé. Le temps que Brad la rattrape, elle avait déjà emprunté l'allée.

« Qu'est-ce que tu fabriques ? », demanda-t-il en trottant à côté d'elle comme un toutou. « Lena ? »

Elle s'arrêta, fourra la main dans sa poche.

« Ecoute, Brad, retourne à la voiture, et c'est tout. » Elle était deux grades au-dessus du sien. En théorie, Brad était censé respecter ses ordres. Cette pensée parut lui traverser l'esprit, mais il secoua la tête négativement.

« C'est là qu'habite Will Harris, c'est ça ? » fit-il.

Lena lui tourna le dos et continua de remonter l'allée.

La maison de Will Harris était petite, elle ne devait guère compter que deux chambres et une salle de bains. Les planches étaient peintes d'un blanc éclatant et la pelouse était soigneusement entretenue, ce qui contraria Lena. Elle ne pouvait croire que la personne habitant dans cette maison ait pu réserver un pareil traitement à sa sœur.

Elle frappa à la porte à moustiquaire. Elle entendit le bruit de la télévision et un mouvement dans le fond. A travers le fin grillage, elle aperçut un homme qui se levait péniblement de son fauteuil. Il portait un maillot de corps blanc et un pantalon de pyjama, blanc également. Il affichait une expression de perplexité.

Contrairement à la plupart des gens qui travaillaient en ville, Lena n'était pas une cliente régulière du restaurant. Quelque part dans son esprit, elle considérait cet endroit comme le territoire de Sibyl et ne voulait pas s'y immiscer. Elle n'avait donc jamais réellement fait connaissance avec Will Harris. Elle s'était attendue à quelqu'un de plus jeune. A un individu plus menaçant. Or, Will Harris était un vieil homme.

Quand il eut enfin atteint la porte et vu Lena, sa bouche s'agrandit sous l'effet de la surprise. Pendant un instant, ni l'un ni l'autre ne prononcèrent un mot.

« Vous devez être sa sœur », finit par dire Will.

Elle dévisagea le vieil homme. D'instinct, elle comprit que Will Harris n'avait pas tué Sibyl, mais il subsistait une possibilité qu'il sache qui l'avait tuée.

« Oui, monsieur, acquiesça-t-elle. Cela vous dérange si j'entre ? »

La porte s'ouvrit en grinçant. Il s'effaça, en la maintenant ouverte pour Lena.

« Il faut excuser ma tenue, dit-il en désignant son pyjama. Je ne m'attendais pas précisément à recevoir des visiteurs.

— Pas de problème », le rassura-t-elle en jetant un coup d'œil dans la petite pièce. Le salon et le coin-cuisine ne faisaient qu'un, simplement délimités par un canapé. Il y avait un couloir carré sur la gauche, par lequel Lena put apercevoir une salle de bains. Elle supposa que la chambre était située de l'autre côté du mur. Tout comme l'extérieur de la maison, l'intérieur était net et rangé, bien tenu malgré l'âge de son occupant. Une télévision trônait dans le salon. Autour du poste, des étagères occupant tout le mur étaient remplies de cassettes vidéo.

« J'aime bien regarder des films, j'en vois beaucoup », expliqua Will.

Elle sourit.

« Ça se remarque.

— Surtout, je préfère les vieux, en noir et blanc », commença le vieil homme, puis il tourna la tête vers la grande baie vitrée qui longeait le mur côté rue. « Seigneur Tout-Puissant, marmonna-t-il. On dirait que je suis drôlement populaire, aujourd'hui. »

Lena réprima un grognement en voyant Jeffrey Tolliver s'engager dans l'allée. Soit Brad l'avait vendue, soit Pete Wayne avait jeté le soupçon sur Will.

« Bonjour, monsieur », fit ce dernier en ouvrant la moustiquaire au chef de la police.

Jeffrey le salua d'un signe de tête, puis il décocha à Lena le genre de regard qui lui rendait immédiatement les paumes moites.

Will parut capter la tension qui régnait dans la pièce.

« Si vous le souhaitez, je peux passer dans le fond. »

Jeffrey se tourna vers le vieil homme et lui serra la main.

« Pas la peine, Will, lui assura-t-il. J'ai juste besoin de vous poser quelques questions. »

D'un geste large, le vieil homme désigna le canapé.

« Ça vous ennuie si je vais me chercher encore un peu de café ?

— Non, Will », répondit Jeffrey, en passant devant

son adjointe pour aller s'asseoir. Il la tançait toujours du même regard noir, mais elle s'assit tout de même à côté de lui.

Will revint à son fauteuil en traînant les pieds et prit place avec un gémissement. Ses genoux craquèrent et il sourit en manière d'excuse.

« Je passe le plus gros de mes journées à genoux, dans le jardin. »

Jeffrey sortit son carnet. Lena pouvait presque palper la colère qui se dégageait de lui.

« Will, il faut que je vous pose quelques questions.

— Oui, monsieur ?

— Vous savez ce qui s'est produit hier au restaurant ? »

Le vieil homme posa sa tasse de café sur une petite table basse.

« Cette fille n'a jamais causé de tort à personne, commenta-t-il. Ce qu'on lui a fait... Il s'interrompit, regarda Lena. Je suis de tout cœur avec vous et avec votre famille, mon petit chou. Vraiment. »

Elle s'éclaircit la gorge.

« Merci. »

A l'évidence, Jeffrey se serait attendu à une autre réponse de la part de Lena. Son expression se transforma, mais elle était incapable de saisir ce qu'il avait en tête. Il se tourna vers Will.

« Hier, jusqu'à quelle heure êtes-vous resté là-bas ?

— Oh, jusqu'à peu près une heure et demie, ou un petit peu avant deux heures, je pense. J'ai aperçu votre sœur, précisa-t-il à Lena, juste quand je m'en allais. »

Jeffrey attendit quelques instants.

« Vous en êtes certain ? s'enquit-il.

— Oh, oui, monsieur, confirma Will. Il fallait que

j'aille chercher ma tante à l'église. Ils sortent des répétitions du chœur à deux heures et quart précises. Elle n'aime pas attendre.

— Où chante-t-elle ? lui demanda Lena.

— A l'Eglise méthodiste africaine, là-bas, à Madison. Vous y êtes déjà allée ? »

Elle fit non de la tête, en pleins calculs. Même si Will Harris avait été un suspect valable, il n'aurait absolument pas pu tuer Sibyl et ensuite arriver à Madison à temps pour passer prendre sa tante. Un bref coup de fil suffirait à doter Will Harris d'un alibi en béton.

« Will, commença Jeffrey, ça me déplaît de vous demander ça, mais l'un de mes hommes, Frank, m'a indiqué que vous aviez eu quelques problèmes, dans le temps. »

Le visage de Will se décomposa. Jusqu'à cet instant, il n'avait pas quitté Lena des yeux, mais à présent il fixait la moquette.

« Oui, monsieur, c'est exact. Il regarda par-dessus l'épaule de Jeffrey. Ma femme, Eileen. Ça m'arrivait souvent de m'en prendre à elle, quelque chose de méchant. Je crois que cette bagarre-là, c'était avant votre arrivée. Ça remonte peut-être à dix-huit, dix-neuf ans. Il haussa les épaules. Après ça, elle m'a quitté. Je dois avouer que je me suis laissé entraîner par la boisson sur la mauvaise voie, mais maintenant je suis un bon chrétien. Je ne touche plus à tout ça. Je ne vois pas beaucoup mon fils, mais ma fille, aussi souvent que je peux. Actuellement, elle vit à Savannah. Il retrouva le sourire. J'ai deux petits-enfants, encore bébés. »

Jeffrey tapota sur son carnet avec son stylo. Lena vit bien, par-dessus son épaule, qu'il n'avait rien écrit.

« Vous est-il arrivé de servir le repas de Sibyl ? Au restaurant, j'entends. »

S'il fut surpris par la question, Will n'en laissa rien paraître.

« J'imagine que oui. Presque tous les jours, j'aide Pete pour ce genre de tâches. Du temps où c'était son père qui tenait la maison, il employait une dame pour servir, mais Pete, poursuivit-il avec un petit gloussement, ce vieux Pete, pour lui, un dollar, c'est un dollar. Will agita la main pour dissiper tout malentendu. Ça ne me gêne pas du tout d'apporter un peu de ketchup ou de m'assurer qu'un client a bien eu son café.

— Vous est-il arrivé de servir sa tasse de thé à Sibyl ? reprit Jeffrey.

— Parfois. Il y a un souci ? »

Jeffrey referma son carnet.

« Pas le moindre, le rassura-t-il. Avez-vous vu quelqu'un de suspect traîner sur les lieux, hier ?

— Seigneur Dieu, souffla Will. A l'heure qu'il est, je vous l'aurais sûrement déjà dit. Il n'y avait que Pete et moi, là-bas, et tous les habitués du déjeuner.

— Merci de nous avoir accordé un peu de votre temps. »

Jeffrey se leva et Lena l'imita. Will serra d'abord la main du chef, puis celle de Lena.

Il la retint dans la sienne un peu plus longtemps.

« Dieu vous bénisse, ma fille. Maintenant, prenez bien soin de vous. »

« Nom de Dieu, Lena », pesta Jeffrey, en frappant de son bloc-notes sur le tableau de bord de la voiture. Les pages voltigèrent en tous sens, et Lena tendit les mains devant elle pour éviter de prendre un coup. « Qu'est-ce que tu as dans le crâne, bon sang ? »

Lena ramassa le bloc-notes par terre.

« Je n'ai rien dans le crâne, ironisa-t-elle.

— Pas le moment de plaisanter, bordel », s'exclama-t-il d'un ton cassant, en s'emparant du bloc.

Quand il sortit en marche arrière de l'allée de Will Harris, il avait la mâchoire contractée. Frank était rentré au poste avec Brad, et Lena s'était quasiment retrouvée balancée dans la voiture de son chef. Il heurta le levier de vitesse contre la colonne de direction et démarra avec une embardée.

« Pourquoi ne peut-on jamais te faire confiance ? Pourquoi ne peut-on se fier à toi pour que tu suives les instructions que je te donne ? Il n'attendit pas sa réponse. Je t'ai envoyée avec Brad t'occuper d'une seule et unique chose, Lena. Je t'ai confié une tâche dans cette enquête parce que tu me l'as demandé, et non parce que j'estimais que tu étais en position de t'en charger. Et en guise de récompense, qu'est-ce que je reçois ? J'ai Frank et Brad qui te voient en train de bricoler dans mon dos comme une adolescente qui se tire de chez elle en cachette. Tu es un flic, putain, ou tu es une gamine ? » Il écrasa la pédale de frein et Lena sentit sa ceinture de sécurité lui cisailler la poitrine. Ils étaient immobilisés au beau milieu de la route, mais il n'eut pas l'air de s'en apercevoir.

« Regarde-moi », ordonna-t-il, en se tournant vers elle. Lena obéit, tâchant de masquer sa peur, que ses yeux ne la trahissent pas. Au sujet de Will Harris, son chef avait raison, elle n'avait aucun argument valable : en l'occurrence, elle était dans son tort jusqu'à l'os.

« Il faut que tu retrouves toute ta tête, et vite fait. Tu m'entends ? »

Elle opina sèchement.

« Je vais pas tolérer que tu gesticules dans mon dos. Et s'il t'avait sauté dessus ? Il laissa cette remarque porter. Et si Will Harris était le meurtrier de ta sœur ? Et s'il t'avait ouvert sa porte, et si, en te voyant, il avait pété les plombs ? Jeffrey frappa le volant du poing, en sifflant encore un juron. Tu vas faire ce que je te demande, Lena. Est-ce que c'est clair ? A partir de maintenant ! Il la menaça du doigt. Si je t'ordonne d'interroger toutes les fourmis du terrain de jeu, tu me rapportes des dépositions signées de chacune de ces bestioles. C'est clair ? »

Elle parvint à hocher encore la tête.

« Ouais. »

Il ne s'estima pas satisfait.

« Est-ce clair, inspecteur ?

— Oui, chef », répéta Lena.

Jeffrey repassa la vitesse. Les pneus patinèrent sous l'accélération, abandonnant une bonne couche de gomme sur l'asphalte. Ses deux mains étaient agrippées si fort au volant qu'il en avait les phalanges toutes blanches. Lena garda le silence, espérant que sa colère allait passer. Il avait tout à fait le droit d'être en pétard, mais elle ne savait que dire. S'excuser paraissait aussi inutile que de traiter une rage de dents avec du miel.

Jeffrey baissa sa vitre, dénoua sa cravate.

« Je ne pense pas que ce soit Will », lâcha-t-il subitement.

Lena hocha la tête, de crainte d'ouvrir la bouche.

« Même s'il a eu cette histoire dans le passé, poursuivit-il, la colère perçant à nouveau dans sa voix.

Frank avait omis de préciser que cette histoire avec sa femme était vieille de vingt ans. »

Lena resta muette.

« De toute façon (il écarta l'hypothèse d'un geste), même s'il avait ça en lui, il a au moins soixante ans, peut-être soixante-dix. Il n'arrivait même pas à s'asseoir dans son fauteuil, alors ne parlons pas de maîtriser une jeune femme de trente-trois ans et en pleine santé.

« Voilà qui nous laisse donc avec Pete tout seul dans le restaurant, d'accord ? » continua-t-il. Il n'attendait pas de réponse de sa part. A l'évidence, il réfléchissait à voix haute. « Sauf que j'ai appelé Tessa Linton en venant ici. Elle est arrivée là-bas un peu avant deux heures. Will était parti, Pete était tout seul. Elle m'a certifié que Pete est resté à sa caisse jusqu'à ce qu'il prenne sa commande, puis il lui a fait griller un hamburger. Jeffrey secoua la tête. Il aurait pu se faufiler dans le fond, mais quand ? Quand aurait-il eu le temps ? Ça lui aurait pris, quoi ? Dix, quinze minutes ? Plus les préparatifs. Comment aurait-il eu la certitude que ça pouvait suffire ? Et nous connaissons tous Pete. Je veux dire, Seigneur, c'est pas le genre de truc dont se sortirait aisément un débutant. »

Il marqua un silence, manifestement il était toujours en train de réfléchir, et Lena le laissa en paix. Elle regarda fixement par la fenêtre, passant au crible les propos que Jeffrey venait de tenir au sujet de Pete Wayne et Will Harris. Une heure plus tôt, Lena avait considéré ces deux hommes comme des suspects en bonne et due forme. Et maintenant, il n'y avait plus personne. Jeffrey avait raison d'être en colère contre elle. Elle aurait pu être en patrouille avec Brad, à pister les hommes de leur liste, et elle aurait peut-être repéré l'homme qui avait tué Sibyl, qui sait.

Lena se concentra sur les maisons devant lesquelles ils passaient. Au tournant, elle vérifia la plaque de rue, remarquant qu'ils se trouvaient sur Cooper Avenue.

« Tu crois que Nan sera chez elle ? », lui demanda-t-il.

Elle haussa les épaules.

Le sourire qu'il lui adressa laissait entrevoir une ouverture.

« Maintenant, tu as le droit de parler, tu sais. »

Elle releva les commissures de ses lèvres, mais ne parvint pas tout à fait à lui rendre son sourire pour autant.

« Merci, fit-elle. Je suis désolée pour... », voulut-elle poursuivre.

Il l'interrompit en levant la main.

« Tu es un bon flic, Lena. Tu es un sacré bon flic. » Il stationna sa voiture le long du trottoir, devant la maison de Nan et Sibyl. « Il faut simplement que tu apprennes à écouter.

— Je sais.

— Non, tu ne sais pas, souligna-t-il, mais il n'avait plus l'air en colère. Ta vie tout entière est bouleversée, et tu n'en sais encore rien. »

Elle allait dire quelque chose, mais elle s'abstint.

« Je comprends ton besoin de travailler sur cette histoire, reprit-il, ton besoin de t'occuper l'esprit, mais là-dessus, Lena, il faut que tu me fasses confiance. Si jamais tu franchis encore une seule fois cette limite, je te rétrograde tellement que tu finiras par servir le café à Brad. Est-ce clair ? »

Elle parvint à hocher la tête.

« Parfait, conclut-il en ouvrant la portière. Allons-y. »

Elle prit tout son temps pour détacher sa ceinture de sécurité. Elle sortit de la voiture, ajusta son pistolet et son holster en se dirigeant vers la maison. Le temps qu'elle atteigne la porte, Nan avait déjà invité Jeffrey à entrer.

« Salut, articula Lena.

— Salut », lui fit Nan en retour. Elle avait dans la main une boule de mouchoirs en papier, les mêmes que ceux qu'elle lui avait vus la veille au soir. Elle avait les yeux gonflés et le nez rouge vif.

« Salut », dit Hank.

Lena se figea.

« Qu'est-ce que tu fabriques ici ? »

Hank haussa les épaules, en se frottant les paumes l'une contre l'autre. Il portait un T-shirt sans manches, et les traces de piqûres d'aiguilles qu'il avait tout le long des bras étaient bien visibles.

Lena sentit une bouffée de malaise l'envahir. Elle n'avait jamais vu Hank ailleurs qu'à Reece, où tout le monde connaissait son passé. Ces cicatrices, elle les avait vues tant de fois qu'elle les avait presque effacées de son esprit. En cet instant, elle les voyait pour la première fois à travers les yeux de Jeffrey, et elle eut envie de sortir de la pièce en courant.

Hank avait l'air d'attendre qu'elle dise quelque chose. Elle bredouilla, réussit tant bien que mal à faire les présentations.

« Voici Hank Norton, mon oncle. Jeffrey Tolliver, chef de la police. »

Hank lui tendit la main, et Lena, à la vue de ses cicatrices turgescentes sur les avant-bras, eut envie de rentrer sous terre. Par endroits, certaines mesuraient plus d'un centimètre de longueur, là où il s'était planté l'aiguille à la recherche d'une bonne veine.

« Comment allez-vous, chef ? », s'enquit Hank.

Jeffrey accepta sa poignée de main, et la serra avec vigueur.

« Je suis désolé que nous ayons à nous rencontrer en de pareilles circonstances. »

Hank croisa les mains devant lui.

« Merci pour cette pensée. »

Tous se turent.

« Je suppose que vous connaissez la raison de notre présence ici.

— C'est pour Sibyl », répondit Nan, et sa voix était descendue dans le grave de plusieurs octaves, sans doute parce qu'elle avait pleuré toute la nuit.

« Exact », confirma Jeffrey, en désignant le sofa. Il attendit que Nan se soit assise, puis il prit place à côté d'elle. Lena fut surprise de le voir prendre sa main. « Je suis navré de la perte que vous endurez, Nan. »

Des larmes emplirent les yeux de Nan. Et même elle lui sourit.

« Merci.

— Nous faisons tout notre possible pour découvrir qui a commis cet acte, lui assura-t-il. Je veux que vous le sachiez, si vous avez besoin de quoi que ce soit d'autre, nous sommes là, pour vous. »

Elle chuchota un autre remerciement en regardant par terre et attrapa un fil qui dépassait sur son pantalon de survêtement.

« A votre connaissance, quelqu'un avait-il une raison de vous en vouloir, à vous ou à Sibyl ?

— Non, affirma Nan. C'est ce que j'ai dit à Lena

hier soir. Les derniers temps, tout était comme d'habitude.

— Je sais que Sibyl et vous aviez choisi de vivre de manière plutôt discrète », observa-t-il. Lena saisit son intention. Il se montrait bien plus subtil qu'elle la veille au soir.

« Oui, acquiesça la bibliothécaire. On se plaît bien ici. Nous sommes toutes les deux originaires de petites villes.

— Pour autant que vous sachiez, personne n'aurait pu deviner quelque chose ? »

Nan secoua la tête. Elle baissa les yeux, les lèvres tremblantes. Elle était incapable de rien ajouter.

« Bien », acheva-t-il en se levant. Il lui posa la main sur l'épaule, pour lui signifier qu'elle devait rester assise. « Je trouverai le chemin tout seul. » Il plongea la main dans sa poche et en ressortit une carte de visite. Lena le regarda caler le rectangle de carton au creux de sa paume et noter quelque chose au dos. « C'est mon numéro de domicile. Si vous songez à quoi que ce soit, appelez-moi.

— Merci », fit Nan en prenant la carte.

Jeffrey se tourna vers Hank.

« Cela vous ennuierait de ramener Lena ? »

Cette dernière resta abasourdie. Il était hors de question qu'elle reste ici. A l'évidence, Hank n'était pas moins déconcerté.

« Non, grommela-t-il. Ça ira.

— Bien. » Il tapota l'épaule de Nan, avant de se tourner vers Lena. « Toi et Nan, vous pouvez consacrer votre soirée à dresser la liste des gens avec qui travaillait Sibyl. » Jeffrey adressa un sourire entendu à Lena. « Sois au poste à sept heures demain matin.

Nous ferons un saut au lycée avant le début des cours. »

Elle ne saisissait pas où il voulait en venir.

« Je refais équipe avec Brad ? »

Il secoua la tête.

« Tu fais équipe avec moi. »

Mercredi

Onze

Ben Walker, ancien chef de la police, prédécesseur de Jeffrey, avait gardé une pièce de fonction dans le fond du commissariat, juste en face de la salle de réunion. Un bureau de la taille d'un réfrigérateur industriel dressé verticalement occupait le centre de l'espace, avec une rangée de fauteuils confortables à l'avant. Tous les matins, les gradés les plus âgés de la brigade étaient convoqués chez Ben pour s'entendre attribuer les missions du jour, puis ils en ressortaient et le chef refermait sa porte. Ce que fabriquait Ben entre cette heure-là et cinq heures de l'après-midi, moment où l'on pouvait le voir filer au restaurant pour aller dîner, cela relevait du mystère.

La première tâche de Jeffrey, quand il avait repris le poste de Ben, avait été de déplacer son bureau vers le devant de la salle du poste de police. Il avait découpé un trou dans le placoplâtre et installé une baie vitrée afin de pouvoir s'asseoir à son bureau en voyant ses hommes et, plus important, pour que ses hommes puissent le voir. La baie vitrée était équipée de stores, mais il ne les baissait jamais et, en règle générale, sa porte restait toujours ouverte.

Deux jours après la découverte du corps de Sibyl

Adams, Jeffrey était assis à son bureau, en train de lire un rapport que Marla venait de lui tendre. Nick Shelton, au Georgia Bureau of Investigation, avait été assez aimable pour effectuer en priorité l'analyse de la boîte de thé. Résultats : c'était bien du thé.

Jeffrey se gratta le menton en balayant son espace de travail du regard. C'était un petit quadrilatère, mais il avait encastré des rayonnages de bibliothèque dans l'un des murs, afin de le maintenir en ordre. Les manuels de service et les rapports statistiques étaient serrés derrière les trophées de tireur d'élite, qu'il avait remportés lors des compétitions de Birmingham, et une photo d'équipe de football, avec les signatures des joueurs, qui datait de l'époque où il jouait à Auburn. En fait, il n'avait pas réellement joué. Jeffrey avait passé le plus clair de son temps sur le banc de touche, à regarder les autres se bâtir une carrière.

Une photographie de sa mère était logée dans l'angle de la bibliothèque, vers le fond. Elle était vêtue d'un chemisier rose et tenait à la main un de ces petits bouquets de fleurs que l'on portait au poignet. Cette photo avait été prise lors de la remise des diplômes de son lycée. Il avait réussi à capturer l'un des rares sourires de sa mère devant l'objectif. Ses yeux étaient lumineux, peut-être en raison des possibilités qu'elle voyait s'ouvrir devant son fils. Qu'il ait laissé tomber ses études à Auburn à un an de son diplôme et opté pour un poste au sein de la police de Birmingham, c'était un choix qu'elle n'avait pas encore pardonné à son unique enfant.

Marla tapota à la porte de son bureau, une tasse de café dans une main et un beignet dans l'autre. Dès le premier jour de prise de fonction de Jeffrey, elle lui avait annoncé qu'elle n'avait jamais servi le café à Ben Walker, et qu'elle n'allait pas davantage le lui apporter. Jeffrey avait éclaté de rire : cette idée ne lui avait jamais traversé l'esprit. Depuis ce jour, Marla lui apportait régulièrement sa tasse de café.

« Le beignet, c'est pour moi, précisa-t-elle en lui tendant le gobelet en carton. Nick Shelton attend sur la ligne trois.

— Très bien », la remercia-t-il en attendant qu'elle ressorte. Il se redressa dans son fauteuil tout en décrochant le téléphone. « Nick ? »

La voix de Nick, avec son accent traînant du Sud, résonna à l'autre bout de la ligne.

« Comment ça va ?

— Pas très fort, confia Jeffrey.

— J'entends, répliqua Nick. Tu as eu mon rapport ?

— Sur le thé ? » Il attrapa la feuille de papier, parcourut l'analyse. Pour une boisson si simple, quantité de produits chimiques entraient dans sa composition. « Ce n'est que du thé bon marché acheté en grande surface, c'est ça ?

— T'as tout compris, conclut son interlocuteur. Ecoute, j'ai essayé d'appeler Sara ce matin, mais je n'ai pas pu la trouver.

— Non, vraiment ? »

Nick lâcha un petit gloussement feutré.

« Tu vas jamais me pardonner de lui avoir demandé de sortir avec moi, cette fois, hein mon pote ? »

Jeffrey sourit.

« Nan.

— Un de mes types, un spécialiste des drogues au labo, il est assez remonté sur cette histoire de belladone. Il y a pas tellement de cas qui se présentent, et il a spontanément proposé de vous fournir de vive voix un petit récapitulatif.

— Ça nous aiderait drôlement », approuva Jeffrey. Il vit Lena à travers la baie vitrée et lui fit signe d'entrer.

« Sara et toi, vous vous parlez, cette semaine ? » Nick n'attendit pas la réponse. « Mon gars va vouloir lui causer de comment se présentait la victime. »

Jeffrey coupa court à la repartie cinglante qui lui brûlait les lèvres, s'efforçant de conserver un certain enjouement dans la voix.

« Vers dix heures, ça te convient ? », proposa-t-il finalement.

Il notait cette réunion sur son agenda quand Lena entra. Dès qu'il eut relevé les yeux, elle prit la parole.

« Il ne prend plus de drogues.

— Quoi ?

— Enfin, du moins, je crois. »

Jeffrey secoua la tête, ne comprenant pas.

« De quoi parles-tu ? »

Elle baissa la voix.

« De mon oncle Hank. »

Elle lui montra ses bras.

« Oh. » Il venait de saisir. Il n'avait pas trop compris si Hank était un ancien drogué ou s'il avait été brûlé dans un incendie, tant ses bras étaient abîmés. « Oui, j'ai bien repéré que c'étaient de vieilles marques.

— C'était un accro du speed, vu ? »

Elle s'exprimait avec hostilité. Jeffrey en conclut qu'elle s'était monté la tête sur le sujet depuis qu'il l'avait quittée, chez Nan Thomas. Donc, cela portait à deux ses motifs de honte, l'homosexualité de sa sœur et le passé de drogué de son oncle. Jeffrey se demanda si Lena possédait d'autres sources de satisfaction que son boulot dans l'existence.

« Quoi ? s'écria-t-elle.

— Rien », se défendit-il en se levant. Il décrocha son pardessus de la patère derrière la porte et conduisit Lena hors de son bureau. « Tu as la liste ? »

Elle paraissait irritée qu'il ne veuille pas la punir pour les vieilles habitudes de drogué de son oncle.

Elle lui tendit une page de bloc-notes.

« Voilà ce que Nan et moi en avons tiré la nuit dernière. C'est une liste des gens qui ont travaillé avec Sibyl, qui ont pu lui parler avant qu'elle ne... » Elle n'acheva pas sa phrase.

Jeffrey y jeta un œil. Il y avait là six noms. L'un d'eux était signalé par une étoile. Lena crut devancer sa question.

« Richard Carter, c'est son assistant diplômé. Elle avait une classe qui l'attendait à neuf heures, à la fac. En dehors de Pete, ce Carter est sûrement la dernière personne à l'avoir vue vivante.

— Je ne sais pas pourquoi, mais ce nom m'évoque quelque chose, remarqua-t-il en enfilant son pardessus. C'est le seul étudiant de la liste ?

— Oui. En plus, il est un peu bizarre.

— C'est-à-dire ?

— Je ne sais pas, fit-elle en haussant les épaules. Il ne m'a jamais plu. »

Jeffrey tint sa langue, mais Lena, songea-t-il, n'aimait pas grand-monde. Ce n'était tout de même pas une motivation suffisante pour arrêter quelqu'un pour meurtre.

« Commençons d'abord par Carter, décida-t-il,

ensuite on ira parler au doyen. » A l'entrée, il lui tint la porte. « Si nous ne respectons pas les procédures protocolaires avec les enseignants, le maire va en avoir une attaque. Les étudiants, c'est une cible plus commode. »

Le campus du Grant Institute of Technology consistait en un quartier estudiantin, quatre bâtiments de salles de classe, un immeuble administratif et une aile agricole, donation d'un fabricant de graines fort reconnaissant. Un parc verdoyant jouxtait l'université d'un côté, le lac délimitant l'enceinte de l'autre. Les logements des étudiants se trouvaient à courte distance à pied, et sur le campus les bicyclettes étaient le moyen de transport le plus couramment utilisé.

Jeffrey suivit Lena au troisième étage du bâtiment des salles de science. A n'en pas douter, elle avait déjà rencontré l'assistant de cours de sa sœur, car le visage de Richard Carter se rembrunit quand il l'aperçut à la porte. C'était un homme de petite taille, à la calvitie naissante, qui portait d'épaisses lunettes noires et une blouse de laboratoire mal coupée par-dessus une chemise jaune vif. Il avait cet air constipé propre à la plupart des gens qui fréquentaient l'université. En fait, le Grant Institute of Technology était un établissement pour demeurés, point à la ligne. Les cours d'anglais y étaient obligatoires, mais pas précisément d'un niveau compliqué. L'école était mieux équipée pour le dépôt des brevets que pour la formation des jeunes femmes et des jeunes messieurs socialement évolués. C'était la plus forte réticence que Jeffrey nourrissait à l'égard de cette institution. La plupart des professeurs et la totalité des étudiants avaient tellement peu les pieds sur terre qu'ils étaient incapables de voir le monde devant eux.

« Sibyl était une brillante scientifique », souligna Richard, en se penchant sur un microscope. Il marmonna quelque chose, puis il releva le nez pour s'adresser à Lena. « Elle possédait une mémoire stupéfiante.

— Il fallait bien », observa Lena, en sortant son carnet. Jeffrey se demanda, et ce n'était pas la première fois, s'il devait réellement prendre Lena comme équipière. Ce qu'il désirait surtout, c'était l'avoir à l'œil. Après ce qui s'était produit la veille, il ne savait pas s'il pouvait se fier à elle pour qu'elle obéisse à ses ordres. Il valait mieux l'avoir sous la main et en sûreté, que la laisser battre la campagne toute seule.

« Son travail, reprit Richard. Je ne saurais souligner à quel point elle était méticuleuse, et exigeante. Il est très rare, désormais, de constater un tel niveau d'attention dans ce domaine de recherche. Elle était mon mentor.

— Exact », souligna Lena.

Richard lui lâcha un regard empreint d'aigreur et de désapprobation.

« Quand a lieu l'enterrement ? », voulut-il savoir.

Lena parut décontenancée par cette question.

« Elle sera incinérée, lui annonça-t-elle. C'était son souhait. »

Richard croisa les mains sur son ventre. Avec toujours ce même œil désapprobateur. Un regard à la limite de la condescendance. L'espace d'un bref instant, Jeffrey saisit quelque chose derrière l'expression de ce visage. Là-dessus Richard se retourna, et le chef de la police ne fut plus certain de ne pas avoir trop lu entre les lignes.

« Il y aura une veillée, je crois que c'est ainsi qu'on appelle ça, en fin de journée, l'informa-t-elle. Elle griffonna sur son bloc, puis arracha la page. C'est au Funérarium Brock, sur King Street, à cinq heures. »

Richard se pencha sur le papier avant de le plier soigneusement en deux, puis encore une fois en deux, et le glissa ensuite dans la poche de sa blouse. Il renifla, en s'essuyant le nez du revers de la main. Jeffrey était incapable de dire s'il avait un rhume ou s'il s'efforçait de pleurer.

« Donc, personne en particulier n'est venu traîner autour du labo ou du bureau de Sibyl ? »

Richard fit non de la tête.

« Personne d'autre que les loufoques habituels. Il éclata de rire, et se calma aussitôt. Ma façon de réagir n'est pas vraiment correcte, j'en conviens.

— En effet, souligna Lena. Pas vraiment. »

Tolliver s'éclaircit la gorge, pour attirer l'attention du jeune homme.

« Quand l'avez-vous vue pour la dernière fois, Richard ?

— Après son cours de la matinée, indiqua-t-il. Elle ne se sentait pas bien. Je crois qu'elle avait pris froid. » Il sortit un mouchoir en papier, comme pour illustrer son propos. « C'était un être tellement merveilleux. Je ne saurais trop insister sur la chance que j'ai eue quand elle m'a pris sous son aile.

— Qu'avez-vous fait, après son départ du campus ? », s'enquit Jeffrey.

Richard haussa les épaules.

« J'ai probablement dû me rendre à la bibliothèque.

— Probablement ? », s'étonna Jeffrey, n'appréciant guère son ton évasif.

Richard parut s'aviser de ce mouvement d'irritation.

« J'étais en bibliothèque, rectifia-t-il. Sibyl m'avait prié de rechercher certaines références. »

Ce fut au tour de Lena de le questionner.

« Avez-vous repéré dans son entourage quelqu'un qui se serait comporté étrangement ? Par exemple en passant la voir plus souvent que d'habitude ? »

Richard secoua la tête de nouveau, en faisant la moue.

« Nous avons dépassé la moitié du semestre. Sibyl enseigne aux classes de niveau supérieur, et donc la quasi-totalité de ses étudiants sont inscrits ici depuis au moins deux ans.

— Pas de nouveaux visages dans tout ce petit monde-là ? », s'enquit Tolliver.

Une fois encore, Richard secoua la tête. Il rappelait au chef de la police ces chiens miniatures à la tête dodelinante que les gens collent dans leur voiture sur le tableau de bord.

« Nous formons une petite communauté, argumenta Richard. Toute personne se comportant étrangement se détacherait du lot. »

Jeffrey était sur le point de poser une autre question quand Kevin Blake, le doyen de la faculté, entra dans la salle. Il n'avait pas l'air précisément réjoui.

« Commissaire Tolliver, s'écria le doyen Blake. Je suppose que vous êtes ici au sujet de cette étudiante qui a disparu. »

Julia Matthews était une étudiante de premier cycle

dont la matière principale était la physique. Selon sa camarade de chambre, elle était portée disparue depuis deux jours.

Jeffrey passa en revue la chambre de la jeune femme. Il y avait au mur des affiches proclamant les formules habituelles de succès et de victoire. Sur la table de nuit, une photographie la montrait debout entre un homme et une femme qui devaient être ses parents. Julia Matthews était une jolie fille, à sa manière, saine et sans histoires. Sur la photo, ses cheveux bruns étaient nattés. Elle avait une dent de devant ébréchée, mais à part ça, elle présentait tout à fait l'aspect d'une jeune fille simple.

« Ils sont partis », lui apprit Jenny Price, la camarade de chambre de la disparue. Elle se tenait sur le seuil en se tordant les mains, tout en regardant les deux policiers fouiller la pièce. « C'est leur vingtième anniversaire de mariage, poursuivit-elle. Ils sont partis en croisière aux Bahamas.

— Elle est vraiment ravissante », remarqua Lena, pour essayer de calmer la camarade de Julia. Jeffrey se demanda si son équipière avait noté des similitudes entre la jeune Matthews et Sibyl. Elles avaient l'une et l'autre la peau mate et les cheveux sombres. Elles paraissaient avoir toutes deux le même âge même si, en réalité, Sibyl avait dix ans de plus. Et quand il se fut aperçu que les deux jeunes femmes ressemblaient aussi à Lena, Jeffrey se sentit mal à l'aise et reposa le cadre.

Son adjointe tourna son attention vers Jenny.

« Quand avez-vous remarqué sa disparition ?

— En rentrant de mes cours, hier, je crois, répondit la jeune étudiante. Une légère rougeur lui monta aux joues. Bon, ça lui était déjà arrivé de découcher.

— Bien sûr, ponctua Lena.

— Je me suis dit qu'elle était peut-être sortie avec Ryan. C'est son ancien petit ami. Elle s'interrompit. Ils ont rompu il y a environ un mois. Je les ai aperçus ensemble à la bibliothèque, il y a deux jours, vers neuf heures du soir. C'est la dernière fois que je l'ai croisée. »

Lena réagit au sujet du petit ami.

« C'est assez stressant d'essayer de vivre une aventure quand on a des cours et du pain sur la planche. »

Jenny acquiesça en souriant faiblement.

« Oui. Ryan est élève à l'école d'agriculture. Sa charge de travail est loin d'être aussi lourde que celle de Julia. Elle leva les yeux au ciel. Tant que ses plantes ne meurent pas, il décrochera toujours un A, comme note. Pendant ce temps-là, nous, on étudie toute la nuit, et on essaie d'obtenir des heures de labo.

— Je me souviens de ce temps-là, moi aussi », souffla Lena, alors qu'elle n'avait jamais fréquenté d'université. Jeffrey était aussi effaré qu'impressionné par sa facilité à débiter des mensonges. Elle était l'une des meilleures enquêtrices qu'il ait jamais vues opérer.

Jenny sourit et ses épaules se relâchèrent. Le mensonge de Lena avait agi.

« Alors vous savez ce que c'est, hein ? C'est difficile de trouver le temps de respirer, et donc à plus forte raison d'avoir un petit ami.

— Ils ont rompu parce qu'elle n'avait pas assez de temps à lui consacrer ? », s'enquit Lena.

Jenny hocha la tête.

« C'est son tout premier petit ami. Julia était vraiment retournée. Elle lança un regard anxieux à Tolliver. Avec lui, elle était vraiment mordue, vous voyez ? Quand ils ont rompu, ça l'a rendue malade, genre malade de chagrin. Elle voulait même plus sortir de son lit. »

Lena baissa la voix, comme pour laisser son chef en dehors de tout ça.

« J'imagine que quand vous les avez aperçus à la bibliothèque, ils n'étaient pas exactement en train d'étudier. »

Jenny jeta encore un coup d'œil vers Jeffrey.

« Non. » Elle eut un petit rire nerveux.

Lena s'avança, masquant la jeune fille à son chef. Tolliver saisit l'intention. Il tourna le dos aux deux femmes, et fit semblant de s'intéresser au contenu du bureau de Julia.

Lena reprit la parole, sur le ton de la conversation.

« Qu'est-ce que vous pensez de Ryan ?

— Vous voulez dire, est-ce que je l'aime bien ?

— Ouais, reprit Lena. Je veux dire, pas nécessairement au sens où vous auriez des atomes crochus mais bon, enfin, quoi, est-ce qu'il a l'air d'un type correct ? »

La jeune fille resta un moment silencieuse. Jeffrey prit un livre de science et tourna les pages.

Enfin, Jenny rompit ce silence.

« Bon, il était plutôt égoïste, vous comprenez ? Et quand elle ne pouvait pas le voir, il n'aimait pas trop.

— En un sens, il voulait la commander ?

— Ouais, je pense, répondit la jeune fille. Elle vient de la cambrousse, vous voyez ? Ryan, il prend avantage de ça. Julia ne sait pas grand-chose sur le monde. Et elle croit que lui, il sait.

— Et c'est le cas ?

— Mon Dieu, non. Jenny rit encore. Enfin, je veux dire, c'est pas un mauvais gars...

— Bien sûr que non.

— Il est juste... Elle s'interrompit. Il n'aime pas trop qu'elle adresse la parole à d'autres, d'accord ? Il est du genre à craindre qu'elle s'aperçoive qu'il y a des garçons mieux que lui. Du moins, c'est ce que je pense. Julia, elle a été, disons, protégée toute sa vie. Elle a pas l'idée de se méfier des types dans son genre. » Une fois encore, Jenny se tut. « C'est pas un mauvais garçon, seulement il a tout le temps besoin qu'on fasse attention à lui, vous voyez ? Il faut toujours qu'il sache où elle va, avec qui elle est, quand elle va rentrer. Il n'apprécie pas trop qu'elle se réserve des moments pour elle toute seule. »

Lena s'exprima encore à voix basse.

« Il ne l'a jamais frappée, non ?

— Non, il est pas comme ça. » Une fois de plus, la jeune fille marqua un temps d'arrêt. « Il lui criait quand même beaucoup dessus. Parfois, quand je rentrais d'un groupe de travail, j'écoutais à la porte.

— Ouais, fit Lena. Vous vouliez vous rassurer.

— C'est ça, acquiesça Jenny, en laissant échapper un petit gloussement. Eh bien, une fois, je l'ai entendu, ici, et il était tellement méchant avec elle. A lui sortir rien que des méchancetés.

— Des méchancetés dans quel genre ?

— Qu'elle était mauvaise, poursuivit Jenny. Qu'elle finirait en enfer tellement elle était mauvaise. »

Pour poser la question suivante, Lena prit tout son temps.

« C'est un garçon croyant ? »

Jenny émit une petite interjection de moquerie.

« Quand ça l'arrange. Il sait que Julia est croyante. Elle va vraiment à l'église et tout ça. Enfin, elle y allait quand elle était de retour dans sa famille. Ici, elle n'y va pas tellement, mais elle parle tout le temps de chanter dans le chœur et d'être une bonne chrétienne et ce genre de choses.

— Mais Ryan, lui, il n'est pas croyant ?

— Seulement quand il pense que ça lui permet d'obtenir quelque chose d'elle. Il peut toujours raconter qu'il est vraiment croyant, mais il est plein de piercings, et il s'habille tout le temps en noir et il... Elle s'interrompit.

— Quoi ? lui demanda Lena en baissant la voix encore davantage. Je n'en parlerai à personne. »

Jenny chuchota quelque chose, mais Jeffrey ne parvint pas à discerner ce qu'elle disait.

« Oh, fit Lena comme si elle avait tout entendu. Ce que les garçons peuvent être bêtes. »

Jenny eut un petit rire.

« Et elle l'a cru. »

Lena gloussa avec elle.

« Qu'est-ce que Julia pouvait faire de si vicieux, à votre avis ? s'enquit-elle. Je veux dire, pour mettre Ryan dans une telle colère ?

— Rien, se défendit Jenny avec véhémence. C'est ce que je lui ai demandé, après. Elle a refusé de me le dire. Seulement, elle est restée au lit toute la journée, sans m'adresser la parole.

— C'est à peu près vers cette période qu'ils ont rompu ?

— Oui, confirma Jenny. Le mois dernier, comme je disais. Vous ne voyez pas de rapport avec sa disparition, non ? demanda-t-elle, et une certaine inquiétude perçait dans sa voix.

— Non, la rassura Lena. Je ne m'inquiéterais pas pour ça. »

Jeffrey se retourna.

« Quel est le nom de famille de Ryan ?

— Gordon, lui répondit-elle. A votre avis, Julia aurait des ennuis ? »

Jeffrey réfléchit à la question. Il pouvait lui conseiller de ne pas s'inquiéter, mais cela risquait de donner à la jeune fille une fausse impression de sécurité.

« Je ne sais pas, Jenny, trancha-t-il. Nous ferons tout notre possible pour la retrouver. »

Une rapide consultation de l'emploi du temps dans les bureaux de l'administration leur révéla que Ryan Gordon, à cette heure de la journée, était chargé de la surveillance en salle d'étude. L'aile réservée aux classes d'agronomie était située sur les pourtours du campus, et Jeffrey sentit son inquiétude croître à chaque pas. Il captait aussi la tension qui se dégageait de Lena. Deux jours s'étaient écoulés, sans la moindre piste solide. Ils pouvaient fort bien être sur le point de rencontrer l'homme qui avait tué Sibyl Adams.

Tolliver n'était certes pas disposé à devenir le meilleur copain de Ryan Gordon, mais dès la première minute il perçut quelque chose chez ce gamin qui le monta contre lui. Il avait le sourcil et les deux oreilles percés, ainsi qu'un anneau qui pendait au milieu du nez. Cet anneau était noir et d'aspect rugueux, plus adapté à un museau de bœuf qu'à un nez humain. La description de Jenny n'avait pas été tendre, mais rétrospectivement, Jeffrey estimait qu'elle avait fait preuve de générosité d'âme en le décrivant comme pas très propre. Ryan avait l'air crasseux. Sa figure était un mélange graisseux d'acné et de pustules en voie de cicatrisation. Ses cheveux donnaient l'impression de n'avoir pas été lavés depuis des jours. Son jean et sa chemise noirs étaient complètement tire-bouchonnés. Il dégageait une odeur curieuse.

Julia Matthews était à tous égards une jeune fille très séduisante. Comment un tel individu avait-il réussi à la harponner, pour Tolliver, cela tenait du mystère. Que ce Ryan Gordon soit parvenu à prendre l'ascendant sur elle, qui aurait pu franchement prétendre à beaucoup mieux, cela en disait long sur le caractère de ce gamin.

Jeffrey remarqua que le côté gentil de Lena, qu'il avait vu à l'œuvre tout à l'heure avec Jenny Price, avait disparu depuis longtemps à l'instant où elle atteignit la salle d'étude. Elle entra d'un pas décidé, ignorant les regards de curiosité des autres étudiants, surtout ceux de sexe masculin, et se dirigea droit sur le garçon assis en tête de classe.

« Ryan Gordon ? », lança-t-elle, en se penchant sur son bureau. Sa veste s'écarta, et Tolliver vit les yeux du garçon lancer un bref regard sur son arme. Il garda les lèvres serrées, réduites à un mince trait, l'air revêche, et quand il répondit, Jeffrey éprouva l'envie pressante de lui flanquer une gifle.

« Qu'est-ce que t'as, pétasse ? »

Jeffrey empoigna le gamin par le col et le fit sortir de la pièce à grandes enjambées. Ce faisant, Tolliver avait la certitude qu'il recevrait un message furibond du maire avant même d'avoir regagné le poste de police.

En face de la salle d'étude, il poussa Gordon contre le mur. Jeffrey sortit son mouchoir, s'essuya la graisse qu'il s'était collé sur les mains.

« Il y a des douches, dans ta turne ? », lui lança-t-il.

Gordon se plaignit, d'une voix pleurnicharde qui ne l'étonna guère.

« C'est de la brutalité policière. »

Tolliver eut la surprise de voir Lena lui balancer une gifle à pleine paume.

Gordon se frotta la joue, et les commissures de ses lèvres dessinèrent un accent circonflexe. Il avait l'air de jauger Lena du regard. Jeffrey le trouva presque comique. Ryan Gordon était mince comme un fil, à peu près de la même taille que Lena, mais pas du même poids. Il lui tapait copieusement sur les nerfs. Jeffrey n'en doutait pas, si Gordon la poussait un peu trop, elle lui déchiquetterait la gorge à belles dents.

L'étudiant parut le comprendre. Il adopta une posture passive, avec sa voix geignarde et nasillarde, peut-être à cause de cet anneau dans le nez, qui en plus s'agitait quand il parlait.

« Qu'est-ce que tu veux de moi, mec ? »

Il leva les mains en l'air, dans un geste de défense, quand elle lui pointa le doigt sur la poitrine.

« Baisse les mains, espèce de minet. »

Elle fouilla sa chemise et en sortit une croix suspendue par une chaîne autour de son cou.

« Joli collier, remarqua-t-elle.

— Où étais-tu lundi après-midi ? demanda Tolliver.

— J'en sais rien, mec, gémit-il. Je dormais, j'imagine. » Il renifla, se frotta le nez. Jeffrey eut un mouvement de recul devant la vision de cet anneau dans son nez qui n'arrêtait pas d'aller et venir.

« Contre le mur », ordonna Lena en le poussant. Gordon ébaucha un geste de protestation, mais un regard de la policière le figea net. Il écarta les bras et les jambes, adoptant la position.

Elle le palpa de haut en bas.

« Je vais pas tomber sur des seringues, au moins ? s'assura-t-elle. Rien qui risque de me blesser ?

— Non », grogna Gordon, alors qu'elle plongeait la main dans sa poche de devant.

Elle sourit, en tira un sachet de poudre blanche.

« C'est pas du sucre, ça, hein ? », vérifia-t-elle auprès de Jeffrey.

Ce dernier attrapa le sachet, tout de même surpris qu'elle l'ait trouvé. Voilà qui expliquerait certainement l'allure de Gordon. Les drogués n'étaient pas les gens les plus soignés de la terre. Pour la première fois, ce matin, le chef de la police fut content d'avoir son équipière sous la main. Jamais il n'aurait songé à fouiller ce garçon.

Gordon jeta un coup d'œil par-dessus son épaule, en direction du sachet.

« C'est pas mon pantalon.

— Ben tiens, le coupa Lena. Elle le fit pivoter. Quand as-tu vu Julia Matthews pour la dernière fois ? », lui demanda-t-elle.

Le visage de Gordon trahissait toutes ses pensées. A l'évidence, il avait compris où tout cela le menait. La poudre ne constituait que le début de ses problèmes.

« On a rompu il y a un mois.

— Ça ne répond pas à la question », insista-t-elle. Elle répéta donc la question. « Quand as-tu vu Julia Matthews pour la dernière fois ? »

Gordon croisa les bras. Tolliver comprit aussitôt qu'il avait mal engagé cette intervention. La tension nerveuse et l'excitation avaient eu raison de sa clairvoyance. Dans sa tête, le chef de la police déroula cette formule que Gordon prononça à voix haute.

« Je veux parler à un avocat. »

Jeffrey posa les pieds sur la table devant son fauteuil. Ils se trouvaient en salle d'interrogatoire, et ils attendaient que Ryan Gordon en ait fini avec les formalités de la garde à vue. Malheureusement, à compter de la minute où Lena lui avait donné lecture de ses droits, les lèvres de Gordon étaient restées scellées, plus étanches qu'une écoutille. Par chance, le garçon qui partageait sa piaule avec Gordon avait été plus que ravi de les laisser fouiller les lieux. Cette perquisition n'avait rien révélé de plus suspect qu'une pochette de papier à cigarette et un miroir avec une lame de rasoir posée dessus. Tolliver n'en avait pas la certitude, mais à en juger d'après ce colocataire, cet attirail du parfait drogué aurait pu appartenir à n'importe lequel des deux garçons. Une autre fouille au laboratoire où Gordon travaillait ne leur avait pas permis d'engranger davantage d'indices. Le meilleur scénario serait encore que Julia Matthews ait compris que son petit ami était un connard et qu'elle ait rompu.

« On a merdé », constata Jeffrey, la main posée sur un exemplaire du *Grant County Observer*.

Lena opina du chef.

« Ouais. »

Il respira un bon coup et lâcha ce qu'il avait sur le cœur.

« Je suppose qu'avec un gamin dans son genre, on se serait retrouvés avec un avocat entre les pattes de toute façon.

— Je n'en sais rien, nuança Lena. Peut-être qu'il regarde trop la télévision. »

Jeffrey aurait dû y songer. N'importe quel crétin possédant une télévision savait comment se débrouiller pour faire appel à un avocat dès que les flics pointaient le nez à sa porte.

« J'aurais pu m'y prendre avec un peu plus de douceur, regretta-t-elle. Evidemment, si c'est notre homme, il n'a pas dû être précisément ravi de se faire bousculer par une femme. Elle ponctua d'un petit rire dénué d'humour. Surtout par moi, qui ressemble à ma sœur comme deux gouttes d'eau.

— Peut-être que ça jouera un peu en notre faveur, espéra-t-il. Et si je vous laissais seuls tous les deux en attendant l'arrivée de Buddy Conford ?

— Il a obtenu d'être défendu par Buddy ? », s'étonna-t-elle, sur un ton qui trahissait son agacement. Il y avait une poignée d'avocats à Grant County susceptibles d'accepter d'être commis d'office moyennant des honoraires réduits. De tous ceux-là, Buddy Conford était le plus tenace.

« C'est lui qui est de permanence ce mois-ci, lui annonça Jeffrey. Tu crois Gordon suffisamment stupide pour bavarder ?

— C'est la première fois qu'il se retrouve en état d'arrestation. Il ne m'a pas excessivement frappée par sa jugeote. »

Jeffrey observa un temps de silence, en attendant qu'elle continue.

« Il doit être en pétard contre moi, parce que je l'ai frappé », ajouta-t-elle, et il sentit qu'elle était en train d'échafauder une tactique d'approche. « Pourquoi ne m'aides-tu pas à monter une petite cuisine dans ce genre ? Tu n'as qu'à m'interdire de lui adresser la parole. »

Jeffrey hocha la tête.

« Ça pourrait marcher.

— Ça ne peut pas faire de mal. »

Il se replongea dans le silence, il regardait fixement la table. Il tapota du bout du doigt sur la page de journal. Une photo de Sibyl Adams occupait presque tout l'espace situé au-dessus du pli central.

« Tu as vu ça, j'imagine ? »

Elle hocha la tête, sans regarder la photo.

Jeffrey retourna le quotidien.

« Ils n'écrivent pas qu'elle a été violée, mais ils y font allusion. Je leur ai raconté qu'elle avait été battue à mort, mais ce n'est pas vrai.

— Je sais, marmonna-t-elle. J'ai lu.

— Frank et les autres gars, poursuivit-il, ils n'ont rien déniché de bien solide sur la liste des délinquants connus. Il y avait un couple que Frank voulait examiner de près, mais il n'en est rien sorti. Ils possédaient tous les deux un alibi. »

Lena observa ses mains.

« Après ça, tu pourras y aller. J'imagine que tu dois avoir des choses à organiser pour la veillée de ce soir. »

Sa sollicitude la surprit.

« Merci. »

On frappa à la porte, et Brad Stephens pointa le nez.

« J'ai votre gaillard. »

Jeffrey se leva.

« Fais-le entrer », dit-il.

Ryan Gordon avait l'air encore plus piteux dans sa combinaison orange de prisonnier que dans son jean et sa chemise noirs. Il traînait les pieds, également chaussés de chaussons orange, et il avait encore les cheveux mouillés après la séance de lavage à grande eau qu'avait ordonnée Tolliver. L'étudiant avait les mains menottées dans le dos et, avant de ressortir, Brad en remit la clef à son chef.

« Où est mon avocat ? s'inquiéta Gordon.

— Il devrait arriver d'ici un petit quart d'heure », lui répondit Jeffrey, en poussant le gamin à s'asseoir sur une chaise. Il défit les bracelets d'acier, mais avant que Gordon ait pu remuer les bras, il l'avait de nouveau menotté aux barreaux de la chaise.

« C'est trop serré », geignit le suspect, en bombant le torse pour exagérer son inconfort. Il tira sur son siège, mais ses mains demeurèrent étroitement coincées dans son dos.

« Il va falloir que tu fasses avec, grommela Jeffrey avant de s'adresser à Lena. Vous ne le laissez faire aucune déclaration hors déposition, vous m'entendez ? »

Elle baissa les yeux.

« Oui, chef.

— Je suis sérieux, inspecteur. » Il lui adressa un regard qu'il espéra suffisamment sévère, avant de quitter la pièce. Une fois dans le couloir, il franchit la première porte et pénétra dans la pièce contiguë, le poste d'observation. Il s'assit, bras croisés, surveillant Gordon et Lena à travers la glace sans tain.

La salle d'interrogatoire était relativement petite, avec des blocs de ciment peints en guise de murs. Une table était boulonnée au centre de la pièce, avec trois chaises disposées autour. Deux d'un côté, une de l'autre. Jeffrey regarda Lena prendre le journal. Elle posa les pieds sur la table, inclina légèrement son siège en arrière tout en ouvrant le *Grant County Observer* à une page intérieure. Jeffrey entendit le haut-parleur crachoter tandis qu'elle rabattait le quotidien suivant le pli.

« Je veux de l'eau, réclama Gordon.

— Tu ne parles pas, lui ordonna-t-elle d'une voix si feutrée que Jeffrey dut monter le son pour la capter.

— Pourquoi ? Ça va vous attirer des ennuis ? »

Elle garda le nez plongé dans le journal.

« Vous allez en avoir, des ennuis, menaça l'étudiant, tout en se penchant autant qu'il put en s'écartant de sa chaise. Je vais raconter à mon avocat que vous m'avez giflé. »

Elle éclata d'un rire moqueur.

« Combien tu pèses, soixante-quinze kilos ? Tu dois mesurer, quoi, un mètre soixante-dix ? » Elle posa le journal, et s'adressa à lui avec douceur et innocence. « Jamais je ne frapperais un suspect en garde à vue, Votre Honneur. Il est si grand et si fort, je craindrais pour ma vie. »

Les yeux de l'autre se réduisirent à deux fentes.

« Vous vous croyez très drôle.

— Ouais, fit-elle, en retournant le journal. Vraiment. »

L'étudiant s'accorda une minute ou deux pour reconsidérer sa manière de l'aborder. Il désigna le quotidien.

« Vous êtes la sœur de cette gouine. »

La voix de Lena conserva sa légèreté, mais Jeffrey avait bien conscience qu'elle n'éprouvait qu'une envie, enjamber la table et l'égorger.

« C'est exact, confirma-t-elle.

— Elle s'est fait trucider, poursuivit-il. Sur le campus, tout le monde savait que c'était une gouine.

— Ce qu'elle était certainement. »

Il se passa la langue sur les lèvres.

« Putain de gouine.

— Ouaip. Lena tourna sa page, en affichant une expression d'ennui profond.

— Gouine, répéta-t-il. Sale putain, lécheuse de clito. » Il s'interrompit, attendit une réaction, visiblement irrité de n'en constater aucune. « Bouffeuse de fente », insista-t-il.

Elle lâcha un soupir d'ennui.

« Une embusquée de la touffe, une bouffeuse de sourire vertical, qui compose O comme Omo sur le petit téléphone rose de sa copine. » Elle s'arrêta là, et lui lança un regard par-dessus sa page. « J'en oublie ? »

Son supérieur appréciait la technique de Lena, non sans réciter une brève prière d'action de grâces qu'elle n'ait pas choisi de vivre dans le crime.

« C'est pour ça que vous m'avez bouclé ici, hein ? Vous croyez que je l'ai violée ? »

Lena maintint le journal levé, mais Jeffrey savait que son cœur battait probablement aussi vite que le sien. Il se pouvait que Gordon joue aux devinettes, ou alors qu'il cherche un moyen de passer aux aveux.

« Tu l'as violée ? lui demanda-t-elle.

— Peut-être », hasarda-t-il. Il se mit à balancer sa chaise d'avant en arrière, comme un petit môme mourant d'envie d'attirer l'attention. « Peut-être que je l'ai baisée. Vous voulez tout savoir ?

— Et comment ! Elle posa le journal, croisa les bras. Pourquoi tu ne me racontes pas un peu tout ça ? »

Gordon se pencha vers elle.

« Elle était aux toilettes, pas vrai ?

— A toi de me le dire.

— Elle se lavait les mains, et je suis entré, et je l'ai enculée. Elle a tellement aimé qu'elle en est morte sur le coup. »

Lena lâcha un pesant soupir.

« T'as pas mieux ? »

Il eut l'air de prendre ça comme une insulte.

« Non.

— Pourquoi tu ne me racontes pas ce que tu as fait à Julia Matthews ? »

Il se redressa sur son siège, s'appuya sur ses deux mains.

« Je l'ai pas touchée.

— Alors où est-elle ? »

Il haussa les épaules.

« Elle est sûrement morte.

— Qu'est-ce qui te permet d'affirmer ça ? »

Il se pencha en avant, le torse calé tout contre le rebord de la table.

« Elle a déjà essayé de se tuer. »

Lena enchaîna du tac au tac, sans se laisser démonter.

« Ouais, je sais. Elle s'est entaillé les poignets.

— C'est exact. » Il hocha la tête, mais Jeffrey perçut la surprise qui se lisait sur son visage. De son côté, il ne l'était pas moins, d'ailleurs, mais cette affirmation était parfaitement plausible. Les femmes étaient les plus susceptibles de choisir cette méthode de suicide, de préférence à toutes les autres. Lena avait calculé juste.

Elle récapitula.

« Elle s'est tranché les veines le mois dernier. »

Il pencha la tête de côté, en la regardant étrangement.

« Comment vous savez ça ? »

Une nouvelle fois, elle soupira, en reprenant son journal. Elle l'ouvrit d'un coup sec et reprit sa lecture.

Gordon repartit dans son mouvement de balancier.

Elle ne releva plus les yeux de sa page.

« Où est-elle, Ryan ?

— J'en sais rien.

— Tu l'as violée ?

— J'avais pas besoin de la violer. C'était une vraie nympho.

— Tu la laissais te tailler des pipes ?

— Exactement.

— C'est le seul moyen que t'as de bander, Ryan ?

— Et merde. Il arrêta avec sa chaise. De toute façon, vous êtes pas censée m'adresser la parole.

— Et pourquoi donc ?

— Parce que ce qu'on se raconte là sera pas repris dans ma déposition. Je peux raconter tout ce qui me chante et ça compte pas.

— Qu'est-ce que t'as envie de raconter ? »

Ses lèvres se tordirent. Il se pencha un peu plus en avant. Avec l'angle de vision dont il disposait depuis son poste d'observation, Tolliver se fit la réflexion que, menotté de la sorte les mains dans le dos, l'étudiant avait l'air quasiment réduit à l'impuissance.

« J'ai peut-être envie de vous parler encore un peu de votre sœur », chuchota l'autre.

Lena l'ignora.

« J'ai peut-être envie de vous raconter comment je l'ai cognée à mort.

— Tu m'as l'air d'être le genre de type à ne même pas savoir te servir d'un marteau. »

Cette réflexion parut le prendre au dépourvu.

« Mais si, lui soutint-il. Je l'ai cognée à la tête, et puis je l'ai baisée avec le manche du marteau. »

Elle replia le journal sur une nouvelle page.

« Où est-ce que tu l'as laissé, ce marteau ? »

Il arbora un air suffisant.

« Vous aimeriez pas le savoir ?

— Qu'est-ce qu'elle avait en tête, Julia, Ryan ? lui demanda Lena, sur un ton détaché. Elle est allée baiser ailleurs, dans ton dos ? Elle a peut-être trouvé un homme, un vrai ?

— Va te faire foutre, pétasse, siffla Gordon. Je suis un homme, un vrai.

— Parfait.

— Retire-moi ces menottes et tu vas voir.

— J'en suis convaincue, acquiesça-t-elle, d'une voix laissant entendre qu'elle ne se sentait pas menacée le moins du monde. Pourquoi elle est allée cavaler ailleurs, d'après toi ?

— Elle est pas allée cavaler ailleurs, se défendit-il. C'est cette salope de Jenny Price qui vous a raconté ça ? Elle est au courant de rien.

— Elle n'est pas au courant que Julia voulait te

quitter ? Que tu la suivais tout le temps, que tu ne la laissais jamais tranquille ?

— C'est ça l'histoire ? demanda Gordon. C'est pour ça que vous me gardez enchaîné, c'est démentiel !

— On t'a enchaîné à cause de la coke que t'avais dans la poche. »

Il grogna.

« Elle était pas à moi, cette coke.

— Ah oui, c'est pas ton pantalon, c'est ça ? »

Il plaqua violemment le torse contre la table, et sa figure s'était déformée en un masque rageur.

« Ecoute, salope... »

Lena se leva face à lui, et se pencha au-dessus de la table.

« Où est-elle ? »

De la salive lui dégoulinait de la bouche.

« Va te faire foutre. »

D'un geste rapide, elle saisit l'anneau qui lui pendait du nez.

« Ouh, merde », cria Gordon en basculant en avant, et son torse vint frapper le plateau de bois, ses bras saillant dans le dos. « Au secours ! », hurla-t-il. La vitre devant Jeffrey en vibra sous l'effet de l'onde sonore.

« Où est-elle ? chuchota Lena.

— Je l'ai vue il y a deux semaines, parvint-il à grincer entre ses dents. Nom de Dieu, lâchez-moi, je vous en prie.

— Où est-elle ?

— J'en sais rien, beugla Ryan. Je vous en prie, j'en sais rien ! Vous allez me l'arracher. »

Lena lâcha l'anneau, et s'essuya la main sur son pantalon.

« Espèce de petit crétin. »

Ryan fronça le nez, probablement pour s'assurer qu'il était encore en place.

« Vous m'avez fait mal, geignit-il. Ça fait mal.

— Tu veux que je te fasse encore souffrir un peu plus ? », proposa-t-elle en posant la main sur la crosse de son arme.

Il se fourra la tête au creux de la poitrine.

« Elle a essayé de se tuer parce que je l'ai quittée, marmonna-t-il. Elle m'aimait à ce point.

— A mon avis, ça lui a un peu échappé, rectifia Lena. Ce que je pense, moi, c'est qu'elle débarquait à peine et tu as profité d'elle. » Elle se leva et se pencha au-dessus de la table. « Qui plus est, je ne crois pas que tu aurais les couilles de tuer une mouche, alors encore moins un être humain, et si jamais... » Elle frappa des deux mains sur la table, sa colère éclatant comme une grenade « si jamais je t'entends ajouter quoi que ce soit au sujet de ma sœur, Ryan, n'importe quoi, je te tue. Tu peux me faire confiance, je sais que je porte ça en moi. Et je n'en doute pas une seule seconde, moi. »

La bouche de Gordon remua sans qu'il s'en échappe un seul mot.

Jeffrey était tellement absorbé par cet interrogatoire qu'il n'entendit pas le coup frappé à la porte.

« Jeffrey ? lui souffla Marla, en glissant la tête dans la pièce d'observation. On a eu un accroc, chez Will Harris.

— Will Harris ? répéta-t-il, extrêmement surpris d'entendre prononcer ce nom-là en cette journée. Que s'est-il passé ? »

Marla avança d'un pas dans la pièce, en baissant la voix.

« Sa maison. Quelqu'un lui a balancé une pierre dans sa baie vitrée. »

Frank Wallace et Matt Hogan étaient postés sur la pelouse devant chez Will Harris quand Tolliver s'arrêta. Il se demanda depuis combien de temps ils étaient là. Et il se demandait également s'ils connaissaient l'auteur de cet acte. D'un autre côté, il n'était pas trop sûr de Frank. Ce qu'il savait, c'était que ce dernier avait participé la veille à l'interrogatoire de Pete Wayne.

Le temps de se garer, Jeffrey sentit la tension monter en lui. Il n'appréciait guère d'être en situation de ne pouvoir se fier à ses propres hommes.

« Qu'est-ce qui s'est passé, Bon Dieu ? s'écria-t-il en sortant de sa voiture. Qui a fait ça ?

— Il est rentré il y a environ une demi-heure, lui expliqua Frank. Il dit qu'il était allé travailler chez la vieille mademoiselle Betty, pour retourner un peu son jardin. Il est rentré, et il a vu ça.

— C'était un caillou ?

— En fait, une brique, précisa Frank. Du genre comme on en voit partout. Il y avait un mot attaché autour.

— Qui disait ? »

Frank baissa les yeux à terre.

« C'est Will qui l'a. »

Jeffrey regarda la baie vitrée, qui présentait un grand trou. Les deux fenêtres de part et d'autre étaient intactes, mais le remplacement de la vitre centrale coûterait une petite fortune.

« Où est-il ? », demanda-t-il.

D'un signe de tête, Matt désigna la porte d'entrée. Il avait le même air suffisant que Ryan Gordon quelques minutes auparavant.

« Dans la maison », fit Matt.

Jeffrey se dirigea vers la porte, puis il s'arrêta. Il sortit son portefeuille et en tira un billet de vingt.

« File acheter un bout de contreplaqué. Et tu me rapportes ça aussi vite que possible. »

Matt joua un peu du menton, mais Jeffrey le gratifia d'un regard ferme.

« Tu souhaites me communiquer quelque chose, Matt ?

— Tant qu'on y est, on va voir si on peut pas commander une vitre, intervint Frank.

— Ouais », grommela Matt en marchant vers sa voiture.

Frank allait le suivre, mais Jeffrey le retint.

« Tu as la moindre idée de qui a pu faire ça ? »

Frank baissa les yeux sur le bout de ses pieds quelques secondes.

« Matt est resté avec moi toute la matinée, si c'est le sens de ta question.

— C'était bien le sens de ma question. »

Frank releva le nez.

« Je vais vous dire quoi, chef. Je vais trouver qui a fait ça, je m'en charge. »

Il ne s'attarda pas trop à attendre l'opinion de son supérieur. Il se retourna et partit en direction de la voiture de Matt. Jeffrey attendit qu'ils aient démarré avant de remonter l'allée jusqu'à la maison de Will Harris.

Il frappa doucement à la moustiquaire avant de s'introduire à l'intérieur. Will Harris était assis dans son fauteuil, un verre de thé glacé posé à côté de lui. Quand Jeffrey pénétra dans la pièce, il se leva.

« Je n'avais pas l'intention de vous faire venir ici, s'excusa Will. J'ai juste enregistré ma plainte. Ma voisine m'a un peu effrayé.

— Qui ça ? voulut savoir Jeffrey.

— Madame Barr, de l'autre côté de l'allée. Il pointa le doigt vers la fenêtre. C'est une dame âgée, elle s'effraie très facilement. Elle a déclaré qu'elle n'avait rien vu. Vos gars l'ont déjà questionnée. » Il regagna son fauteuil et attrapa un papier blanc, qu'il tendit au policier. « Moi aussi, quand j'ai vu ça, j'ai eu assez peur. »

Jeffrey lui prit le papier des mains, et quand il lut les mots menaçants tapés à la machine sur la page blanche, sentit le goût de la bile remonter dans le fond de sa gorge : « *Surveille tes arrières, le nègre.* »

Il replia la feuille et l'empocha. Les mains sur les hanches, il balaya la pièce du regard.

« Joli endroit que vous avez là.

— Merci », lui fit Will.

Tolliver se tourna vers les fenêtres côté rue. Cette histoire ne lui disait rien qui vaille. La vie de Will Harris était en danger, uniquement parce qu'il était allé s'entretenir avec lui l'autre jour.

« Ça vous ennuie si je dors sur votre canapé, ce soir ? », proposa-t-il.

Will parut surpris.

« Vous croyez que c'est nécessaire ? »

Jeffrey haussa les épaules.

« Mieux vaut prévenir que guérir, vous ne pensez pas ? »

Douze

Lena était assise à la table de la cuisine, chez elle, les yeux rivés sur la salière et le poivrier. Elle tâchait de faire le point sur les événements de la veille. Elle était persuadée que le seul crime de Ryan Gordon se limitait à être un crétin. Si Julia Matthews était intelligente, elle ne devrait plus tarder à rentrer chez elle et se tiendrait à carreau pendant un moment, en essayant probablement d'échapper à son petit ami. Voilà qui laissait pendant le motif pour lequel Jeffrey et Lena s'étaient présentés sur le campus. Il n'y avait aucun suspect du meurtre de sa sœur.

A chaque minute qui s'écoulait, à chaque heure qui s'enfuyait sans piste consistante menant à l'homme qui avait assassiné Sibyl, Lena se sentait plus gagnée par la colère. Sa sœur l'avait avertie que la colère était une pulsion dangereuse et qu'elle devait ménager une place à d'autres émotions. Pour l'heure, elle ne pouvait s'imaginer redevenir heureuse, ni même connaître la simple tristesse. Elle était hébétée par cette perte, et la colère était la seule force qui lui permettait de se croire encore en vie. Elle épousait cette colère, elle la laissait croître en elle comme un cancer, pour ne pas s'effondrer et se transformer en enfant impuissante.

Elle en avait besoin pour traverser tout cela. Après, quand le meurtrier de Sibyl aurait été capturé, quand on aurait retrouvé Julia Matthews, Lena s'autoriserait le chagrin.

« Sibby », souffla-t-elle, en se masquant les yeux des deux mains. Même pendant l'interrogatoire de Ryan Gordon, des images de Sibyl s'étaient mises à s'infiltrer dans sa tête. Plus elle les refoulait, plus elles se renforçaient.

Ils lui étaient revenus par éclairs, ces souvenirs. Elle était assise en face de Gordon, à écouter son numéro pathétique et, à la minute suivante, elle avait douze ans, elle descendait avec Sibyl à la plage, elle la conduisait au bord de l'océan pour qu'elles jouent dans l'eau. Après l'accident qui l'avait privée de la vue, Lena était devenue les yeux de sa sœur : à travers Lena, Sibyl pouvait voir. A ce jour, elle considérait encore que c'était cette habitude qui avait fait d'elle un bon inspecteur. Elle prêtait attention au moindre détail. Elle écoutait son intuition. A cette minute, son intuition lui soufflait que se concentrer davantage sur Gordon n'aurait été qu'une perte de temps.

« Salut », s'exclama Hank, en sortant un Coca du réfrigérateur. Il lui tendit une bouteille, mais elle secoua la tête.

« D'où viennent-elles ? s'étonna-t-elle.

— Je suis passé à l'épicerie, fit-il. Comment ça a marché, aujourd'hui ? »

Lena éluda la question.

« Pourquoi tu es allé à l'épicerie ?

— Tu n'as rien mangé, se désola-t-il. Je suis même surpris que tu ne tombes pas d'inanition.

— J'ai pas besoin que tu ailles à l'épicerie pour

moi, lâcha-t-elle. Quand est-ce que tu retournes à Reece ? »

Il parut peiné par la question.

« Dans deux jours, je pense. Si tu ne veux pas de moi ici, je peux m'installer chez Nan.

— Tu peux rester ici.

— C'est pas un problème, Lee. Elle m'a déjà proposé son sofa.

— Tu n'as pas besoin d'aller t'installer chez elle, riposta Lena. Pigé ? Laisse tomber. Ça ne fera que quelques jours, c'est bon.

— Je pourrais aller à l'hôtel.

— Hank, fit Lena, bien consciente qu'elle haussait la voix plus que nécessaire. Laisse tomber, c'est tout, d'accord ? J'ai réellement eu une sale journée. »

Hank tripota sa bouteille de Coca.

« Tu veux en parler ? »

Lena ravala le « Pas avec toi » qu'elle avait sur le bout de la langue.

« Non », fit-elle.

Il but une gorgée, le regard fixé quelque part au-dessus de son épaule.

« On n'a pas de piste, lui dit-elle. En dehors de cette liste. » Hank eut l'air perdu, alors elle s'expliqua. « On a une liste de tous les individus venus s'installer à Grant au cours des six derniers mois et qui sont des agresseurs sexuels.

— On tient une liste de ça ?

— Dieu merci, oui », confirma-t-elle, en repoussant d'avance tous les arguments de défense des droits civils qu'il aurait eu envie d'avancer. En tant qu'ancien drogué, Hank avait tendance à privilégier la liberté individuelle par rapport au bon sens. Elle n'était pas d'humeur à discuter sur les ex-taulards qui avaient acquitté leur dette à la société.

« Et alors, fit Hank, tu l'as, cette liste ?

— On en a tous une, précisa-t-elle. On fait du porte à porte, on essaie de voir si quelqu'un correspond.

— A quoi ? »

Elle le dévisagea, hésitant à poursuivre.

« Quelqu'un qui aurait une agression sexuelle avec violences dans son curriculum vitæ. Quelqu'un, un Blanc, entre vingt-huit et trente-cinq ans. Quelqu'un qui se considère comme une personne religieuse. Quelqu'un qui aurait pu voir Sibyl dans le coin. Celui qui l'a agressée était au courant de ses habitudes, et donc cet individu devait la connaître de vue, l'avait vue passer.

— Apparemment, ça représente une palette assez étroite.

— La liste compte pas loin d'une centaine de personnes. »

Il lâcha un sifflement assourdi.

« Rien qu'à Grant ? »

Il secoua la tête, se refusant à y croire.

« C'est uniquement pour les six dernières années, Hank. Je pense que si on ne trouve rien parmi ceux-là, on remontera encore plus loin. Peut-être sur les dix ou quinze dernières années. »

Hank se dégagea les cheveux du front, offrant à Lena le spectacle de ses avant-bras. Elle lui désigna ses bras nus.

« Pour la fin de journée, je préférerais que tu ne quittes pas ton manteau. »

Hank baissa les yeux sur ses vieilles marques de piqûres.

« Si tu préfères, c'est d'accord.

— Il y aura des flics. Des amis à moi. Des gens avec qui je bosse. Ils vont voir ces marques et ils vont comprendre. »

Il regarda de nouveau ses bras.

« Je pense pas qu'il faille être un flic pour savoir à quoi ça correspond.

— Ne me mets pas dans l'embarras, Hank. Ça m'a suffi d'avoir dû avouer à mon patron que tu étais un junkie.

— Je suis désolé.

— Ouais, bon », fit-elle, ne sachant quoi ajouter d'autre. Elle était tentée de le passer au crible, de lui tomber dessus jusqu'à ce qu'il éclate, d'avoir une bonne engueulade avec lui.

Au lieu de quoi, elle retourna s'asseoir en détournant les yeux.

« Je suis pas d'humeur à m'épancher.

— Eh bien, ça me désole de t'entendre dire ça, avoua Hank, mais il ne se leva pas pour autant. Il faut qu'on parle de ce qu'on va faire des cendres de ta sœur. »

D'un geste de la main, elle l'arrêta.

« Là, tout de suite, je peux pas.

— J'ai causé avec Nan... »

Elle l'interrompit.

« Je me moque de ce que Nan peut avoir à dire là-dessus.

— Elle était sa maîtresse, Lee. Elles avaient une vie commune.

— Et nous aussi ! s'écria-t-elle, cassante. Sibyl était ma sœur, Hank. Nom de Dieu, je ne vais pas laisser Nan Thomas se la garder pour elle.

— Nan me semble une personne vraiment gentille.

— J'en suis convaincue. »

Hank joua avec sa bouteille.

« On peut pas l'exclure uniquement parce que cela te met mal à l'aise, Lee. Il hésita un moment. Elles étaient amoureuses l'une de l'autre. Je ne vois pas pourquoi ça te crée un problème de l'accepter.

— De l'accepter ? » Lena éclata de rire. « Comment aurais-je pu m'éviter de l'accepter ? Elles vivaient ensemble. Elles allaient en vacances ensemble. Lena se remémora le commentaire de Gordon. Et puis évidemment, tout le monde, dans cette putain de faculté, était au courant, ajouta-t-elle. Comme si j'avais eu le choix.

Hank se redressa contre le dossier de son siège avec un soupir.

« Je sais pas, mon chou. Tu étais jalouse d'elle ? »

Lena pencha la tête de côté.

« De qui ?

— De Nan. »

Elle rit encore.

« C'est la chose la plus stupide que je t'aie jamais entendu sortir. Et nous savons, toi et moi, que je t'en ai entendu débiter, des conneries, et des vraies. »

Hank haussa les épaules.

« Tu as eu Sibby pour toi toute seule pendant pas mal de temps. Alors je vois bien en quoi le fait qu'elle ait rencontré quelqu'un, qu'elle se soit engagée, a pu lui rendre plus difficile d'être là, à tes côtés. »

Lena resta bouche bée, abasourdie. L'engueulade qu'elle espérait quelques secondes auparavant lui sautait maintenant en pleine figure.

« Tu crois que j'étais jalouse de Nan Thomas parce qu'elle baisait ma sœur ? »

Il tressaillit à ces paroles.

« Tu te figures qu'entre elles, c'était uniquement ça qui comptait ?

— Je ne sais pas ce qui comptait, entre elles, Hank, s'emporta Lena. Cette partie-là de sa vie, on n'en parlait pas, vu ?

— Je le sais.

— Alors pourquoi tu la ramènes avec ça ?

— Tu n'es pas la seule à l'avoir perdue.

— Quand m'as-tu entendue prétendre le contraire ? lança-t-elle en se levant.

— C'est l'impression que ça donne, c'est tout. Ecoute, Lee, tu as peut-être besoin de parler de tout ça avec quelqu'un.

— Je t'en parle à toi, là, tout de suite.

— Pas à moi. Hank se renfrogna. Et ce garçon que tu fréquentais ? Il est toujours dans les parages ? »

Elle rit.

« Greg et moi, nous avons rompu depuis un an, et même si on n'avait pas rompu, je ne crois pas que j'irais pleurer contre son épaule.

— Je ne t'ai pas dit ça.

— Tant mieux.

— Je te connais mieux que tu ne le penses.

— Tu ne sais rien de moi, que dalle », répliqua-t-elle avec hargne.

Elle quitta la pièce, les poings serrés, monta les marches quatre à quatre et claqua la porte de sa chambre derrière elle.

Sa penderie était essentiellement remplie de tailleurs et de mocassins, mais elle trouva une robe noire, coincée tout à fait dans le fond. Elle sortit le fer à repasser, recula, mais pas assez vite pour éviter le lourd ustensile qui glissa de l'étagère et lui heurta l'orteil.

« Ah ! la vache », siffla Lena, en se saisissant de son pied. Elle s'assit sur le lit, se massa le pied. C'était la faute de Hank, qui l'avait mise hors d'elle de la sorte. Il n'arrêtait pas, avec ce genre de comportement, cette façon de faire valoir devant elle sa foutue philosophie des Alcooliques Anonymes, comment tourner la page, comment parvenir au partage avec l'autre. S'il avait envie de vivre sa vie de cette manière, s'il en avait besoin pour ne pas finir par se shooter jusqu'à la gueule ou se saouler à mort, c'était parfait, mais il n'avait aucun droit de forcer Lena à y adhérer.

C'était comme son diagnostic de psychanalyste de bazar sur sa jalousie par rapport à Nan, c'était ridicule. Toute sa vie, Lena avait œuvré pour rendre Sibyl indépendante. C'était Lena qui lui avait lu des comptes rendus à haute voix pour que Sibyl ne soit pas contrainte d'attendre la parution des traductions en braille. C'était Lena qui avait écouté Sibyl réviser ses oraux, et encore Lena qui l'avait aidée dans la conduite de ses expériences scientifiques. Tout cela pour Sibyl, afin de l'aider à sortir toute seule, à se dégoter un boulot, à organiser sa vie par elle-même.

Lena déplia la planche à repasser et coucha la robe dessus. Elle lissa l'étoffe, se souvint de la dernière fois qu'elle l'avait portée. Sibyl avait demandé à Lena de l'emmener à une fête d'étudiants, à la fac. Elle en avait été étonnée mais avait accepté. Il existait une ligne de démarcation très nette entre les gens de l'université et les habitants du bourg, et elle s'était sentie mal à l'aise au milieu de cette foule, entourée de gens qui avaient non seulement effectué des études secondaires, mais qui avaient accédé à des diplômes d'enseignement supérieur. Lena n'était pas une péquenaude, mais elle se rappelait avoir eu l'impression de détonner.

En revanche, Sibyl, elle, s'était sentie dans son élément. Lena se rappelait encore l'avoir vue au centre de tout ce monde, bavardant avec un groupe de professeurs qui paraissaient réellement intéressés par ses propos. Personne ne la fixait du regard comme le font les gens quand les filles grandissent. Personne ne se moquait d'elle ou n'émettait de commentaires sournois sur sa cécité. Pour la première fois de son existence, Lena s'était aperçue que Sibyl n'avait pas besoin d'elle.

Nan Thomas n'était pour rien dans cette révélation. Là-dessus, Hank se trompait. Sibyl avait été indépendante depuis le premier jour. Elle savait prendre soin d'elle. Elle savait se débrouiller. Elle était peut-être aveugle, mais à certains égards elle était douée de clairvoyance. Sur certains plans, Sibyl savait lire dans les êtres mieux qu'une personne capable de voir, parce qu'elle les écoutait. Elle percevait les changements de fréquence dans leur voix quand ils mentaient, ou leur tremblement quand ils étaient bouleversés. Elle comprenait Lena mieux que personne ne l'avait jamais comprise.

Hank frappa à la porte.

« Lee ? »

Lena s'essuya le nez, se rendant compte qu'elle avait pleuré. Elle n'ouvrit pas.

« Quoi ? »

La voix de Hank était assourdie, mais elle l'entendait clairement et distinctement.

« Je suis désolé de t'avoir parlé comme ça, mon cœur. »

Lena respira profondément.

« C'est bon, lâcha-t-elle.

— Simplement, je me faisais du souci pour toi.

— Ça va, fit-elle, en allumant le fer à repasser. Accorde-moi dix minutes et je serai prête. »

Elle surveilla la porte, vit la poignée tourner légèrement, puis revenir en position après qu'il l'eut relâchée. Elle entendit le bruit de ses pas quand il s'éloigna dans le couloir.

Tous les amis et collègues de Sibyl se pressaient dans le Funérarium Brock. Après dix minutes de poignées de main et de condoléances émanant de gens qu'elle n'avait jamais vus, Lena sentit son estomac se nouer. A force de rester trop longtemps immobile et silencieuse, elle se dit qu'elle allait exploser. Elle n'avait aucune envie d'être là, à partager son chagrin avec des étrangers. Elle eut l'impression que la salle se refermait sur elle, et l'air conditionné avait beau être réglé suffisamment fort pour que certaines personnes aient gardé leur manteau, elle était en nage.

« Salut », fit Frank, en la prenant par le coude.

Lena fut surprise de ce geste, mais ne s'y déroba pas. Elle se sentit gagnée par le soulagement, de pouvoir adresser la parole à quelqu'un de familier.

« Tu as entendu ce qui s'est passé ? », lui demanda-t-il, en regardant Hank de travers. Ce regard fit rougir Lena de honte, car elle savait que Frank avait déjà catalogué son oncle comme un voyou. Les flics savaient les renifler à un kilomètre.

« Non, dit Lena, en accompagnant Frank à l'écart.

— Will Harris, expliqua-t-il à voix basse. Quelqu'un lui a balancé une pierre dans sa baie vitrée.

— Pourquoi ? », s'étonna-t-elle, devinant déjà la réponse.

Il eut un haussement d'épaules.

« J'en sais rien. Enfin, je veux dire... Matt. » Et là-dessus, de nouveau, un haussement d'épaules. « Il ne m'a pas quitté de la journée. J'sais pas. »

Lena l'attira dans le couloir pour qu'ils ne soient plus obligés de chuchoter.

« Tu crois que Matt y est pour quelque chose ?

— Matt ou Pete Wayne, avança-t-il. Disons que c'est les deux seuls noms qui me viennent en tête.

— Peut-être un membre de la loge ? »

Cette allusion le hérissa, comme elle s'y était attendue. Elle aurait pu aussi bien accuser le pape d'avoir tripoté un gamin de dix ans.

« Et Brad ? », lui demanda-t-elle.

Frank lui adressa un regard appuyé.

« Ouais, d'accord, admit-elle. Là, je te suis. » Elle ne pouvait affirmer sans l'ombre d'un doute que Brad Stephens n'avait rien contre Will Harris, mais elle était persuadée qu'il se couperait le bras plutôt que d'enfreindre la loi. Une fois, Brad avait fait demi-tour sur cinq kilomètres rien que pour récupérer des détritus qui s'étaient envolés par mégarde de la fenêtre de sa voiture.

« Je pensais en parler à Pete, plus tard », lui confia-t-il.

Sans réfléchir, Lena vérifia l'heure. Il était un peu plus de cinq heures et demie. Pete serait probablement chez lui.

« On peut utiliser ta voiture ? », demanda-t-elle, songeant qu'elle pourrait laisser la sienne à Hank pour qu'il rentre avec.

Frank regarda derrière lui dans le salon.

« Tu ne vas pas assister à la veillée funèbre en l'honneur de ta sœur ? », s'étonna-t-il, sans dissimuler son émoi.

Lena baissa les yeux à terre, sachant qu'elle aurait dû au moins se sentir honteuse. En réalité, il fallait qu'elle sorte de cette salle, pleine de tous ces étrangers, avant que le chagrin ne la saisisse et qu'elle ne soit trop paralysée au point de ne plus rien pouvoir faire d'autre qu'aller s'asseoir dans sa chambre et pleurer.

« Retrouve-moi sur le côté du bâtiment dans dix minutes », proposa-t-il.

Lena regagna la pièce, à la recherche de Hank. Il se tenait debout à côté de Nan Thomas, un bras autour de son épaule. De les voir ainsi réunis, cela la hérissa. Il n'avait certainement aucun mal à réconforter une complète étrangère, et peu lui importait que le sang de son sang et la chair de sa chair soit à trois mètres de lui, dans le plus grand isolement.

Elle regagna le couloir pour attraper son manteau. Elle l'enfilait quand elle sentit le geste de quelqu'un venu l'aider. Elle fut surprise de voir Richard Carter derrière elle.

« Je voulais vous assurer, commença-t-il, d'une voix feutrée, que je suis désolé pour votre sœur.

— Merci, parvint-elle à répondre. Je vous suis reconnaissante.

— Avez-vous découvert quelque chose au sujet de l'autre fille ?

— Matthews ? », s'écria-t-elle avant d'avoir pu se reprendre. Lena avait grandi dans une petite ville, mais elle était encore sidérée de la vitesse à laquelle la nouvelle s'était répandue.

« Ce Gordon, poursuivit Richard, en laissant échapper un frisson un peu théâtral. Ce n'est pas un très bon garçon.

— Ouais, marmonna Lena, en essayant de s'en dépêtrer. Ecoutez, merci d'être venu ce soir. »

Il eut un pâle sourire. Il comprit qu'elle tentait de l'éloigner, mais il n'avait manifestement pas l'intention de lui faciliter la tâche.

« J'ai vraiment apprécié de travailler avec votre sœur. Elle a été très bonne pour moi. »

Lena se dandinait d'un pied sur l'autre, ne voulant pas lui donner l'impression qu'elle entendait prolonger la conversation. Elle connaissait Frank suffisamment bien pour savoir qu'il n'allait pas l'attendre bien longtemps.

« Elle aimait travailler avec vous, elle aussi, Richard, consentit-elle à répondre.

— Elle a dit ça ? s'écria-t-il, manifestement ravi. Je veux dire, je sais qu'elle respectait mon travail, mais a-t-elle vraiment dit ça ?

— Oui, mentit Lena. Elle le répétait souvent. » Elle repéra Hank dans l'assemblée. Il tenait encore Nan par l'épaule. Elle les désigna tous deux à Richard. « Demandez à mon oncle. Il m'en parlait justement l'autre jour.

— Vraiment ? fit Richard, en portant les deux mains à sa bouche.

— Oui, affirma Lena, en sortant ses clefs de voiture de la poche de son manteau. Ecoutez, pouvez-vous les remettre à mon oncle ? »

Il considéra les clefs sans les prendre. C'était l'une des raisons pour lesquelles Sibyl s'était si bien entendue avec ce Richard, elle était incapable de voir de quels grands airs condescendants il était capable. En réalité, avec Richard Carter, Sibyl avait apparemment fait preuve d'une patience d'ange. Lena savait que Sibyl avait œuvré, en plusieurs occasions, pour qu'on lui accorde une période probatoire après un blâme pour travail insuffisant.

« Richard ? insista-t-elle en faisant danser le trousseau.

— Bien sûr », dit-il enfin, en tendant la main.

Elle lui lâcha les clefs au creux de la paume. Elle attendit qu'il se soit éloigné de quelques pas, puis elle fila par la porte latérale. Frank l'attendait dans sa voiture, tous phares éteints.

« Désolée, j'ai tardé », s'excusa-t-elle en montant à bord. Elle fronça le nez à l'odeur de cigarette. Théoriquement, quand ils étaient en service, Frank n'était pas autorisé à fumer en sa présence, mais elle tint sa langue car, en la laissant l'accompagner, il lui faisait une faveur.

« Ces gens de la fac, persifla-t-il. Il tira une bouffée, puis d'une chiquenaude balança son mégot par la fenêtre. Désolé, ajouta-t-il.

— Ça va », fit Lena. Elle se sentait bizarre, tirée à quatre épingles comme elle l'était, et dans la voiture de Frank. Sans trop savoir pourquoi, cela lui rappelait sa première sortie avec un garçon. Lena était le genre de fille à s'en tenir strictement au jean et au T-shirt, et donc, pour elle, mettre une robe était en soi un grand moment. Elle se sentait bizarre avec des hauts talons et des bas, et ne savait jamais comment s'asseoir et où poser les mains. Son holster lui manquait.

« Pour ta sœur », précisa-t-il.

Lena ne le laissa pas s'appesantir.

« Ouais, merci », fit-elle.

La nuit était tombée, et plus ils s'écartaient de la ville, des réverbères et des gens, plus il faisait sombre dans la voiture.

« Cette histoire de la maison du vieux Will, commença Frank, en rompant le silence. Je sais pas trop quoi en penser, Lena.

— Tu crois que Pete y est allé de son coup de main ?

— Je sais pas, répéta Frank. Will travaillait pour son père, peut-être vingt ans avant que Pete ne reprenne l'affaire. C'est un aspect qu'il faut pas oublier. » Il tendit la main pour attraper une cigarette, mais laissa son geste en suspens. « Enfin, j'sais pas, voilà. »

Lena attendit, mais il en resta là. Elle garda les mains sur ses genoux, regardant droit devant elle, tandis que Frank sortait de la ville. Ils franchirent la limite de la commune et s'étaient bien engagés sur la route de Madison avant de ralentir, prenant un virage à angle droit pour s'engager dans une petite voie sans issue.

Le ranch en brique de Pete Wayne était modeste, assez à l'image de l'homme. Sa voiture, une Dodge 1996 avec un adhésif rouge à l'emplacement où s'étaient trouvés les phares, était garée dans l'allée, en angle.

Frank arrêta la sienne le long du trottoir et éteignit ses feux. Il lâcha un rire nerveux.

« Avec toi toute pomponnée comme ça, j'ai dans l'idée qu'il faudrait que je te tienne la porte.

— T'as pas intérêt, riposta Lena en agrippant la poignée, pour le cas où il y aurait songé sérieusement.

— Attends un peu », l'arrêta Frank, en lui posant la main sur le bras. Elle crut qu'il poussait la blague un peu loin, mais quelque chose dans le ton de sa voix l'amena à lever les yeux. Pete sortait de chez lui, armé d'une batte de base-ball.

« Reste ici, lui conseilla le policier.

— Manquerait plus que ça, ironisa Lena en ouvrant la portière avant qu'il puisse la retenir. Le plafonnier s'alluma, et Pete Wayne se pencha pour jeter un œil à l'intérieur.

— C'est du rapide, la gosse. »

En entendant ce sobriquet, Lena réprima un mouvement de colère. Elle emboîta le pas à Frank qui remontait l'allée, et se sentit stupide avec ses hauts talons et sa robe longue.

Pete les regarda approcher, la batte au côté.

« Frank ? s'écria-t-il. Qu'est-ce qu'il y a ?

— Ça t'embête si on entre une seconde ? lui demanda-t-il. Frère », prit-il la peine d'ajouter.

Un brin agacé, Pete adressa à Lena un petit coup d'œil en coin. Elle n'ignorait pas que les membres de cette loge possédaient leur propre langage codé. Qu'est-ce que Frank entendait par là, en appelant Pete son « frère », cela lui échappait. Elle n'y comprenait rien, à tel point que Frank aurait pu tout aussi bien suggérer à Pete de lui flanquer un coup de batte.

« J'allais sortir, fit ce dernier.

— Je vois ça, observa Frank, en considérant l'objet. Un peu tard pour aller s'entraîner, non ? »

Pete manipula le bois nerveusement.

« Je comptais juste la mettre dans la fourgonnette. Je suis un peu à cran, à cause de ce qui s'est passé au restaurant, prétendit-il. Je pensais garder ça derrière le bar.

— Entrons », conseilla Frank, sans laisser à Pete une chance de répondre. Il monta les marches du perron et se posta devant la porte, en attendant que Pete le rejoigne, en lui tournant autour le temps qu'il s'en sorte avec ses clefs dans la serrure.

Lena les suivit. Sur le trajet jusqu'à la cuisine, Pete fut visiblement sur ses gardes. Sa main serrait la batte si fermement que ses phalanges en étaient toutes blanches.

« C'est quoi, le problème, là ? maugréa-t-il, et sa question s'adressait à Frank.

— Will Harris a eu un souci, cet après-midi, répliqua Frank. Quelqu'un lui a balancé une pierre dans sa fenêtre de façade.

— Si c'est pas malheureux, lâcha Pete, d'une voix monocorde.

— Il faut que je t'avoue, Pete, poursuivit Frank. Je pense que c'est toi qui as fait ça. »

Pete eut un rire gêné.

« Tu te figures que j'ai le temps de cavaler, là, comme ça, et d'aller balancer une brique dans la vitre de ce gars-là ? J'ai une boutique à faire tourner. En général, j'ai même pas le temps d'aller couler un bronze, alors parlons pas d'aller me balader.

— Qu'est-ce qui te fait croire que c'était une brique ? » intervint Lena.

Pete eut du mal à avaler sa salive.

« Juste une supposition. »

Frank lui arracha la batte des mains.

« Will travaille pour ta famille depuis presque cinquante ans.

— Ça, je suis au courant, grinça Pete, en reculant d'un pas.

— Il y a eu une époque où ton père était obligé de le payer en nourriture, parce qu'il ne pouvait pas se permettre de faire autrement. Frank soupesa la batte dans sa main. Tu t'en souviens, Pete ? Tu te souviens quand la base a fermé et que vous avez failli couler ? »

Le visage de Pete devint écarlate.

« Bien sûr que je m'en souviens.

— Laisse-moi te signaler quelque chose, mon gars, reprit Frank, en pointant l'extrémité de la batte contre la poitrine de l'autre. Tu vas bien écouter ce que je vais te dire là. Will Harris n'a pas touché cette fille.

— Tu le sais de source sûre ? », riposta Pete.

Lena posa la main sur la batte, et l'abaissa. Elle vint se placer en face de Pete, et le regarda droit dans les yeux.

« Moi, je le sais, affirma-t-elle. »

Pete fut le premier à détourner le regard. Il baissa les yeux à terre, et son attitude trahissait sa nervosité. Il secoua la tête, lâcha un lourd soupir. Quand il releva les yeux, c'est à Frank qu'il s'adressa.

« Faut qu'on cause. »

Treize

Eddie Linton avait acheté du terrain autour du lac dès qu'il avait commencé à gagner de l'argent avec son affaire de plomberie. Il possédait aussi, à proximité de la faculté, six maisons qu'il louait à des étudiants, ainsi qu'un ensemble d'appartements vers Madison, qu'il menaçait tout le temps de revendre. Quand Sara était rentrée d'Atlanta pour s'installer à Grant, elle avait refusé de vivre dans la maison de ses parents. Quelque chose, dans le fait de revenir habiter chez sa famille, de dormir dans son ancienne chambre, lui inspirait un sentiment de défaite, et à l'époque elle avait jugé être tombée suffisamment bas pour ne pas avoir à subir en plus le constant rappel qu'elle ne jouissait même pas d'un espace à elle.

La première année de son retour, elle avait loué l'une des maisons de son père, puis elle avait commencé à travailler le week-end à l'hôpital d'Augusta, en vue d'épargner l'équivalent d'une mise de fonds initiale pour acquérir un endroit à elle. Sara était tombée amoureuse de sa maison dès la première visite avec l'agent immobilier. Elle était bâtie dans le style typique de la région, de plain-pied, avec la porte d'entrée dans l'alignement de la porte de derrière. De chaque côté du long couloir, il y avait deux chambres à coucher, une salle de bains, et un petit décrochement sur la droite, avec le salon, la salle à manger, une autre salle de bains et la cuisine sur la gauche. Bien sûr, elle aurait acheté cette maison même si ce n'avait été qu'un hangar, car la vue sur le lac, depuis la terrasse située sur l'arrière, était sensationnelle. C'était surtout sa chambre qui en profitait, avec une grande baie vitrée flanquée de trois fenêtres sur chacun des trois côtés. Par des journées comme celle-ci, elle pouvait apercevoir la rive d'en face, presque jusqu'à l'université. Certains jours, quand le temps s'y prêtait, Sara accostait avec son bateau sur le ponton du campus et se rendait à son travail à pied.

Elle ouvrit la fenêtre de sa chambre afin d'être sûre d'entendre le bateau de Jeb quand il arriverait au ponton. La nuit dernière avait encore vu tomber une petite bruine, et une brise fraîche soufflait du lac. Elle examina son allure dans le miroir accroché derrière la porte. Elle avait choisi une jupe-portefeuille avec un petit motif floral et un chemisier moulant en lycra qui s'arrêtait juste au-dessous du nombril. Elle avait déjà remonté ses cheveux, pour les laisser retomber en arrière. Elle en était à poser des épingles pour les maintenir quand elle entendit le bateau au ponton. Elle enfila ses sandales et attrapa deux verres et une bouteille de vin avant de sortir par la porte de derrière.

« Ohé ! », s'exclama Jeb, en lui lançant une amarre. Il fourra les mains dans son gilet de sauvetage orange, affectant de prendre la pose.

« Ohé toi-même, lui répliqua Sara, en s'agenouillant près du bollard. Elle posa le vin et les verres à même le plancher de l'embarcadère et noua l'amarre. Tu n'as toujours pas appris à nager, c'est ça ?

— Mes parents sont tous les deux terrorisés par l'eau, se défendit-il. Ils n'ont jamais surmonté leur peur. Et je n'ai pas précisément grandi près de l'eau.

— Bonne remarque », admit-elle. Ayant grandi sur un lac, la natation lui était devenue une seconde nature. Elle ne s'imaginait pas autrement. « Tu devrais apprendre, lui conseilla-t-elle. Surtout si tu navigues.

— J'ai pas besoin, soutint-il, en administrant une petite tape à son bateau comme il l'aurait fait à un chien. Avec ce bébé-là, je marche sur l'eau. »

Elle se releva, admirant le spécimen.

« Joli.

— Un véritable aimant à nanas, plaisanta-t-il en dégrafant son gilet. Elle savait qu'il la taquinait, mais l'engin peint en noir métallisé était élégant et accrocheur, et il s'en dégageait presque quelque chose de dangereux. Tout le contraire de Jeb McGuire dans son gilet de sauvetage orange et rebondi.

— Je vais te dire, Sara, si jamais tu me regardais un jour comme tu regardes mon hors-bord à cette minute, je n'aurais plus qu'à t'épouser. »

Elle rit pour elle-même.

« C'est un très beau bateau. »

Il en sortit un panier de pique-nique.

« Je te proposerais bien de t'emmener faire un petit tour, mais sur l'eau il fait un peu frisquet.

— On peut s'installer ici, suggéra-t-elle en désignant les chaises et la table au bord du ponton. Faut-il que j'aille chercher l'argenterie ou autre chose ? »

Jeb sourit.

« Je te connais encore mieux que tu ne le crois, Sara Linton. »

Il ouvrit le panier du pique-nique et en tira de l'argenterie et des serviettes. Il avait eu aussi la prévoyance d'apporter des assiettes et des verres. Sara se retint de se lécher les babines quand il exhiba le poulet rôti, la purée de pommes de terre, les petits pois, le maïs et des pains au lait.

« Essaierais-tu de me séduire ? »

Jeb s'interrompit, la main posée sur son pot de jus de poulet.

« Et ça marche ? »

Les chiens aboyèrent, et Sara ne put que remercier Dieu de cette menue faveur. Elle se tourna vers la maison.

« Ils n'aboient jamais, remarqua-t-elle. Je vais juste aller voir.

— Tu veux que je t'accompagne ? »

Elle était sur le point de décliner sa proposition, mais elle changea d'avis. Elle n'avait pas joué la comédie au sujet de ces chiens. Depuis qu'elle les avait sauvés du champ de courses de lévriers d'Ebro, Billy et Bob n'avaient aboyé très exactement que deux fois : la première quand elle avait marché par mégarde sur la queue de Bob, et la deuxième quand un oiseau avait enfilé le conduit de la cheminée pour ressortir en voletant dans le salon.

Ils traversèrent le jardin en direction de la maison, et elle sentit la paume de Jeb lui effleurer le dos. Le soleil plongeait derrière le faîte du toit, elle se protégea les yeux de la main, et elle reconnut Brad Stephens debout à l'entrée de l'allée.

« Salut, Brad », lança-t-elle.

Le policier adressa un bref hochement de tête à Jeb, mais il ne quittait pas Sara des yeux.

« Oui, Brad ? s'enquit-elle.

— M'dame. Brad retira sa casquette. Le chef s'est fait tirer dessus. »

Sara n'avait encore jamais réellement poussé son roadster Z3. Même quand elle rentrait d'Atlanta, le compteur restait invariablement à cent vingt à l'heure, d'un bout à l'autre du trajet. Cette fois, sur la route qui la ramenait au Centre médical de Grant, elle roulait à plus de cent quarante. Ces dix minutes de trajet lui parurent durer des heures, et quand Sara prit le virage d'entrée, ses paumes étaient moites sur le volant.

Elle se gara sur un emplacement réservé aux handicapés, sur le côté du bâtiment, pour ne pas bloquer l'arrivée des ambulances. Elle atteignit la salle des urgences au pas de course.

« Que s'est-il passé ? », demanda-t-elle à Lena Adams, qui était postée devant le comptoir des admissions. La policière ouvrit la bouche pour répondre, mais Sara continua droit devant elle et fonça dans le couloir. Elle vérifiait chaque chambre au passage, et finit par trouver Jeffrey dans la troisième salle d'examens.

Ellen Bray ne parut pas surprise de la voir dans cette pièce. A l'entrée de Sara, l'infirmière attachait le brassard du tensiomètre autour du bras du chef de la police.

Sara lui posa la main sur le front. Il ouvrit à peine les yeux, mais ne parut pas enregistrer sa présence.

« Que s'est-il passé ? », voulut-elle savoir.

Ellen lui tendit le dossier médical.

« Une décharge de chevrotine dans la jambe. Rien de grave, sinon on l'aurait transféré à Augusta. »

Sara consulta le dossier. Ses yeux ne parvenaient pas à se concentrer sur les lignes. Elle n'arrivait même pas à distinguer les colonnes.

« Sara ? », fit Ellen, la voix empreinte de compassion. Ellen avait accompli la quasi-totalité de sa carrière à Augusta, dans la salle des urgences. Désormais, elle était en semi-retraite, complétant ses émoluments en travaillant la nuit au Centre médical de Grant. Sara la fréquentait depuis deux ans, et les deux femmes entretenaient une relation professionnelle solide, fondée sur le respect mutuel.

« Il va bien, vraiment. Le Demerol devrait bientôt le mettre dans les vapes. La douleur, c'est surtout à cause de Hare, qui lui a curé la jambe.

— Hare ? », s'étonna Sara, soulagée pour la première fois depuis vingt minutes. Son cousin Hareton était un médecin généraliste qui venait parfois effectuer des remplacements à l'hôpital. « Il est ici ? »

Ellen hocha la tête, en actionnant la poire du tensiomètre. Elle leva le doigt pour obtenir un peu de silence.

Jeffrey remua légèrement, puis il ouvrit les yeux. Quand il reconnut Sara, un faible sourire se dessina sur ses lèvres.

Ellen dégrafa le brassard du tensiomètre.

« Quatorze cinq sur huit deux. »

Sara fronça le sourcil, en revenant au dossier médical. Les mots finissaient par retrouver leur sens.

« Je vais chercher le docteur Earnshaw, décida Ellen.

— Merci, fit-elle en ouvrant vivement le dossier.

Quand as-tu commencé de prendre du Coreg ? lui demanda-t-elle. Depuis quand fais-tu de la tension artérielle ? »

Jeffrey sourit, l'air salace.

« Depuis que tu es entrée dans cette pièce. »

Elle parcourut encore son dossier.

« Cinquante milligrammes par jour. Tu viens de changer après avoir pris du Captopril ? Quand as-tu arrêté ? » Elle trouva la réponse dans le document. « "Changement provoqué par l'apparition d'une toux non productive" », lut-elle à voix haute.

Hare pénétra dans la pièce.

« C'est assez courant avec les inhibiteurs d'accident coronarien. »

Sara ignora son cousin, qui lui passait le bras autour des épaules.

« Qui consultes-tu pour ça ? demanda-t-elle à Jeffrey.

— Lindley, répondit-il.

— Tu lui as parlé de ton père ? » Elle referma le dossier d'un coup sec. « Je n'arrive pas à croire qu'il ne t'ait pas prescrit d'inhalateur. Où en est ton taux de cholestérol ?

— Sara. » Hare lui arracha le dossier des mains. « Boucle-la. »

Jeffrey éclata de rire.

« Merci. »

Elle croisa les bras, la colère montait en elle. Elle s'était tellement inquiétée sur le chemin, craignant le pire, et maintenant elle était là, et Jeffrey allait bien. Elle était excessivement soulagée que ce ne soit rien, mais sans trop comprendre pourquoi, se sentait abusée par ses propres émotions.

« Regarde ça », fit Hare en calant une radio sur le tableau lumineux fixé au mur. Il en eut le souffle coupé. « Oh ! mon Dieu, je n'ai jamais rien vu de pire. »

Elle lui décocha un regard noir, en retournant la radio à l'endroit.

« Ah, Dieu merci », soupira Hare avec emphase. Quand il vit qu'elle ne goûtait guère son numéro, il se rembrunit. La raison pour laquelle Sara tout à la fois adorait et détestait son cousin, c'était qu'il prenait rarement les choses très au sérieux.

« Loupé l'artère, loupé l'os. Le plomb a pris un raccourci directement par là, vers l'intérieur. Il la gratifia d'un sourire rassurant. Rien de bien méchant. »

Elle ignora son appréciation, et se pencha pour contrôler les découvertes de Hare. Mis à part la rivalité féroce qui avait toujours entamé leur relation, elle voulait s'assurer par elle-même que l'on n'ait rien oublié.

« Allons, tournez-vous sur le côté gauche », suggéra Hare à Jeffrey, s'attendant à ce que Sara lui prête main-forte. Elle maintint fermement la jambe gauche blessée, tandis qu'ils le retournaient. Cela devrait contribuer à faire un peu baisser votre tension artérielle, estima-t-il. Avez-vous à prendre un médicament, ce soir ?

— Je suis en retard d'une ou deux doses, expliqua Jeffrey.

— En retard ? Elle sentit sa propre tension grimper. Tu es crétin ou quoi ?

— Je n'en ai plus, bredouilla-t-il.

— Tu n'en as plus ? Tu travailles à deux pas de la

pharmacie. Elle lui adressa un regard noir de réprimande. Où as-tu la tête ?

— Sara ? l'interrompit-il. Tu t'es tapé tout ce chemin pour m'engueuler ?

Elle n'avait pas de réponse à cette question.

« Elle pourrait peut-être vous fournir un deuxième avis, histoire de savoir si vous devez ou non rentrer chez vous ce soir ?

— Ah. Les yeux de Jeffrey se plissèrent dans un sourire. Eh bien, puisque vous allez délivrer un deuxième avis, docteur Linton, j'ai récemment éprouvé une certaine tendresse dans l'entrejambe. Cela vous ennuierait-il d'examiner cela ? »

Elle le gratifia d'un sourire pincé.

« Je pourrais pratiquer un toucher rectal.

— Ton tour serait enfin venu. Il est temps.

— Seigneur, gémit Hare. Vous deux, les tourtereaux, je vais vous laisser seuls.

— Merci, Hare », s'écria Jeffrey.

Le cousin leur adressa un signe de la main en quittant la pièce.

« Donc », commença-t-elle en croisant les bras.

Jeffrey haussa le sourcil.

« Donc quoi ?

— Qu'est-il arrivé ? Son mari est rentré au domicile conjugal plus tôt que prévu ? »

Jeffrey éclata de rire, mais la tension se lisait dans ses yeux.

« Ferme la porte. »

Elle s'exécuta.

« Qu'est-il arrivé ? », répéta-t-elle.

Il porta la main à ses yeux.

« Je ne sais pas. Ça c'est passé si vite. »

Elle s'approcha d'un pas et, oubliant toute raison, lui prit la main.

« Aujourd'hui, on a vandalisé la maison de Will Harris.

— Will, le vieux du restaurant ? s'écria Sara. Mais bon sang, pourquoi ? »

Il haussa les épaules.

« J'imagine que certaines personnes se sont fourrées dans le crâne qu'il était impliqué dans le meurtre de Sibyl Adams.

— Il n'était même pas là quand c'est arrivé, répliqua-t-elle, incrédule. Pourquoi irait-on penser ça ?

— Je n'en sais rien, Sara. Il soupira, laissant retomber la main. Je me doutais qu'il allait se produire quelque chose. Il y a trop de gens pressés de tirer des conclusions. Trop de gens qui s'agitent pour que cette histoire ne dérape pas.

— Des gens comme qui ?

— Je ne sais pas, admit-il. Je suis resté chez le vieux Will pour m'assurer qu'il était en sécurité. Nous regardions un film quand j'ai entendu du bruit dehors. » Jeffrey secoua la tête, comme s'il ne parvenait toujours pas à croire à ce qui s'était produit. « Je me suis levé du canapé pour voir ce qui se passait, et l'une des fenêtres latérales a éclaté, comme ça. Il claqua des doigts. Ensuite, tout ce que je sais, c'est que je me suis retrouvé par terre, et j'avais la jambe en feu. Dieu merci, Will était assis dans son fauteuil, sans quoi il aurait été touché, lui aussi.

— Qui a fait ça ?

— J'en sais rien », avoua-t-il, mais elle voyait bien, à la crispation de sa mâchoire, qu'il en avait une idée assez précise.

Elle était sur le point de poursuivre ses questions, quand il tendit la main et la posa sur sa hanche.

« Tu es superbe. »

Son pouce se glissa sous son chemisier, lui caressant la peau, et Sara sentit une petite décharge d'électricité. Ses doigts se faufilèrent sous son vêtement, dans son dos. Leur contact était chaud.

« J'avais un rendez-vous », expliqua-t-elle, et une bouffée de remords monta en elle quand elle songea à Jeb, resté chez elle. Il s'était montré fort compréhensif, comme d'habitude, mais elle n'était tout de même pas fière de l'avoir abandonné.

Jeffrey l'observa, les yeux mi-clos. Soit il ne la croyait pas au sujet de ce rendez-vous, soit il se refusait à admettre que ça puisse être sérieux.

« J'aime beaucoup tes cheveux défaits, lui déclara-t-il. Tu le savais ?

— Ouais, fit-elle, en posant la main sur la sienne, arrêtant son geste, rompant le charme. Pourquoi ne m'as-tu pas avertie que tu avais de la tension artérielle ? »

Jeffrey laissa retomber son bras.

« Je ne voulais pas ajouter une faute de plus à la liste. »

Son sourire était un peu forcé, un peu incongru, avec ce regard vitreux. Comme Sara, il prenait rarement de médicaments plus forts que de l'aspirine, et le Demerol semblait opérer rapidement.

« Donne-moi ta main », la pria-t-il. Elle secoua la tête, mais il persévéra, en lui tendant la sienne. « Tiens-moi la main.

— En quel honneur ?

— Parce que ce soir, tu aurais pu me retrouver à la morgue, et pas à l'hôpital. »

Elle se mordit la lèvre, luttant contre les larmes qui voulaient jaillir.

« Maintenant ça va, le rassura-t-elle, en lui posant la main contre la joue. Dors. »

Il ferma les yeux. Elle voyait bien qu'il luttait pour rester éveillé, pour conserver toute son attention.

« Je n'ai pas envie de dormir », protesta-t-il, et il plongea dans le sommeil.

Sara resta les yeux fixés sur lui, regarda son torse se soulever et retomber au rythme de sa respiration. Elle tendit le bras, lui dégagea le front en lissant ses cheveux, y laissa la paume quelques secondes avant de lui caresser la joue avec le dos de la main. Une barbe naissante lui constellait le visage et le cou. Ses doigts effleurèrent légèrement cette ombre, et elle sourit aux souvenirs que cela lui évoquait. Ainsi, dans son sommeil, il lui rappelait le Jeffrey dont elle était tombée amoureuse : l'homme qui l'écoutait lui raconter sa journée, l'homme qui lui tenait les portes, qui tuait les araignées et savait changer les piles des détecteurs de fumée. Sara finit par lui prendre la main et l'embrassa avant de quitter la pièce.

Elle prit son temps pour remonter le couloir en direction du bureau des infirmières, et se sentit envahie par une sensation d'épuisement. L'horloge murale attestait qu'elle était là depuis une heure, et elle s'aperçut avec un tressaillement qu'elle en était revenue au temps de l'hôpital, où huit heures filaient à la vitesse de huit secondes.

« Il s'est endormi ? », lui demanda Ellen.

Sara s'accouda au comptoir du service des admissions.

« Oui, répondit-elle. Il va très bien s'en tirer. »

Ellen sourit.

« J'en suis certaine.

— Ah, te voilà, s'écria Hare, en l'attrapant par les épaules. Quel effet ça fait d'être de retour dans un véritable hôpital, avec de vrais docteurs ? »

Sara échangea un regard avec Ellen.

« Il va te falloir être indulgente avec mon cousin, Ellen. Ce qui lui manque côté taille et cheveux, il le compense en se conduisant comme un con.

— Oh. » Hare grimaça, cette fois en enfonçant carrément les pouces dans les épaules de sa cousine. « Tu veux bien relever les infos à ma place, pendant que je cours me chercher un morceau à manger ?

— Alors, qu'est-ce que nous avons en magasin ? », s'enquit-elle, en songeant que rentrer chez elle n'était certainement pas ce qu'elle avait de mieux à faire pour le moment.

Ellen lui glissa un petit sourire.

« Nous avons un gros consommateur de voyages aériens qui subit une thérapie par lumière fluorescente chambre deux. »

Sara éclata de rire. Dans le jargon crypté des hôpitaux, Ellen venait d'évoquer un hypocondriaque, que l'on avait allongé en le priant de ne pas quitter des yeux les lampes du plafond jusqu'à ce qu'il ressente une amélioration de son état.

« Microbêta », conclut Hare. En d'autres termes, à ce patient-là, il manquait une case.

« Quoi d'autre ?

— Un gamin de la fac qui cuve sa cuite avec une longue sieste », poursuivit Ellen.

Sara se tourna vers Hare.

« Je ne sais pas si je peux accepter de prendre en charge des cas aussi complexes. »

Il la caressa sous le menton.

« Quelle gentille fille.

— Je crois que je devrais aller déplacer ma voiture », fit-elle soudain, se souvenant de s'être garée sur la place réservée aux handicapés. Comme tous les flics de la ville connaissaient le cabriolet dans laquelle elle roulait, elle doutait de vraiment risquer une contravention. Néanmoins, elle avait envie de sortir s'aérer un peu, de prendre le temps de rassembler ses esprits, avant de revenir s'enquérir de l'état de Jeffrey.

« Comment va-t-il ? voulut savoir Lena dès qu'elle la vit se présenter dans la salle d'attente. Sara balaya la pièce du regard, étonnée de la trouver déserte, en dehors de Lena Adams.

— On a observé le silence radio, lui assura la policière. Ce genre de truc... Elle laissa sa phrase en suspens.

— Ce genre de truc, quoi ? répliqua Sara. Y aurait-il quelque chose que je n'aurais pas saisi, Lena ?

La jeune femme détourna le regard, l'air nerveux.

— Tu sais qui a fait ça, hein ? », lui lança-t-elle.

Elle secoua la tête.

« J'en suis pas sûre.

— C'est là que se trouve Frank ? Il est en train d'aplanir ce petit problème ? »

Lena haussa les épaules.

« J'en sais rien. Il m'a déposée ici au passage.

— C'est très commode de ne pas savoir de quoi il

retourne, quand on ne prend pas la peine de poser des questions, lui répliqua-t-elle, cinglante. J'imagine que le fait que ce soir Jeffrey aurait pu mourir t'a complètement échappé.

— Non, je le sais bien.

— Ah ouais ? s'écria Sara. Qui est-ce qui devait surveiller ses arrières, Lena ? »

Cette dernière allait répondre, mais elle se détourna sans avoir prononcé un mot.

Sara poussa des deux mains les portes à battants du service des urgences, qui s'ouvrirent à la volée, et elle sentit monter sa colère. Elle savait très exactement ce qui était en train de se produire. Frank avait identifié le responsable, celui qui avait tiré sur Jeffrey, mais il tenait sa langue en vertu d'un obscur principe de loyauté, probablement au bénéfice de Matt Hogan. Qu'est-ce qui se tramait dans la tête de Lena, elle n'osait même pas le deviner. Après tout ce que Jeffrey avait fait pour elle, que Lena le laisse choir de la sorte était inexcusable.

Elle respira profondément, s'efforçant de se calmer tout en contournant l'hôpital. Jeffrey aurait pu se faire tuer. Un éclat de verre aurait pu se ficher dans l'artère fémorale et le saigner à mort. D'ailleurs, le coup de feu initial aurait fort bien pu le cueillir à la poitrine au lieu de traverser la fenêtre. S'il était mort, Sara se demandait ce que fabriqueraient Frank et Lena à l'heure qu'il était. Ils seraient probablement en train de tirer à la courte paille pour savoir lequel des deux s'attribuerait son bureau.

« Oh, mon Dieu. » Devant la vision de sa voiture, elle s'arrêta net. Couchée sur le capot, il y avait une jeune femme nue, les bras écartés. Elle gisait sur le dos, les pieds croisés au niveau des chevilles, dans une posture presque décontractée. D'instinct, son premier mouvement fut de lever les yeux en l'air, pour vérifier si la jeune femme n'avait pas sauté d'une des fenêtres. Or, de ce côté-ci du bâtiment de deux étages, il n'y avait pas de fenêtres, et le capot ne présentait pas de trace d'impact.

Vivement, elle s'avança de trois pas vers la voiture, prit le pouls de la jeune femme. Elle perçut sous ses doigts une palpitation rapide et forte, et elle bredouilla une petite prière avant de retourner dans l'hôpital au pas de course.

« Lena ! »

Lena se leva d'un bond, poings serrés, comme si elle s'attendait à ce que Sara vienne déclencher un pugilat.

« Apporte une civière », lui ordonna-t-elle. Comme Lena restait figée, elle hurla. « Vite ! »

Sara retourna en courant auprès de la jeune femme, s'attendant presque qu'elle ait disparu. Pour elle, tout évoluait au ralenti, même le vent dans ses cheveux.

« Madame ? » s'écria-t-elle, haussant suffisamment le ton pour qu'on l'entende dans toute la ville. La jeune femme ne répondit pas. « Madame ? », essaya-t-elle encore. Toujours rien.

Elle observa le corps, n'y décelant aucun signe de traumatisme. La peau était rose et très pigmentée, très chaude aussi, en dépit de la fraîcheur du soir. Avec les bras écartés et les pieds croisés de la sorte, on aurait pu la croire simplement endormie. Sous la lumière crue, elle s'aperçut de la présence de sang coagulé sur le contour des paumes. Elle leva une main, pour l'examiner de près, et le bras se déplaça sur le côté, décrivant une trajectoire étrange. Il y avait manifestement une luxation de l'épaule.

Elle revint au visage de la jeune femme et fut effarée de s'apercevoir qu'on lui avait appliqué un bout d'adhésif métallisé pour tuyauterie sur la bouche. Elle ne se rappelait pas l'avoir vu avant de retourner à l'intérieur de l'hôpital. Elle l'aurait forcément remarqué. Une bouche bâillonnée n'est pas le genre de détail qui passe inaperçu, surtout quand l'adhésif en question mesure au moins cinq centimètres de large sur une quinzaine de longueur, et qu'il est argent foncé. Une fraction de seconde, elle resta paralysée, mais la voix de Lena Adams la ramena à la réalité.

« C'est Julia Matthews », annonça-t-elle, mais aux oreilles de Sara, sa voix résonna comme très distante.

« Sara ? », s'exclama Hare, qui s'approchait rapidement de la voiture. La vision de cette jeune femme nue le laissa bouche bée.

« D'accord, d'accord », grommela-t-elle, tâchant de garder son calme. Elle lança à Hare un regard de pure panique, et il le lui rendit. Hare avait l'habitude des surdoses de drogue ou des crises cardiaques, mais pas du tout de ce genre de situation.

Comme pour leur rappeler à tous deux le lieu où ils se trouvaient, le corps de la jeune femme entra en convulsions.

« Elle va vomir », s'exclama Sara, en attrapant le bord du bâillon adhésif. Sans hésiter, elle arracha le bandeau. D'un geste preste, elle retourna la jeune fille sur le côté, lui maintint la tête en bas, et cette dernière vomit par à-coups. Une odeur aigre se répandit, comme du cidre ou de la bière éventée, et Sara dut se détourner pour aspirer une grande goulée d'air.

« Tout va bien », chuchota-t-elle. Elle caressa la chevelure brune et sale de la jeune blessée pour la lui ramener derrière l'oreille, et se rappela qu'elle avait eu le même geste avec Sibyl, deux jours plus tôt. Les vomissements cessèrent brusquement, et elle la remit doucement sur le dos, en lui maintenant la tête.

« Elle ne respire plus », l'avertit Hare d'un ton pressant.

Sara lui dégagea la gorge en y plongeant le doigt, étonnée de sentir une sorte de résistance. Au bout de quelques secondes, elle en sortit un permis de conduire plié en deux, qu'elle tendit à une Lena Adams interloquée.

« La respiration reprend », annonça Hare dont la voix trahissait le soulagement.

Elle s'essuya les doigts sur sa jupe, non sans regretter de ne pas avoir eu une paire de gants.

Ellen, la mâchoire crispée, s'approcha de la voiture au petit trot en pilotant une longue civière devant elle. Sans un mot, elle se posta aux pieds de Julia Matthews et guetta le signal de Sara.

Cette dernière compta jusqu'à trois, puis toutes deux déplacèrent la jeune femme sur la civière. Sara sentit la nausée lui remonter dans la bouche et, l'espace de quelques secondes, se vit sur cette civière à la place de la victime. Sa bouche se dessécha et elle se sentit envahie par l'engourdissement.

« Prêt », signala Hare, en sanglant la jeune femme sur la couchette.

Sara suivit le brancard à petites foulées tout en tenant la main de Julia. Le temps qu'il leur fallut pour regagner l'intérieur de l'hôpital leur parut interminable. Quand ils pénétrèrent dans la première salle de traumatologie, la civière leur donnait l'impression de rouler dans de la colle. A chaque secousse, la jeune femme émettait de faibles plaintes de douleur. Brièvement, Sara perçut toute sa terreur.

Douze années s'étaient écoulées depuis qu'elle avait cessé de pratiquer la médecine des urgences, et il lui fallut se concentrer sur les tâches les plus pressantes. Mentalement, elle se repassa ce qu'elle avait appris à ses tout débuts. Comme pour l'inciter à agir, Julia se mit à éternuer, puis fut prise de halètements et sembla chercher de l'air. La première des priorités était d'établir une voie respiratoire.

« Seigneur », siffla-t-elle en ouvrant la bouche de la victime. Sous les lampes puissantes de la salle de soins intensifs, elle découvrit que les quatre incisives supérieures avaient été arrachées, visiblement au cours de ces derniers jours. Une fois encore, elle se sentit parcourue d'un frisson glacial. Elle tenta de lutter contre. Il fallait qu'elle se concentre sur cette femme en tant que patiente, sinon elles couraient toutes deux au-devant de graves ennuis.

En l'espace de quelques secondes, elle intuba Julia Matthews en faisant attention à ne pas lui abîmer davantage la peau autour de la bouche avec le ruban adhésif. Quand le respirateur artificiel démarra, elle réprima un mouvement de recul. Ce bruit la rendait presque malade.

« A l'oreille, le cœur est bon, lui indiqua Hare, en tendant à Sara un stéthoscope.

— Sara ? fit Ellen. Je n'arrive pas à obtenir de pouls aux extrémités.

— Elle est déshydratée », en déduisit Sara, en tentant de trouver une veine sur l'autre bras. « De toute façon, il va falloir piquer un cathéter sur une veine profonde. » Elle tendit la main pour attraper une aiguille, mais n'en trouva aucune.

« Je vais en chercher une en salle deux », l'informa Ellen avant de quitter la pièce.

Sara retourna auprès de la jeune femme allongée sur le lit. Elle ne présentait apparemment ni hématomes ni coupures sur le corps, mis à part les marques aux mains et aux pieds. Sa peau était chaude au toucher, symptôme qui pouvait correspondre à quantité d'affections. Elle se refusait à tirer des conclusions hâtives, mais déjà les similitudes entre Sibyl Adams et la jeune Julia lui venaient à l'esprit. Toutes deux étaient menues. Et toutes deux étaient brunes.

Elle contrôla les pupilles.

« Dilatées », commenta-t-elle, à voix haute, comme l'exigeaient les règles de la médecine légale.

Elle souffla, lentement, remarquant pour la première fois la présence de Hare et Lena dans la pièce.

« Comment s'appelle-t-elle ? voulut savoir Sara.

— Julia Matthews, lui dit Lena. Nous sommes allés à sa recherche sur le campus. Elle était portée disparue depuis deux jours. »

Hare jeta un coup d'œil au monitoring.

« Le pouls retombe. »

Sara vérifia le respirateur artificiel.

« La concentration d'oxygène est réglée à trente pour cent. Monte-la un peu.

— C'est quoi, cette odeur ? », intervint Lena.

Sara renifla tout près du corps de la jeune femme.

« Du chlore ? »

Lena huma de nouveau l'odeur.

« De l'eau de Javel », confirma-t-elle.

Hare hocha la tête à son tour.

Sara examina soigneusement l'épiderme. Il présentait des traces d'éraflures superficielles de la tête aux pieds. Pour la première fois, elle remarqua que la toison pubienne avait été rasée. A en juger par la discrétion de la repousse, cela devait remonter à la veille ou à quelques jours.

« Il l'a récurée à fond. »

Elle se pencha pour sentir l'haleine de la jeune femme, mais ne perçut pas l'odeur forte qui se dégageait habituellement après une ingestion d'eau de Javel. Elle avait bien remarqué, tout à l'heure en l'intubant, que l'arrière-gorge était un peu rouge, mais rien qui sorte de l'ordinaire. A l'évidence, on lui avait administré de la belladone, ou en tout cas une substance voisine. La peau était si chaude au contact qu'elle sentait cette chaleur à travers les gants.

Ellen entra dans la salle. Sara regarda l'infirmière ouvrir la pochette du cathéter posée sur l'un des plateaux. Les mains d'Ellen n'étaient pas aussi assurées que d'ordinaire. C'est ce constat qui l'effraya plus encore que tout le reste.

Quand Ellen planta l'aiguille de sept centimètres et demi dans la veine jugulaire de Julia Matthews, Sara retint son souffle. L'aiguille, que l'on appelait un intubateur, tiendrait lieu d'entonnoir pour trois ports séparés d'intraveineuse. Quand on aurait identifié la substance qui avait été administrée à la jeune femme, Sara utiliserait l'un des deux ports supplémentaires pour en contrecarrer les effets.

Ellen s'écarta de la patiente, et attendit les instructions de Sara.

Cette dernière énuméra les examens nécessaires à

toute vitesse, tout en injectant par les ports d'intraveineuse une solution d'héparine pour empêcher la formation d'un caillot.

« Taux de gaz sanguins, dépistage toxicologique, bilan hépatique, numération de la formule sanguine, électrolyte vingt-sept. Tant que vous y êtes, sortez-moi aussi un cœff de coagulation. Elle marqua un temps d'arrêt. Et puis un bilan urinaire. Avant de tenter quoi que ce soit d'autre, je veux comprendre ce qui se passe. Il y a quelque chose qui la maintient dans les vapes. Je crois savoir quoi, mais j'ai besoin d'en avoir la certitude.

— Très bien », acquiesça Ellen.

Sara vérifia si elle obtenait un retour sanguin positif, puis elle alimenta de nouveau les perfusions.

« Sérum phy, à fond. »

Ellen obtempéra, en réglant l'intraveineuse correspondante.

« Disposez-vous d'un appareil de radiographie portatif ? Il faut que je vérifie si j'ai piqué correctement, fit-elle en désignant le cathéter de la jugulaire. En plus, je voudrais une radio du torse, un cliché horizontal de l'abdomen et un aperçu de l'épaule.

— Je vais aller chercher l'appareil au bout du couloir dès que j'aurai terminé les analyses de sang.

— Ah oui, vérifiez-moi aussi les GHB, histoire de se couvrir. Tout en parlant, elle ajusta l'embout autour de l'aiguille. Il va nous falloir effectuer un examen complet pour cas de viol.

— De viol ? s'enquit Lena, en avançant d'un pas.

— Oui, confirma-t-elle d'un ton sec. Sinon, pourquoi lui aurait-on infligé pareil traitement ? »

Lena plissa les lèvres, mais aucun mot ne sortit de

sa bouche. Manifestement, jusqu'à ce stade, elle avait séparé cette affaire de celle de sa sœur. Elle se tenait au pied du lit, le corps raide comme un piquet, et observait fixement la jeune femme. Sara se remémora le soir où elle s'était présentée à la morgue pour voir Sibyl Adams. Sous le coup de la colère, la bouche de la jeune inspectrice s'était réduite à un trait mince et rectiligne.

« Son état m'a l'air stationnaire », se risqua à remarquer Ellen, en s'adressant plutôt à elle-même.

Sara la regarda effectuer le prélèvement d'un peu de sang dans l'artère radiale au moyen d'une petite seringue. Elle se massa le poignet, sachant combien cette ponction pouvait être douloureuse. Elle s'appuya contre le lit, les mains posées sur le bras de Julia Matthews, tâchant de lui communiquer ainsi la sensation qu'elle était désormais en sécurité.

« Sara ? » C'était Hare qui l'arrachait doucement à ses pensées.

« Mhh ? » Elle tressaillit. Tous trois la regardaient. Elle se retourna vers Lena. « Pouvez-vous aider Ellen à rapporter l'appareil de radiologie portatif ? s'enquit-elle, en s'efforçant de conserver une voix ferme.

— Ouais », fit Lena, en lui adressant un regard bizarre.

Ellen remplissait la dernière seringue.

« C'est au bout du couloir », expliqua l'infirmière à l'inspectrice.

Sara les entendit s'éloigner, mais elle ne quitta pas Julia Matthews des yeux. Son champ de vision se rétrécit, et pour la deuxième fois c'est elle-même qu'elle découvrit sur la civière, et elle vit un docteur se pencher sur elle, lui prendre le pouls, contrôler ses fonctions vitales.

« Sara ? » Hare avait les yeux posés sur les mains de la victime, et elle se remémora les marques qu'elle avait d'abord vues sur le parking.

Les deux paumes présentaient des perforations, en leur centre. Elle jeta un coup d'œil aux pieds, et releva qu'ils étaient, eux aussi, percés de la même manière. Elle se pencha pour examiner les blessures, qui coagulaient rapidement. Des fragments de rouille ajoutaient leur coloration au sang séché et noirci.

« La paume a été transpercée de part en part », constata-t-elle. Elle regarda sous les ongles de la jeune fille, et identifia de fines échardes fichées dessous. Du bois, constata-t-elle, en se demandant pourquoi un individu se donnerait la peine de nettoyer la victime à l'eau de Javel pour effacer toute trace matérielle, mais en lui laissant ces éclats de bois sous les ongles. Ce n'était pas cohérent. Et pour ensuite l'installer sur sa voiture dans une position pareille.

Elle rumina tout cela dans sa tête, une conclusion s'imposa soudain et, en réaction, elle ressentit un léger pincement au creux du ventre. Elle ferma les yeux, se la représenta telle qu'elle l'avait découverte la première fois : les jambes croisées aux chevilles, les bras à quatre-vingt-dix degrés par rapport au corps.

La jeune femme avait été crucifiée.

« Ce sont des blessures par perforation, n'est-ce pas ? », s'enquit Hare.

Elle hocha la tête, sans détacher les yeux de la jeune femme. Son organisme avait été correctement alimenté et sa peau bien entretenue. Il n'y avait pas de marques d'aiguilles susceptibles de signaler l'administration prolongée de drogues. Elle s'arrêta au beau milieu de ses conjectures, s'apercevant qu'elle étudiait ce corps comme si elle se trouvait à la morgue, et non à l'hôpital. Comme par coïncidence, le moniteur signala une défaillance cardiaque, et le sifflement strident de l'appareil mit Sara en garde.

« Non », siffla-t-elle en se penchant au-dessus de la jeune femme et en entamant des compressions ventriculaires. « Hare, le sac respiratoire. »

Il fouilla dans les tiroirs pour en trouver un. En l'espace de quelques secondes, il avait déjà commencé de lui pomper de l'air dans les poumons.

« Elle est en tachycardie ventriculaire, prévint-il.

— Doucement », conseilla-t-elle, et elle grimaça en sentant une côte de la patiente craquer sous ses doigts. Elle garda les yeux rivés sur Hare, pour l'inciter à la soutenir. « Un, deux, tu appuies. Vite et fort. Reste calme.

— D'accord, d'accord », grommela-t-il, en se concentrant sur la compression du sac respiratoire.

Malgré la grande publicité dont jouissait la réanimation cardio-pulmonaire, ce n'était jamais qu'une mesure provisoire. Ce geste médical consistait à forcer le cœur à irriguer le cerveau, mais le résultat obtenu était très rarement aussi efficace qu'avec un cœur en bonne santé accomplissant la tâche de lui-même. Si elle s'arrêtait, l'organe vital s'arrêterait lui aussi. C'était une procédure destinée à gagner du temps, en attendant que l'on soit en mesure de tenter autre chose.

Lena, visiblement alertée par les hurlements du moniteur, revint dans la pièce en courant.

« Que s'est-il passé ?

— Elle a flanché », lui répondit Sara, mais elle aperçut Ellen dans le couloir, ce qui contribua un peu à la soulager. « Une ampoule d'épinéphrine », ordonna-t-elle.

Elle observa Ellen avec impatience, le temps que l'infirmière décapsule un flacon d'épinéphrine et qu'elle assemble la seringue.

« Seigneur. » En voyant Sara administrer le médicament directement dans le cœur de la jeune femme, Lena eut un haut-le-cœur et se détourna.

La voix de Hare grimpa de plusieurs octaves.

« Elle est en fibrillation ventriculaire. »

D'une main, Ellen attrapa les deux raquettes de l'électrochoc sur le chariot derrière elle, et de l'autre elle enclencha le défibrillateur en charge.

« Deux cents », commanda Sara. Lorsqu'elle envoya la décharge, le corps de la patiente exécuta un bond en l'air. Elle surveilla le moniteur, se rembrunit en ne constatant aucune réaction correspondante. Elle déclencha deux chocs supplémentaires, avec la même conséquence.

« Lidocaïne, ordonna-t-elle, tandis qu'Ellen débouchait un autre flacon.

— Electrocardiogramme plat, annonça Hare.

— Encore. Sara attrapa les raquettes. Trois cents », commanda-t-elle.

De nouveau, elle fit subir un choc électrique à la jeune femme. Encore une fois, sans aucune réaction. Elle se sentit parcourue d'une sueur froide.

« Epinéphrine. »

Le bruit de la capsule, quand elle sauta du flacon, perça l'oreille de Sara avec la force d'une aiguille. Elle s'empara de la seringue, injectant une fois encore le dérivé d'adrénaline directement dans le cœur. Tous trois attendirent.

« Electrocardiogramme plat, répéta Hare.

— On augmente jusqu'à trois cent soixante. »

Pour la cinquième fois, une décharge électrique traversa le corps inerte, sans réaction.

« Bordel de Dieu, bordel de Dieu, marmonna Sara, en reprenant les compressions ventriculaires. Combien de temps ? », s'écria-t-elle.

Hare jeta un œil à la pendule.

« Douze minutes. »

Pour Sara, elles s'étaient écoulées comme deux secondes.

Lena avait dû sentir, au ton de la voix de Hare, où il voulait en venir avec cette information.

« Ne la laissez pas mourir. Je vous en prie, ne la laissez pas mourir, chuchota-t-elle à voix basse.

— Sara, la prévint Hare, elle est en asystolie prolongée. » Il lui signifiait qu'il était trop tard. Le moment était venu de s'arrêter, de laisser tomber.

Sara le fixa du regard, les yeux réduits à deux fentes. Elle se retourna vers Ellen.

« Je vais lui ouvrir la poitrine. »

Hare secoua la tête.

« Sara, ici, sur place, nous ne disposons pas des équipements nécessaires. »

Elle l'ignora. Elle tâta les côtes de la victime, grinça des dents lorsqu'elle entra en contact avec celle qu'elle avait cassée. Quand ses doigts atteignirent le bas du diaphragme, elle s'arma d'un scalpel et pratiqua une ouverture d'une quinzaine de centimètres dans la partie supérieure de l'abdomen. Elle introduisit la main par cette incision, la faufila sous la cage thoracique, puis à l'intérieur de la poitrine.

Elle conserva les yeux fermés, faisant ainsi abstraction de l'hôpital pendant qu'elle massait le cœur de la patiente. Tandis qu'elle serrait le cœur dans sa main, tentant de rétablir manuellement la circulation sanguine, le moniteur afficha un faux espoir. Un frétillement se déclara sous ses doigts, et ses oreilles captèrent la tonalité légèrement perçante. Rien d'autre ne comptait, elle attendait que le cœur réagisse. C'était comme de serrer un petit ballon rempli d'eau chaude. Sauf que ce ballon, c'était la vie.

Elle suspendit son geste. Elle compta cinq secondes, huit, puis jusqu'à douze, avant d'être récompensée par les bips émis spontanément par le moniteur cardiaque.

« C'est elle ou c'est toi ? s'enquit Hare.

— Elle, se risqua-t-elle à affirmer, en ressortant la main de l'ouverture. Branchez-lui un goutte-à-goutte de lidocaïne.

— Seigneur Jésus, marmonna Lena, la main contre la poitrine. Je n'arrive pas à croire que vous venez de faire ça. »

Sara retira ses gants avec un claquement, sans répondre.

La pièce était silencieuse, excepté les bips du moniteur et le va-et-vient du respirateur.

« Bien, ajouta-t-elle. On va effectuer un Darkfield pour la syphilis et une coloration Gram pour la gonorrhée. Elle sentit une rougeur lui monter au visage. Je suis persuadée qu'il a utilisé un préservatif, mais notez de prévoir un suivi d'ici quelques jours pour une grossesse éventuelle. » Elle eut conscience d'un tremblement dans sa voix que ni Ellen, ni Lena, espérait-elle, n'avaient relevé. Quant à Hare, c'était autre chose. Elle était capable de l'entendre penser sans même avoir à le regarder.

Il eut l'air de percevoir sa nervosité et s'efforça de prendre la chose à la légère.

« Bon Dieu, Sara. Je n'ai jamais vu d'incision aussi bâclée. »

Sara s'humecta les lèvres, imposant à son cœur de retrouver son calme.

« J'ai fait en sorte de ne pas te porter ombrage.

— Prima Donna, ironisa-t-il en épongeant la transpiration de son front avec un tampon de gaze chirurgicale. Seigneur Dieu. Il eut un rire gêné.

— On n'a pas trop l'occasion d'assister à ce genre d'intervention, par ici », avoua Ellen en plaçant des compresses dans l'incision afin d'en maîtriser le saignement jusqu'à ce qu'elle soit refermée. « Je peux toujours appeler Larry Headley, à Augusta. Il habite à une quinzaine de minutes d'ici.

— Je t'en serais très reconnaissante, la remercia Sara, en sortant une paire de gants de la boîte murale.

— Ça ira ? s'enquit Hare, l'air de rien. Ses prunelles trahissaient son inquiétude.

— Ça ira, lui assura Sara, en vérifiant l'intraveineuse. J'imagine que vous pourriez me dégoter Frank ? », lança-t-elle ensuite à Lena.

Celle-ci eut la décence de prendre un air embarrassé.

« Je vais voir. »

Elle quitta la pièce, la tête basse.

Sara attendit qu'elle soit partie avant de questionner Hare.

« Tu peux jeter un œil sur ses mains ? »

Hare garda le silence pendant qu'il examinait les

paumes de Julia Matthews, palpant la structure osseuse.

« C'est intéressant, remarqua-t-il au bout de quelques minutes.

— Quoi donc ?

— Il a évité tous les os », lui répondit-il, en imprimant une rotation au poignet. Quand il arriva à la hauteur de l'épaule, il s'arrêta. « Luxée », confirma-t-il.

Sara croisa les bras, subitement elle avait froid.

« En essayant de s'enfuir ? »

Hare fronça le sourcil.

« Te rends-tu compte de la force qu'il faut pour déplacer une omoplate ? » Il secoua la tête, incapable de se résoudre à cette idée. « Tu t'évanouirais de douleur avant d'avoir...

— Te rends-tu compte à quel point il est terrifiant de se faire violer ? » Elle le transperça du regard.

Il eut une expression peinée.

« Je suis navré, mon chou. Ça ira ? »

Des larmes lui picotèrent les paupières, et elle dut lutter pour conserver une voix égale.

« Vérifie les hanches, s'il te plaît. Je veux que tu dresses un rapport complet. »

Il s'exécuta, adressant à sa cousine un bref hochement de tête après chaque examen.

« A mon avis, il doit y avoir un ligament endommagé à la hanche, ici. Il vaudrait mieux que je vérifie tout ça une fois qu'elle sera réveillée. C'est assez subjectif.

— Que peux-tu ajouter d'autre ?

— Tous les os des mains et des pieds ont été évités. Les pieds ont été transpercés entre le deuxième et le troisième cunéiforme et le naviculaire. C'est très précis. Quel que soit celui qui a fait ça, il connaissait son affaire. » Il s'interrompit, regarda par terre pour retrouver son calme. « Je ne comprends pas ce qui peut conduire quelqu'un à commettre un acte pareil.

— Regarde donc ici », fit Sara, en désignant la peau des chevilles. Sur leur pourtour, elles présentaient toutes les deux de vilains hématomes noirs. « Visiblement, il y avait une autre entrave ici, destinée à maintenir les pieds au sol. »

Elle prit la main de la jeune fille, et remarqua une cicatrice récente au poignet. L'autre portait la même marque. A un moment donné, au cours du mois écoulé, Julia Matthews avait tenté de se suicider. La cicatrice dessinait une fine ligne blanche et verticale en travers de son poignet fluet. Un hématome noir faisait nettement ressortir cette blessure déjà plus ancienne.

Elle n'attira pas l'attention de Hare sur ce point.

« Il me semble qu'on a utilisé une courroie, sans doute du cuir.

— Je ne te suis pas.

— Le transpercement des membres, c'était symbolique.

— Symbolique de quoi ?

— De la crucifixion, j'imagine. »

Elle reposa la main le long du corps de la jeune femme.

Elle se réchauffa les bras, luttant contre la fraîcheur de la pièce. Elle alla ouvrir des tiroirs, chercha un drap pour couvrir la jeune blessée.

« Si je devais émettre une supposition, je dirais que les mains et les pieds ont été cloués à l'écart du corps.

— Une crucifixion ? Hare rejeta l'hypothèse. Ce

n'est pas ainsi que Jésus a été crucifié. Les pieds seraient joints. »

Elle le contredit sèchement.

« Hare, personne n'avait l'intention de violer Jésus. Elle, bien sûr, elle avait les jambes largement écartées. »

La pomme d'Adam de Hare dansa tandis qu'il avalait cette dernière constatation.

« C'est ça que tu pratiques, à la morgue ? »

Elle haussa les épaules, tout en cherchant un drap.

« Seigneur, tu as plus de couilles que moi », reconnut-il dans un souffle.

Elle borda le drap autour de la jeune femme, tâchant de lui apporter un peu de réconfort.

« Ça, je n'en sais rien, lâcha-t-elle.

— Et sa bouche ? lui demanda-t-il encore.

— On lui a cassé les incisives pour faciliter la fellation, je suppose.

— Quoi ? s'exclama-t-il, là encore sous le choc.

— C'est plus courant que tu ne le crois, poursuivit-elle. Et le chlore efface toute trace organique. J'imagine qu'il l'a rasée pour que nous ne puissions pas effectuer de prélèvement sur sa toison pubienne. Même dans un rapport sexuel normal, des poils sont arrachés. Il a pu aussi la raser pour sa propre excitation personnelle, naturellement. Beaucoup d'agresseurs sexuels aiment fantasmer leurs victimes comme s'il s'agissait d'enfants. Raser la toison pubienne alimente ce fantasme. »

Hare secoua la tête, dépassé par la perversité de ce crime.

« Quelle espèce de brute a pu commettre ça ? »

Sara dégagea le visage de la jeune fille.

« Une brute méthodique.

— Crois-tu qu'elle le connaissait ?

— Non », répondit-elle sans être trop certaine de rien. Elle se rendit à la paillasse où Lena avait déposé la pochette plastique spéciale pour pièce à conviction. « Pourquoi nous a-t-il restitué son permis de conduire ? Que nous sachions ou non qui elle est, cela doit lui être égal. »

Hare la questionna d'une voix où perçait l'incrédulité.

« Comment peux-tu en être si sûre ?

— Il l'a laissée... Sara tâcha de reprendre son souffle. Il l'a laissée devant l'hôpital, il l'a balancée là où n'importe qui aurait pu le voir faire. »

Elle se masqua les yeux de la main et, le temps d'une seconde, aurait aimé pouvoir se cacher. Il fallait qu'elle sorte de cette pièce. De ça, au moins, elle était sûre.

Hare semblait essayer de déchiffrer l'expression de sa cousine. Son visage, d'ordinaire ouvert et bon, se para d'un air sévère.

« Elle a été violée dans un hôpital.

— Devant un hôpital.

— La bouche bâillonnée avec un adhésif.

— Je sais.

— Par quelqu'un qui fait visiblement une fixation religieuse.

— Exact.

— Sara... »

Lena était de retour, et Sara leva la main pour l'inviter au silence.

« Frank est en route », fit la policière.

Jeudi

Quatorze

Jeffrey cligna des yeux plusieurs fois de suite, s'efforçant de ne pas sombrer à nouveau dans le sommeil. Pendant quelques secondes, il ne comprit pas où il était, mais un rapide coup d'œil dans la chambre lui remit en mémoire ce qui s'était produit la veille au soir. Il regarda vers la fenêtre, ses yeux mettant un certain temps à sortir du flou. Il vit Sara.

Il reposa la tête sur l'oreiller, laissant échapper un long soupir.

« Tu te souviens quand je te coiffais ?

— Chef ? »

Jeffrey ouvrit les yeux.

« Lena ? »

Elle s'approcha du lit, l'air gêné.

« Ouais.

— Je t'ai prise pour... Il chassa cette idée d'un revers de main. Peu importe. »

Il déploya un gros effort pour s'asseoir dans son lit, malgré la douleur qui l'élançait dans la jambe droite. Il se sentait tout courbaturé et drogué, mais il savait que s'il ne se remettait pas d'aplomb, le reste de la journée serait fichu.

« Passe-moi mon pantalon.

— Ils ont dû le jeter, lui rappela-t-elle. Tu te souviens de ce qui s'est passé ? »

Il grommela une réponse tout en posant les pieds par terre. La position debout, c'était comme d'avoir un couteau chauffé à blanc planté dans la jambe, mais la douleur était supportable.

« Peux-tu m'en dénicher un ? », insista-t-il.

Lena sortit de la chambre et il s'adossa au mur pour éviter de se rasseoir. Il tenta de se remémorer ce qui s'était passé la veille. Une part de lui-même n'avait aucune envie d'aborder la question. Il avait largement de quoi s'occuper en cherchant qui avait tué Sibyl Adams.

« Comme pantalon, tu trouves ça comment ? lui demanda-t-elle en lui lançant une combinaison d'infirmier.

— Super », approuva-t-il, et il attendit qu'elle se retourne. Il l'enfila, réprima un gémissement quand il leva la jambe. « On a une journée très remplie devant nous, souligna-t-il. Nick Shelton arrive à dix heures avec un de ses types du labo des narcotiques. On va obtenir un récapitulatif complet sur la belladone. On a ce voyou, c'est quoi son nom, déjà, Gordon. Il noua les cordons du pantalon. Je veux de nouveau m'attaquer au personnage, voir s'il n'est vraiment pas capable de se rappeler où il a vu Julia Matthews pour la dernière fois. Il s'appuya de la main contre la table. Je ne pense pas qu'il sache où elle est, mais il a peut-être vu quelque chose. »

Lena se tourna sans y avoir été invitée.

« Nous avons retrouvé Julia Matthews.

— Quoi ? s'écria-t-il. Quand ?

— Elle a refait surface à l'hôpital hier soir », lui

répondit-elle. Lena avait dans la voix une intonation qui lui fit courir une sensation de terreur dans les veines.

Il se rassit sur le lit sans même y songer.

Lena referma la porte et lui rapporta les derniers événements de la soirée. Quand elle en eut terminé, Jeffrey faisait les cent pas dans la pièce d'une démarche malaisée.

« Et elle est tout simplement réapparue comme ça, sur la voiture de Sara ? »

Lena hocha la tête.

« Où est-elle, maintenant ? demanda-t-il. La voiture, je veux dire.

— Frank l'a fait saisir, lui indiqua-t-elle sur le ton de la défensive.

— Et Frank, où est-il ? », s'emporta-t-il en se retenant à la barre du lit.

Tout d'abord, elle demeura silencieuse.

« Je ne sais pas », prétendit-elle enfin.

Il la regarda durement, car il était persuadé qu'elle savait fort bien où il se trouvait, mais refusait de l'en informer.

« Il a posté Brad à l'étage.

— Gordon est toujours en prison, exact ?

— Ouais, c'est la première chose que j'ai vérifiée. Il y est resté toute la nuit. En aucun cas il n'a pu coller cette fille sur la voiture de Sara. »

Jeffrey frappa le lit de son poing. Il le savait, hier soir, il n'aurait pas dû prendre ce Demerol. On était en plein dans une affaire, pas en congé.

« Passe-moi ma veste. » Il tendit le bras, lui prit sa veste des mains. Il sortit de la chambre en boitant,

Lena sur ses talons. L'ascenseur fut lent à venir, mais ni l'un ni l'autre ne prononça un mot. Puis :

« Elle a dormi toute la nuit, lui signala-t-elle.

— Bien. » Jeffrey enfonça le bouton du rez-de-chaussée. Quelques secondes plus tard, la sonnerie de l'ascenseur tinta, et ils descendirent ensemble, toujours en silence.

Elle fut la première à le rompre.

« A propos de la nuit dernière. Du coup de feu. »

Jeffrey l'écarta, sortit de l'ascenseur.

« On verra ça plus tard, Lena.

— C'est juste que... »

Il leva la main.

« A l'heure qu'il est, tu n'as aucune idée du peu d'intérêt que ça présente pour moi », martela-t-il en s'aidant de la main courante qui longeait le couloir pour se diriger vers Brad.

« Salut, chef, fit ce dernier, en se levant de sa chaise.

— Personne à l'intérieur ? s'assura Jeffrey tout en l'invitant à se rasseoir.

— Pas depuis que le docteur Linton est passée, vers deux heures du matin.

— Bon », ponctua Jeffrey, et il posa la main sur l'épaule de Brad tout en ouvrant la porte.

Julia Matthews était réveillée. Elle regardait fixement la fenêtre, l'œil dans le vide, et ne bougea pas quand ils entrèrent dans la chambre.

« Mademoiselle Matthews ? », dit-il, en s'appuyant de la main sur la barre du lit.

Le regard demeura immobile, et elle ne répondit rien.

« Depuis que Sara lui a retiré l'intubation, elle n'a pas prononcé un mot. »

Il regarda par la fenêtre, se demandant ce qui attirait son attention. L'aube pointait depuis environ une demi-heure, mais à part les nuages, il n'y avait rien de remarquable à voir par cette fenêtre.

« Mademoiselle Matthews ? », répéta-t-il.

Des larmes coulèrent sur son visage, mais elle resta muette. Il sortit de la chambre, en s'aidant du bras de Lena.

Dès qu'ils eurent refermé la porte, Lena le tint informé.

« Elle n'a pas ouvert la bouche de toute la nuit.

— Pas un mot ? »

Elle secoua la tête.

« Par l'intermédiaire de la faculté, nous avons obtenu un numéro à appeler en cas d'urgence, et nous sommes tombés sur une tante. La tante essaie de retrouver la trace des parents. Ils regagnent Atlanta par le premier vol disponible.

— Quand ça ? s'enquit Jeffrey, en consultant sa montre.

— Vers trois heures aujourd'hui.

— Frank et moi, nous irons les accueillir, décida-t-il, et il se tourna vers Brad Stephens. Brad, vous êtes resté ici toute la nuit.

— Oui, monsieur.

— Lena va vous relever pendant deux ou trois heures. » Il regarda Lena, la mettant au défi de protester. Comme rien ne vint, il ajouta un dernier mot. « Ramène-moi à la maison, puis au poste. De là, tu pourras regagner l'hôpital à pied. »

Jeffrey resta les yeux fixés droit devant lui, tandis

que Lena le conduisait chez lui, et il s'efforçait de réfléchir aux événements de la veille. Il sentit dans sa nuque une raideur que même une poignée de cachets d'aspirine ne pourrait dissiper. Il ne parvenait toujours pas à surmonter cette léthargie due au médicament qu'on lui avait administré, et même s'il finissait par accepter l'idée que tout cela s'était produit à trois portes de l'endroit où il dormait comme un bébé, son cerveau s'égarait un peu en tous sens. Dieu merci, Sara était là, sans quoi il aurait eu deux victimes sur les bras au lieu d'une.

Le cas de Julia Matthews était la preuve que le tueur changeait d'échelle. Il était passé d'une agression et d'un meurtre promptement exécutés dans des toilettes à la détention d'une jeune fille plusieurs jours d'affilée, afin de prendre tout son temps avec elle. Il avait déjà constaté ce type de comportement, à maintes et maintes reprises. Les violeurs en série apprennent à tirer parti de leurs erreurs. Ils consacrent leur vie à élaborer le meilleur moyen d'atteindre leur objectif, et tandis que Jeffrey et Lena s'entretenaient de la meilleure méthode pour le capturer, ce violeur, ce meurtrier, lui, était en train de peaufiner son savoir-faire.

Il fit répéter à Lena son récit concernant Julia Matthews, tentant de repérer si son contenu variait selon les versions, afin d'en extraire d'éventuels nouveaux indices. Il n'en releva aucun. Lena excellait à rapporter les faits tels qu'elle les avait constatés, et rien de neuf ne sortit de son second compte rendu.

« Et après, que s'est-il produit ? demanda-t-il.

— Après le départ de Sara ? »

Il hocha la tête.

« Le docteur Headley est arrivé d'Augusta. Il l'a refermée. »

Jeffrey s'aperçut que, tout au long de sa narration des événements de la nuit dernière, Lena parlait d'« elle », sans jamais citer le nom de la jeune femme. Au sein des forces de l'ordre, il n'était pas rare que l'on se penche sur le criminel plutôt que sur la victime, et Jeffrey avait toujours estimé que c'était le moyen le plus rapide de perdre de vue la raison première pour laquelle on exerçait ce métier. Il n'avait pas envie que Lena cède à ce travers, surtout après ce qui était arrivé à sa sœur.

Aujourd'hui, il constatait chez son adjointe quelque chose de changé. Qu'il s'agisse d'un degré de tension ou d'une colère accrue, il était incapable de trancher. Tout son corps paraissait vibrer sous le coup de cette émotion, et son objectif à lui était de la ramener à l'hôpital, où elle pourrait se poser et décompresser. Il savait qu'elle ne quitterait pas sa garde au chevet de Julia Matthews. L'hôpital était le seul endroit où il pouvait avoir l'assurance qu'elle se tiendrait à carreau. En outre, cela comportait un autre avantage : au moins, si elle devait faire une dépression nerveuse, elle serait au bon endroit. Mais pour l'heure, il avait besoin de se servir d'elle. Il avait besoin qu'elle soit ses yeux et ses oreilles au sujet de ce qui s'était produit la nuit précédente.

« Dis-moi de quoi Julia avait l'air », lui demanda-t-il.

Lena frappa un petit coup sur le klaxon, faisant déguerpir un écureuil de la chaussée.

« Eh bien, elle avait l'air normal. » Elle s'interrompit. « Je veux dire, à en juger d'après son allure extérieure, j'aurais pris ça pour une overdose ou un truc dans ce genre. Jamais je n'aurais parié pour un viol.

— Qu'est-ce qui t'a convaincue du contraire ? »

De nouveau, la mâchoire de Lena se crispa.

« Le docteur Linton, je suppose. Elle m'a montré les perforations qu'elle avait aux mains et aux pieds. Je devais être aveugle, je ne sais pas. Pourtant, avec l'odeur de Javel et tout le reste, ça n'aurait pas dû m'échapper.

— Tout le reste ?

— Juste, tu vois, des signes physiques que quelque chose n'allait pas. » Lena observa à nouveau un silence. A en juger par le ton de sa voix, elle paraissait sur la défensive. « Elle avait la bouche scotchée, vu ? Et puis son permis de conduire fourré au fond de la gorge. J'imagine qu'elle avait l'air d'avoir subi un viol, mais moi je n'ai rien vu. Je ne sais pas pourquoi. J'aurais dû m'en rendre compte. Je ne suis pas stupide. Simplement, elle avait l'air normal, tu vois ? Pas du tout l'air d'une victime de viol. »

Cette dernière remarque le surprit.

« A quoi ça ressemble, une victime de viol ? »

Lena haussa les épaules.

« A ma sœur, j'imagine, maugréa-t-elle. A quelqu'un qui n'a pas vraiment les moyens de se défendre. »

Jeffrey s'était attendu à une description physique, à un commentaire sur l'état du corps de Julia Matthews.

« Je ne te suis pas, fit-il.

— Peu importe.

— Non, insista Jeffrey. Dis-moi. »

Lena parut réfléchir à la manière de formuler son idée.

« Je crois que pour Sibyl, commença-t-elle, je peux

comprendre, parce qu'elle était aveugle. Elle hésita. Je veux dire, il y a ces trucs qu'on raconte à propos des femmes qui en réalité auraient envie de ça et ainsi de suite. Je ne crois pas que Sibyl ait été comme ça, mais je connais les violeurs. Je leur ai parlé, j'en ai chopé. Je connais leur façon de penser. Ils ne tombent jamais sur une femme dont ils pourraient craindre la résistance.

— Tu crois ça ? »

Lena haussa les épaules.

« On peut toujours sortir ce tas de conneries féministes sur les femmes qui devraient avoir la liberté de faire tout ce qu'elles veulent et sur les hommes qui n'ont qu'à s'adapter, mais... » Une fois encore, elle hésita. « Le fait est là, reprit-elle. Si je gare ma voiture au milieu d'Atlanta avec les vitres baissées et la clef sur le démarreur, à qui la faute si quelqu'un me la vole ? »

Jeffrey ne saisissait pas tout à fait son raisonnement.

« Par ici, il y a des agresseurs sexuels en vadrouille, poursuivit-elle. Tout le monde sait qu'ils ne choisissent pas celles qui ont l'air de savoir se défendre. Ils tombent plutôt sur celles qui ne voudront pas ou ne pourront pas se battre. Ils choisissent les filles qui se taisent, comme cette Julia Matthews. Ou les handicapées. Comme ma sœur », ajouta-t-elle encore.

Il la dévisagea, pas certain d'adhérer à sa logique. Parfois, Lena le surprenait, mais là, ce qu'elle venait d'expliquer le laissait comme deux ronds de flan. Il se serait attendu à ce genre de propos dans la bouche d'un individu comme Matt Hogan, mais jamais de la part d'une femme. Pas même venant de Lena.

Il posa la nuque contre l'appui-tête, garda le silence quelques instants. Au bout d'un moment, il lui dit :

« Récapitule-moi l'affaire Julia Matthews. Je veux toutes les informations d'ordre matériel.

Lena prit son temps pour répondre.

— Elle a les incisives cassées. On lui a ligoté les chevilles. On lui a rasé la toison pubienne. » Elle marqua un temps de silence. « Ensuite, tu sais, il lui a nettoyé l'intérieur.

— A l'eau de Javel ? »

Lena hocha la tête.

« La bouche aussi. »

Tolliver l'observa attentivement.

« Quoi d'autre ?

— Elle ne présentait pas d'hématomes. Lena désigna ses genoux. Pas de blessures signalant qu'elle se serait défendue, ou de marques sur les mains, à part ces trous dans les paumes et les contusions provoquées par les courroies. »

Jeffrey réfléchit là-dessus. Julia Matthews avait sûrement été droguée, dès le début de sa captivité jusqu'à la fin, même si cet élément lui demeurait tout aussi incompréhensible que le reste. Le viol était un crime violent, et la plupart des violeurs prenaient davantage de plaisir à la douleur qu'ils causaient aux femmes en exerçant leur ascendant sur elles qu'à un banal rapport sexuel.

« Dis-m'en encore un peu plus, la pria-t-il. De quoi Julia avait-elle l'air, quand vous l'avez découverte ?

— Elle avait l'air d'une personne normale, répondit Lena. Je te l'ai dit.

— Nue ?

— Ouais, nue. Elle était complètement nue, étalée

sur le capot, les mains écartées, ballantes. Elle avait les chevilles croisées. En travers du capot de la voiture.

— Tu crois qu'on l'a déposée là pour une raison particulière ?

— J'sais pas. Tout le monde connaît le docteur Linton. Tout le monde sait dans quelle voiture elle roule. C'est la seule de ce modèle dans toute la ville. »

Jeffrey en eut un pincement à l'estomac. Ce n'était pas la réponse qu'il attendait. Il souhaitait que Lena lui décrive précisément la position du corps, qu'elle en tire la même conclusion que lui, à savoir que cette femme avait été exposée ainsi, nue, dans une posture de crucifixion. Il avait supposé que l'agresseur avait choisi la voiture de Sara parce que c'était celle qui était garée le plus près de l'hôpital, bien en vue. Mais la possibilité que ce geste soit dirigé vers Sara avait de quoi faire frémir.

Il délaissa un instant ces réflexions, et continua de questionner Lena.

« Que savons-nous de notre violeur ? »

Elle pesa sa réponse.

« Bon, il est blanc, parce que les violeurs ont tendance à commettre leurs viols au sein de leur propre groupe ethnique. Il est super maniaque, parce qu'il l'a nettoyée soigneusement à l'eau de Javel. L'eau de Javel, ça signifie qu'il est calé côté médecine médico-légale, parce que c'est le meilleur moyen d'éliminer toute trace physique de preuve. C'est probablement un type assez âgé, il possède sa maison, parce qu'il l'a manifestement clouée à un sol ou à un mur ou je ne sais quoi encore, et ce n'est pas le genre de chose qui se pratique facilement dans un appartement, donc il doit être bien établi dans la ville. Il n'est vraisemblablement pas marié, parce qu'il devrait pas mal d'explications à sa moitié si elle découvrait une femme clouée dans sa cave en rentrant chez elle.

— Pourquoi évoques-tu une cave ? »

Lena eut encore un haussement d'épaules.

« Je ne m'imagine pas qu'il puisse la garder à l'extérieur.

— Même s'il vit seul ?

— Non, à moins qu'il soit certain que personne ne passera par là.

— Donc, c'est un solitaire ?

— Eh bien, peut-être. Mais après, comment l'a-t-il rencontrée ?

— Bonne remarque, approuva-t-il. Sara a-t-elle envoyé un échantillon sanguin pour un bilan toxicologique ?

— Oui, lui confirma-t-elle. Elle l'a emportée avec elle à Augusta. En tout cas, c'est ce qu'elle m'a dit. Elle a ajouté qu'elle savait vers quoi orienter ses recherches. »

Jeffrey désigna une rue de traverse.

« Là. »

Lena vira d'un coup sec.

« Est-ce qu'on relâche Gordon, aujourd'hui ? lui demanda-t-elle.

— Je ne pense pas. Nous pouvons nous servir d'une inculpation d'usage de stupéfiants pour obtenir sa collaboration et savoir avec qui traînait Julia. D'après les dires de Jenny Price, Gordon la tenait vraiment en laisse. Personne ne doit savoir mieux que lui si elle fréquentait quelqu'un de nouveau, et qui.

— Oui, acquiesça Lena.

— Au bout à droite, lui indiqua-t-il en se redressant. Tu veux m'accompagner ? »

Elle resta assise derrière son volant.

« Merci, je ne vais pas bouger d'ici. »

Il s'adossa à son siège.

« Il y a encore autre chose que tu gardes pour toi, je me trompe ? »

Elle respira profondément, puis lâcha le morceau.

« J'ai l'impression de t'avoir laissé tomber.

— Pour la nuit dernière ? dit-il. Parce que je me suis fait tirer dessus ?

— Il y a des choses que tu ne sais pas. »

Jeffrey posa la main sur la poignée de la portière.

« Est-ce que Frank s'en occupe ? »

Elle hocha la tête puis haussa les épaules presque jusqu'à hauteur d'oreilles.

« Tu aurais pu empêcher ce qui est arrivé ?

— Je ne sais pas si je suis encore capable d'empêcher quoi que ce soit.

— Ça tombe bien, ce n'est pas ton boulot », observa-t-il. Il avait envie de lui en dire davantage, de la décharger d'une partie du fardeau, mais il savait, d'expérience, que Lena avait besoin de régler cela par elle-même. Elle avait passé les trente-trois dernières années de son existence à ériger une forteresse autour de sa personne. Ce n'était pas en l'espace de trois jours qu'il allait y pénétrer.

« Lena, pour l'heure, mon objectif numéro un, lui signifia-t-il, c'est de trouver qui a tué ta sœur et qui a violé Julia Matthews. Pour ce qui est de ceci... » Il désigna sa jambe... « Je pourrai toujours m'en occuper quand le reste sera terminé. Je crois que nous savons l'un et l'autre dans quelle direction commencer à fouiller. Ce n'est pas comme si tout ce petit monde était sur le point de quitter la ville. »

Il poussa la portière pour l'ouvrir en grand et souleva sa jambe blessée en s'aidant de la main.

« Seigneur », gémit-il, en sentant son genou protester vigoureusement. A rester assis si longtemps dans la voiture, sa jambe avait fini par s'engourdir. Le temps qu'il sorte et se mette debout, des gouttes de sueur perlaient sur sa lèvre.

Il se dirigea vers son domicile, mais la douleur fulgurante lui remonta dans la jambe. Ses clefs étaient sur le même anneau que celles de sa voiture, et donc il prit par-derrière, en entrant par la cuisine. Au cours de ces deux dernières années, il avait refait tout son intérieur. Son tout dernier projet, c'était la cuisine et, au cours d'un week-end de trois jours, il avait évidé le mur du fond en ayant prévu d'achever de le reconstruire avant de retourner travailler. Une fusillade avait déjoué ses plans, et il avait fini par acheter à Birmingham, dans un magasin de fournitures pour congélateurs, des feuilles de plastique qu'il avait clouées sur les traverses de bois de cinq centimètres sur dix. Certes, ce plastique abritait du vent et de la pluie, mais en attendant il vivait avec un grand trou à l'arrière de sa maison.

Dans le salon, il décrocha son téléphone et composa le numéro de Sara, espérant la trouver avant qu'elle ne parte au travail. Son répondeur se déclencha, et donc il appela chez les Linton.

A la troisième sonnerie, c'est Eddie Linton qui répondit.

« Maison Linton et Filles. »

Jeffrey s'efforça de garder un ton enjoué.

« Salut, Eddie, c'est Jeffrey. »

Il y eut un choc quand le téléphone tomba par terre. Jeffrey entendit des assiettes et des casseroles en bruit de fond, puis une conversation feutrée. Quelques secondes plus tard, Sara prit la communication.

« Jeff ?

— C'est moi », répondit-il. Il l'entendit ouvrir la porte qui donnait sur la terrasse. Les Linton étaient les seules personnes de sa connaissance à ne pas disposer d'un téléphone sans fil à leur domicile. Ils avaient un poste secondaire dans leur chambre et un autre dans la cuisine. S'il n'y avait eu le cordon de trois mètres que les filles avaient branché sur le téléphone de la cuisine quand elles étaient au lycée, aucune intimité n'eût été possible.

Il entendit la porte se refermer.

« Désolée, s'excusa Sara.

— Comment vas-tu ? »

Elle esquiva la réponse.

« Ce n'est pas moi qui me suis fait tirer dessus hier soir. »

Jeffrey accusa le coup avec un silence, étonné par son ton cassant.

« J'ai appris ce qui était arrivé à Julia Matthews.

— Très bien, fit-elle. J'ai transmis l'échantillon de sang à Augusta. La belladone comporte deux marqueurs spécifiques. »

Il coupa court à sa leçon de chimie.

« Et tu as relevé les deux ?

— Oui, lui confirma-t-elle.

— Donc, c'est bien le même type qu'on recherche dans les deux affaires, conclua-t-il, la voix hachée.

— Ça m'en a tout l'air. »

Quelques secondes s'écoulèrent.

« Nick a un type sous la main qui est en quelque sorte un spécialiste de l'empoisonnement par la belladone. Il l'amène à dix heures. Tu pourrais être là ?

— Je peux faire un saut entre deux patients, mais je ne resterai pas longtemps, prévint-elle. Maintenant, il faut que j'y aille, tu comprends ? Sa voix s'était modifiée, s'était faite plus douce.

— Je voudrais revenir sur les événements d'hier soir.

— Plus tard, d'accord ? » Elle ne lui laissa pas le temps de répliquer. Le déclic du téléphone retentit dans son oreille.

Jeffrey laissa échapper un soupir tout en se rendant dans la salle de bains en boitant. En chemin, il regarda par la fenêtre, s'assurant de la présence de Lena. Elle était toujours dans la voiture, les deux mains agrippées au volant. En cette journée, on eût dit que toutes les femmes de son existence avaient quelque chose à cacher.

Après avoir pris une douche bien chaude et s'être rasé, il se sentit beaucoup mieux. Sa jambe était encore raide, mais plus il la remuait, plus la douleur refluait. Voilà qui militait en faveur du mouvement.

Le trajet en voiture jusqu'au poste de police fut tendu et silencieux, avec le grincement des dents de Lena en fond sonore. Quand elle repartit en direction de l'hôpital, Jeffrey fut heureux d'être débarrassé d'elle.

Marla l'accueillit à la porte d'entrée, les mains croisées sur la poitrine.

« Je suis contente de voir que vous vous portez bien », se félicita-t-elle en lui prenant le bras pour le conduire à son bureau, qu'il retrouvait. Quand elle lui ouvrit la porte, il mit un terme à ses excès d'attentions.

« Ça va, j'ai pigé, bougonna-t-il. Où est Frank ? »

Les traits de Marla s'affaissèrent. Si Grant était un petit territoire, les forces de police y étaient encore plus restreintes. La rumeur s'était répandue dans leurs rangs plus vite qu'une décharge de foudre dans une tige en acier.

« Je crois qu'il est dans le fond, lui répondit-elle.

— Allez me le chercher, voulez-vous » ? la pria-t-il, tout en se dirigeant vers son bureau.

Il prit place dans son fauteuil, avec un gémissement. Il savait qu'il tentait le diable, avec sa jambe, en la laissant ainsi en repos un instant, mais il n'avait pas le choix. Ses hommes avaient besoin de savoir qu'il était de nouveau sur le pont, prêt au travail.

Frank frappa à la porte en tambourinant de ses doigts et, d'un hochement de la tête, Jeffrey lui fit signe d'entrer.

« Comment ça va ? », lui demanda l'autre.

Jeffrey voulut être bien certain de recueillir toute son attention.

« Je ne vais plus me faire tirer dessus, non ? »

Frank eut la décence de regarder le bout de ses souliers.

« Non, chef.

— Et qu'en est-il de Will Harris ? »

Frank se frotta le menton.

« J'ai entendu dire qu'il allait à Savannah.

— C'est vrai ?

— Ouais, confirma Frank. Pete lui a versé un petit extra. Will s'est acheté un ticket de bus. » Il haussa les épaules. « Il a annoncé qu'il allait passer deux semaines chez sa fille.

— Et pour ce qui est de sa maison ?

— Des gars de la loge se sont proposés pour réparer sa fenêtre.

— Bien, approuva Jeffrey. Sara va vouloir récupérer sa voiture. Tu as déniché quelque chose ? »

Frank sortit de sa poche un sac plastique pour pièce à conviction et le posa sur le bureau.

« Qu'est-ce que c'est que ça ? », demanda Jeffrey, mais la question était stupide. Dans ce sac était enveloppé un Ruger 357 Magnum.

« Il était sous le siège, expliqua Frank.

— Sous le siège de Sara ? » s'enquit-il, ne saisissant toujours pas. L'arme avait de quoi bousiller un homme, le calibre étant suffisant pour creuser un cratère dans un torse. « Dans sa voiture ? C'est le sien ? »

Frank eut un haussement d'épaules.

« Elle ne possède pas de permis pour un modèle pareil. »

Jeffrey fixa le Magnum du regard, comme si le pistolet avait pu lui parler. Sara n'était assurément pas contre le fait que de simples citoyens détiennent des armes, mais il savait qu'elle n'était pas précisément à l'aise avec ce genre d'instruments, et à plus forte raison avec un calibre capable de faire exploser le cadenas d'un portail de grange. Après avoir extrait l'arme de son plastique, il l'inspecta.

« Les numéros de série ont été limés, souligna Frank.

— Ouais, acquiesça Jeffrey. Il avait repéré.

— Il était chargé ?

— Ouaip. » Frank était manifestement impressionné

par ce pistolet. « Ruger sécurité six, en acier trempé. Et avec une crosse personnalisée, en plus. »

Jeffrey laissa retomber l'objet dans le tiroir de son bureau, puis il revint à son interlocuteur.

« Quelque chose sur les listes d'agresseurs sexuels ? »

Frank paraissait déçu que la discussion sur le Magnum de Sara soit déjà close.

« Pas vraiment, admit-il. Presque tous ont un alibi ou un autre. Ceux qui n'en possèdent pas ne correspondent pas à celui qu'on recherche.

— Nous tenons une réunion à dix heures avec Nick Shelton. Il vient avec un spécialiste de la belladone. Après ça, on aura peut-être davantage de matière à fournir aux gars dans leurs recherches. »

Frank prit un siège.

« Cette solanacée, j'en ai même dans mon jardin.

— Et moi aussi, renchérit Jeffrey. Après la réunion, je veux me rendre à l'hôpital, voir si Julia Matthews se sent de parler. » Il observa un silence, songeant à la jeune fille. « Ses parents seront rentrés vers trois heures. Je veux être présent à l'aéroport pour les accueillir. Aujourd'hui, je t'embarque avec moi, en escorte. »

Si Frank jugea curieux le choix de la formule, il n'en laissa rien paraître.

Quinze

Sara quitta la clinique à dix heures moins le quart, afin d'avoir le temps de faire un saut à la pharmacie avant de retrouver Jeffrey.

Il régnait un peu de fraîcheur dans l'air et les nuages promettaient le retour de la pluie. Elle marchait dans la rue, les mains fourrées dans ses poches, les yeux rivés sur le trottoir, espérant que son allure et sa démarche suffiraient à la rendre inabordable. En réalité, elle n'avait guère besoin de s'en préoccuper. Depuis la mort de Sibyl, le centre-ville était d'un calme oppressant. On avait le sentiment que la bourgade était morte avec elle. Sara avait conscience de ce que tout le monde ressentait.

La nuit durant, elle était restée allongée dans son lit, les yeux grands ouverts, ressassant chacun des gestes qu'elle avait eus avec Julia Matthews. Elle avait beau faire, elle n'arrêtait pas de revoir la jeune fille étendue sur le capot de sa voiture, mains et pieds transpercés, les yeux vitreux fixant le ciel du soir sans le voir. Sara ne voulait plus jamais revivre quelque chose de semblable.

La clochette sur la porte de la pharmacie tinta quand elle entra, la tirant de sa solitude.

« Salut, docteur Linton », lui lança Marty Ringo derrière sa caisse enregistreuse. Elle était en train de lire un magazine, tête baissée. Marty était une femme replète avec un vilain grain de beauté qui lui poussait juste au-dessus du sourcil droit. Des poils noirs en S jaillissaient comme les soies d'une brosse. Travaillant à la pharmacie, elle était au courant des derniers potins sur tout le monde en ville. Elle allait forcément évoquer, auprès de quiconque se présenterait dans l'officine après Sara, que ce matin le docteur Linton avait effectué un détour spécialement pour voir Jeb.

Elle lui adressa un sourire malicieux.

« Vous cherchez Jeb ?

— Oui, répondit Sara.

— J'ai appris pour hier soir, ajouta la pharmacienne, manifestement à la pêche aux informations. C'est une fille de la fac, hein ? »

Sara hocha la tête, car jusque-là c'était une information que l'on pouvait trouver dans le journal.

Marty baissa la voix.

« J'ai entendu dire qu'elle avait touché à la drogue.

— Mmh, fit Sara, laissant errer le regard dans l'officine. Il est là ?

— En plus, elles se ressemblent, toutes les deux.

— Comment ça ? s'étonna Sara, subitement attentive.

— Les deux femmes, expliqua Marty. Vous croyez qu'il y a un rapport ? »

Elle coupa court à la conversation.

« J'ai réellement besoin de parler à Jeb.

— Il est derrière. » Marty pointa le doigt vers la pharmacie, une expression froissée sur le visage.

Sara la remercia avec un sourire forcé, tout en se

dirigeant vers le fond de l'officine. Elle avait toujours aimé entrer dans cet endroit. C'est ici qu'elle avait acheté son premier tube de mascara. Les week-ends, son père avait l'habitude de l'y amener en voiture avec sa sœur pour choisir des bonbons. Depuis que Jeb avait racheté le magasin, les lieux n'avaient guère changé. Le comptoir des sodas, qui était davantage là pour la galerie que pour servir des boissons, brillait encore d'avoir été briqué. Les contraceptifs étaient toujours rangés derrière le comptoir. Les allées étroites entre les rayons, disposées dans la longueur, étaient encore étiquetées avec des affichettes en carton inscrites au gros feutre.

Sara risqua un œil par-dessus le comptoir, mais ne vit pas trace de Jeb. Elle remarqua la porte du fond qui était ouverte et, tout en prenant la précaution de regarder par-dessus son épaule, elle contourna le comptoir.

« Jeb ? lança-t-elle. Il n'y eut pas de réponse, et elle s'approcha de la porte ouverte. Jeb se tenait sur le côté de l'ouverture, dos à elle. Elle lui tapota sur l'épaule et il sursauta.

— Bon Dieu ! », s'exclama-t-il en se retournant vivement. La peur qui se lisait sur son visage laissa place au plaisir de la voir.

Il rit.

« Tu m'as foutu une sacrée frousse.

— Je suis désolée », s'excusa-t-elle, mais à la vérité, elle était contente de voir qu'il était encore capable de se mettre dans tous ses états pour quelque chose. « Qu'est-ce que tu fabriquais ?

Il désigna une rangée de buissons qui bordait le long du parking, sur l'arrière des bâtiments.

« Tu vois, dans ce taillis ? »

Sara secoua la tête, ne voyant rien que des buissons.

« Oh, s'écria-t-elle enfin, en apercevant un petit nid.

— Des pinsons, commenta-t-il. J'ai installé une mangeoire là-bas l'année dernière, mais des gamins de l'école l'ont emportée. »

Sara se tourna vers lui.

« A propos d'hier soir », commença-t-elle.

D'un geste, il l'en dissuada.

« Je t'en prie, Sara, crois-moi, je comprends. Tu es restée un long moment avec Jeffrey.

— Merci », fit-elle, et elle était sincère.

Jeb jeta un œil à l'intérieur de la pharmacie, et reprit à voix basse.

« Moi aussi, je suis navré de ce qui s'est passé. Tu sais, au sujet de cette fille. Il secoua lentement la tête. Simplement, c'est assez difficile de penser que des choses pareilles ont lieu dans notre ville.

— Je sais, acquiesça-t-elle, peu désireuse de s'appesantir.

— Je crois pouvoir te pardonner d'avoir coupé court à notre petite soirée pour sauver la vie de quelqu'un. » Il porta la main à sa poitrine, du côté droit. « Tu lui as vraiment posé la main sur le cœur ? »

Sara lui déplaça la main du côté gauche.

« Oui.

— Seigneur Dieu, souffla-t-il. Ça t'a fait quelle impression ? »

Elle lui avoua la vérité.

« Peur, dit-elle. Très peur.

— Tu es une femme remarquable, Sara. Tu le sais ? », reprit-il, la voix remplie d'admiration.

Elle se sentit toute bête de s'attirer de telles louanges.

« Si tu veux, je t'accorde un billet pour une séance de rattrapage, lui proposa-t-elle, s'efforçant de le faire renoncer au sujet Julia Matthews. Pour notre sortie ensemble, je veux dire. »

Il sourit, sincèrement enchanté.

« Ce serait formidable. »

Une brise se leva et elle se réchauffa les bras des deux mains.

« Il refait froid.

— Allez. » Il la conduisit à l'intérieur, et referma la porte derrière eux. « Tu as quelque chose de prévu, ce week-end ?

— Je ne sais pas, lui répondit-elle. Ecoute, ajouta-t-elle, je suis venue vérifier si Jeffrey avait retiré sa préparation.

— Eh bien... Il croisa les mains. Cela signifie, j'imagine, que tu es prise pour ce week-end.

— Non, cela ne signifie pas ça du tout. Elle marqua un temps de silence. Seulement, c'est compliqué.

— Ouais. Il se força à sourire. Pas de problème. Je vais vérifier son ordonnance. »

Elle ne supportait pas de lire la déception sur son visage. Elle fit tourner le présentoir Medic Alert, histoire de s'occuper. Des marque-pages agrémentés de dictons religieux y côtoyaient les bracelets pour diabétiques.

Jeb ouvrit un grand tiroir sous le comptoir et en sortit un flacon de pilules orange. Il vérifia l'étiquette.

« Il l'a commandée mais n'est pas encore venu la retirer.

— Merci », réussit à dire Sara, en prenant le flacon. Elle le tint dans sa main, en dévisageant Jeb. Elle parla avant d'avoir pu se raviser. « Pourquoi tu ne m'appelles pas ? lui demanda-t-elle. Pour ce week-end.

— Oui, je vais t'appeler. »

Elle lui tendit sa main libre, lissant le revers de sa blouse de laborantin.

« Je suis sérieuse, Jeb. Appelle-moi. »

Il garda le silence quelques secondes, puis subitement il se pencha, et lui déposa un léger baiser sur les lèvres.

« Je te téléphone demain.

— Super », fit-elle. Elle se rendit compte qu'elle agrippait le flacon si fermement que le couvercle était sur le point de sauter. Elle avait déjà embrassé Jeb. Il n'y avait franchement pas de quoi fouetter un chat. Pourtant, quelque part dans sa tête, elle avait peur que Marty ne les voie. En un sens, elle redoutait que la nouvelle de ce baiser ne parvienne à Jeffrey.

« Je peux te donner un sac, pour ça, lui proposa le pharmacien, en désignant le flacon.

— Non », bredouilla Sara, tout en fourrant le flacon dans la poche de sa veste.

Elle murmura un remerciement et avait franchi la porte avant que Marty ait pu lever le nez de son magazine.

Quand Sara entra dans le commissariat, Jeffrey et Nick Shelton étaient dehors dans le hall. Nick se tenait les deux mains calées dans les poches arrière de son jean, sa chemise bleue réglementaire du Georgia Bureau of Investigation, stricte et bien ajustée. Sa barbe et sa moustache, celles-là, non réglementaires étaient soigneusement taillées, et il avait autour du cou une chaîne en or, pas davantage dans les normes. Faisant un peu moins d'un mètre soixante-cinq, il était suffisamment petit pour que Sara puisse poser le menton sur le sommet de son crâne. Cela ne l'avait pas empêché de lui proposer à plusieurs reprises de sortir avec elle.

« Salut, jeune fille », lui lança-t-il, en la prenant par la taille.

Côté rivalité, Jeffrey avait autant à se soucier de Nick Shelton que d'un renne, mais la façon familière dont ce dernier enlaçait Sara n'en parut pas moins le hérisser. Et Sara, pour sa part, soupçonnait que c'était justement la raison qui poussait Nick à lui témoigner cet excès de sollicitude.

« Bien, et si nous entamions cette réunion, grommela Tolliver. Parce qu'après, Sara doit retourner à son travail. »

Elle rattrapa Jeffrey dans le couloir, alors qu'ils gagnaient le fond du commissariat. Elle fourra le flacon de pilules dans la poche de sa veste.

« Qu'est-ce que c'est que ça ? s'étonna-t-il, en ressortant l'objet. Oh, ajouta-t-il aussitôt.

— Oh », répéta-t-elle en écho, tout en ouvrant la porte.

Frank Wallace et un jeune homme rougeaud vêtu d'un pantalon kaki et d'une chemise semblable à celle de Nick étaient assis dans la salle de réunion. Frank se leva, serra la main de Nick. Il réserva à Sara un hochement de tête assez sec, qu'elle ne lui rendit pas. Quelque chose lui disait que Frank avait trempé dans les événements de la veille, et elle n'aimait pas ça.

« Voici Mark Webster, annonça Nick en présentant

l'autre personnage. En réalité, c'était un jeune homme, à peine âgé de plus de vingt et un ans, avec encore l'air d'un poupon ; du lait lui aurait jailli des narines si on avait appuyé dessus. Il avait un épi qui rebiquait.

— Ravie de vous rencontrer », fit Sara, en lui serrant la main. C'était comme de vouloir attraper un poisson, mais si Nick avait amené Mark Webster depuis Macon, c'est qu'il ne devait pas être aussi ahuri qu'il en avait l'air.

« Pourquoi ne leur raconteriez-vous pas ce que vous étiez en train de m'expliquer ? »

Le jeune homme s'éclaircit la gorge et tira même sur le col de sa chemise. Ses paroles s'adressaient à Sara.

« Je disais qu'il était intéressant que votre dingo ait choisi comme drogue la belladone. C'est très inhabituel. Dans mon travail, je n'en ai rencontré que trois cas, presque tous des affaires d'"homicides sans", des gamins, des crétins qui comptaient s'amuser un peu. »

Sara hocha la tête. Elle savait qu'« homicide sans » signifiait ici que l'acte criminel avait été commis sans préméditation. En tant que légiste aussi bien que comme pédiatre, elle était particulièrement attentive quand de jeunes enfants arrivaient à la morgue suite à un décès de cause inconnue.

Mark s'appuya contre la table, adressant ses remarques au reste du groupe.

« La belladone fait partie de la famille mortelle des solanacées. Au Moyen Age, les femmes mâchaient de faibles quantités de ces graines pour se dilater les pupilles. Une femme aux yeux dilatés était considérée comme plus séduisante, et c'est pourquoi ces plantes reçurent le nom de “belladonna”. Autrement dit, “belle femme”.

— Les deux victimes avaient les pupilles extrêmement dilatées, souligna Sara.

— Il suffit d’une faible dose pour provoquer cette dilatation », reprit Mark. Il attrapa une enveloppe blanche et en sortit quelques photographies, qu’il tendit à Jeffrey pour qu’il les fasse circuler. « La belladone a une forme de clochette, généralement violette, et dégage une odeur bizarre. Ce n’est pas le genre de plante qu’on laisse croître dans son jardin si l’on a des enfants ou de petits animaux. Ceux qui en font pousser auront probablement une clôture, d’au moins un mètre de hauteur, pour éviter d’empoisonner tout le voisinage.

— Lui faut-il un sol ou un engrais spécifique ? s’enquit Jeffrey, en passant la photo à Frank.

— C’est une herbe. Elle est capable de pousser pratiquement n’importe où. C’est ce qui la rend si courante. Seul hic, c’est une sale drogue. » Sur ces mots, Mark s’interrompit un instant. Puis il reprit : « Le pic de l’intoxication dure environ trois à quatre heures, selon la dose absorbée. Les consommateurs font état de véritables hallucinations. Très souvent, ils s’imaginent que ces visions sont réelles, s’ils s’en souviennent.

— Elle provoque l’amnésie ? intervint Sara.

— Oh oui, madame, une amnésie sélective, autrement dit on ne se remémore que des bribes. Comme votre victime qui pouvait se rappeler qu’un homme l’avait enlevée, mais sans se souvenir de quoi il avait l’air, même si elle l’avait eu face à elle. Elle aurait tout aussi bien pu raconter qu’il était violet avec des yeux verts. Il marqua un temps d'arrêt. C'est un hallucinogène, mais pas comme la phencyclidine (l'autre nom de l'angel dust), ou le LSD. Les consommateurs indiquent qu'ils ne distinguent plus l'hallucination de la réalité. Avec, disons, l'angel dust, l'ecstasy, ce que vous obtenez, c'est un véritable état hallucinatoire. La belladone fait tout paraître réel. Si je vous avais servi une tasse de datura, en arrivant ici vous auriez pu me jurer que vous avez eu une conversation avec un portemanteau. Je pourrais vous brancher sur un détecteur de mensonges et il en ressortirait que vous avez dit la vérité. La belladone s'empare des éléments de la réalité et leur fait subir une distorsion.

— Le thé ? suggéra Jeffrey, en adressant un regard à Sara.

— Oui, monsieur. Des gamins en ont fait bouillir dans le thé pour la boire. Il croisa les mains dans le dos. Quoi qu'il en soit, je dois souligner que c'est une substance dangereuse. Facile de faire une overdose.

— De quelle autre manière peut-on l'ingérer ? voulut savoir Sara.

— Si vous en avez la patience, lui répondit Mark, vous pouvez mettre les feuilles à tremper dans de l'alcool pendant deux ou trois jours, pour ensuite laisser l'alcool s'évaporer. Cela relève quand même un peu de la roulette russe, parce que la teneur n'est pas garantie, même s'il s'agit en l'occurrence d'individus qui la font pousser à des fins médicinales.

— Quelles fins médicinales ? le questionna Tolliver.

— Eh bien, vous savez, quand vous consultez l'ophtalmo, il vous dilate la pupille. Il utilise un dérivé de la belladone. Très dilué, mais cela reste de la belladone. On ne pourrait pas utiliser deux flacons de ces gouttes-là pour tuer quelqu'un, par exemple, ça ne marcherait pas. A un si faible degré de concentration, le pire que cela puisse provoquer, ce serait une méchante migraine et une constipation monstre. C'est quand elle se présente à l'état pur qu'il faut se méfier. »

Frank heurta le bras de Sara, et lui passa la photo. Elle étudia l'image de la plante. Cela ressemblait assez à toutes les plantes qu'elle avait pu voir. Sara était médecin, pas horticultrice. Elle n'aurait même pas été capable de s'occuper d'un cactus.

Sans crier gare, son cerveau s'emballa de nouveau, et elle repensa à cet instant où, pour la première fois, elle avait vu Julia Matthews sur sa voiture. Elle tenta de se rappeler si elle avait déjà ce morceau d'adhésif de tuyauterie sur la bouche. Avec une clarté soudaine, elle se souvint alors qu'il y était bien. Elle put le voir, cet adhésif, sur la bouche de la jeune femme. Elle revit le corps de Julia Matthews crucifié sur le capot de sa voiture.

« Sara ? fit Jeffrey.

— Mmh ? » Elle leva les yeux. Tout le monde la scrutait du regard, comme s'ils attendaient tous une réponse, quelque chose de sa part. « Je suis désolée, s'excusa-t-elle. Que m'avez-vous demandé ?

— Je vous demandais si vous aviez remarqué un détail étrange concernant les victimes. Etaient-elles dans l'incapacité de parler ? Avaient-elles le regard vide ? »

Sara rendit le cliché.

« Sibyl Adams était aveugle, l'informa-t-elle. Donc elle avait le regard vide, évidemment. Julia Matthews... » Elle s'interrompit, tâchant de chasser cette image de son esprit. « Elle avait les yeux vitreux. J'imagine que c'était d'avoir été gavée de cette drogue, plus qu'autre chose. »

Tolliver la regarda, déconcerté.

« Mark vient d'évoquer le fait que la belladone interférait avec la vision.

— Il existe en effet une sorte d'aveuglement, confirma le jeune expert sur un ton qui laissait entendre qu'il se répétait. Selon les comptes rendus des consommateurs, on conserve la vue, mais le cerveau est incapable d'identifier ce que l'on voit. Comme si je vous montrais une pomme ou une orange, comme si vous aviez conscience de voir quelque chose de rond, peut-être d'en percevoir la texture, mais votre cerveau serait incapable de reconnaître de quoi il s'agit.

— Je sais ce qu'est cette forme d'aveuglement », répliqua Sara, se rendant compte, mais un peu tard, du ton condescendant de son interlocuteur. Elle tâcha de s'en sortir par une diversion. « Croyez-vous que Sibyl Adams ait éprouvé cela ? C'est peut-être la raison pour laquelle elle n'a pas crié ? »

Mark consulta ses autres interlocuteurs, ces messieurs. A l'évidence, il avait également évoqué le sujet pendant que Sara était ailleurs, perdue dans ses pensées.

« On dispose de témoignages rapportant une perte de la phonation sous l'emprise de cette drogue. Il ne se produit rien d'ordre physiologique dans le larynx. La drogue ne provoque aucune contrainte physique, aucun dégât. A mon avis, cela tient plus à des effets inhibiteurs que subissent les centres du langage du cerveau. Cela doit comporter une certaine similitude avec ce qui provoque ces problèmes de reconnaissance visuelle.

— Cela me paraît rationnel », admit Sara.

Mark poursuivit.

« Parmi les signes attestant l'ingestion de cette substance, on relève la bouche pâteuse, les pupilles dilatées, une température corporelle élevée, un rythme cardiaque rapide, et des difficultés respiratoires.

— Les deux victimes présentaient tous ces symptômes, confirma-t-elle. Quelle dose serait susceptible de les provoquer ?

— C'est une substance assez puissante. Un simple sachet de thé peut suffire à faire perdre la boule, surtout chez un consommateur qui ne serait pas habitué à ses effets euphorisants. Sur l'échelle de l'efficacité, les baies ne sont pas aussi nocives, mais tout ce qui provient de la racine ou de la feuille pourra être dangereux, à moins que l'on ne sache exactement ce que l'on fait. Et même ainsi, c'est sans garantie.

— La première victime était végétarienne, l'informa-t-elle.

— Et elle était également chimiste, n'est-ce pas ? compléta Mark. A part la belladone, si on veut faire l'imbécile, j'ai un million d'autres drogues qui me viennent en tête. Je ne crois pas qu'un individu impliqué dans la recherche scientifique aille prendre ce type de risque. C'est jouer à la roulette russe, surtout si l'on utilise la racine. C'est la partie la plus mortelle de la plante. Si l'on exagère un peu trop, c'est la mort. Il n'existe pas d'antidote connu.

— Je n'ai constaté aucun signe de consommation de drogue chez Julia Matthews. Après ça, j'imagine que tu vas l'interroger ? », ajouta-t-elle à l'intention de Jeffrey.

Il hocha la tête.

« Autre chose ? », demanda-t-il à Mark.

Webster se passa la main dans les cheveux.

« Après absorption de cette drogue, on constate une constipation, la bouche pâteuse, là encore, et parfois des hallucinations. En fait, il est intéressant d'apprendre que cette drogue a été employée dans le cadre d'un crime sexuel. Ce n'est pas dénué d'ironie.

— Comment ça ? s'étonna Jeffrey.

— Au Moyen Age, cette drogue était quelquefois introduite dans le vagin au moyen d'un applicateur, pour accélérer l'afflux sanguin. Certaines personnes estiment même que tout le mythe des sorcières volant sur des manches à balai provient de cette image d'une femme s'introduisant cet applicateur en bois enduit de belladone dans le vagin. Il sourit. Mais bon, cela nous mènerait à une longue discussion sur l'adoration de la divinité et l'expansion du christianisme dans les cultures européennes. »

Mark parut s'apercevoir qu'il avait quelque peu perdu son auditoire en route.

« Dans les communautés de drogués, les gens qui connaissent la belladone ont tendance à s'en tenir à l'écart. Il eut un regard vers Sara. Vous voudrez bien excuser mon langage, madame. »

Elle haussa les épaules. Entre la clinique et son père, elle avait déjà à peu près tout entendu.

Quoi qu'il en soit, c'est en rougissant que Mark poursuivit.

« Tout ça relève complètement de la branlette mentale. » Il eut encore un sourire d'excuse à l'intention de Sara. « Le premier souvenir, même chez les consommateurs frappés d'amnésie, c'est d'avoir volé. Ils croient vraiment qu'ils volent, et ils n'arrivent pas à comprendre, même après la descente, qu'ils n'ont pas vraiment volé. »

Jeffrey croisa les bras.

« Voilà qui pourrait expliquer pourquoi elle n'arrête pas de regarder vers la fenêtre.

— A-t-elle déclaré quelque chose, jusqu'à présent ? », s'enquit Sara.

Il secoua la tête.

« Rien. Après, nous irons à l'hôpital, si tu souhaites la voir. »

Elle consulta sa montre, faisant mine d'envisager cette suggestion. Il n'était absolument pas question pour elle de revoir Julia Matthews. C'était déjà trop, rien que d'y songer.

« J'ai des patients », argumenta-t-elle.

Jeffrey indiqua son bureau.

« Sara, tu permets que je te parle une seconde ? »

Elle éprouva un besoin pressant de décamper, mais elle le combattit.

« Cela concerne ma voiture ?

— Non. »

Il attendit qu'elle soit entrée, puis il ferma la porte. Elle s'assit sur le rebord du bureau, s'efforçant d'adopter une posture décontractée.

« Ce matin, j'ai dû me rendre au travail en bateau, lui rappela-t-elle. Tu sais quel froid il fait sur le lac ? »

Il ignora cette protestation, allant droit au but.

« On a trouvé ton pistolet.

— Oh », fit-elle en guise de réponse. C'était bien le dernier sujet qu'elle s'attendait à le voir aborder.

Le Ruger était dans sa voiture depuis si longtemps qu'elle l'avait oublié. « Je suis en état d'arrestation ?

— Où te l'es-tu procuré ?

— C'était un cadeau. »

Jeffrey la toisa du regard.

« Comment ça ? Quelqu'un t'a offert un 357 avec les numéros de série limés pour ton anniversaire ? »

Sara balaya la remarque d'un mouvement d'impatience.

« Jeffrey, je l'ai depuis des années.

— Quand as-tu acheté cette voiture, Sara ? Cela remonte à deux ans ?

— Je l'ai transféré de l'ancienne quand j'ai acheté celle-ci. »

Il la dévisagea, sans dire un mot. Sara voyait bien qu'il était furieux, mais elle ne savait qu'ajouter.

« Je ne m'en suis jamais servi, hasarda-t-elle.

— Ça me fait une belle jambe, Sara, lâcha-t-il avec véhémence. Tu as dans ta voiture un pistolet capable de décapiter quelqu'un, littéralement, et tu ne sais pas t'en servir ? » Il s'interrompit, s'efforçant manifestement de comprendre. « Si quelqu'un te tombe dessus, qu'est-ce que tu feras, hein ? »

Elle connaissait la réponse à cette question, mais elle la garda pour elle.

« Et premièrement, pourquoi détiens-tu cette arme ? »

Elle étudia son ancien mari, essayant d'imaginer le meilleur moyen de ressortir de son bureau en échappant à une nouvelle dispute avec lui. Elle était fatiguée et complètement retournée. Ce n'était pas le moment de livrer quelques rounds face à Jeffrey Tolliver. Elle ne se sentait absolument pas d'humeur à se chamailler.

« Je l'ai, un point c'est tout, répondit-elle.

— On n'a pas ce genre d'arme avec soi, un point c'est tout.

— Il faut que je retourne à la clinique. »

Elle se leva, mais Jeffrey lui barrait la sortie.

« Sara, bon sang, que se passe-t-il ?

— Que veux-tu dire ? »

Jeffrey plissa les paupières, mais n'ajouta rien. Il s'écarta et lui ouvrit la porte.

Sara crut un instant à une ruse.

« C'est tout ? », demanda-t-elle.

Il s'effaça.

« Je ne peux tout de même pas te tirer les vers du nez de force. »

Elle lui posa la main sur la poitrine, elle se sentait coupable.

« Jeffrey. »

Il jeta un œil dans la salle.

« Je dois me rendre à l'hôpital », s'excusa-t-il, façon claire de la congédier.

Seize

Lena posa la tête dans sa main, essayant de fermer les yeux pour s'accorder ne serait-ce qu'une minute de repos. Elle était assise sur une chaise, devant la chambre de Julia Matthews depuis plus d'une heure, et ces dernières journées finissaient par la rattraper. Elle était fatiguée et allait bientôt avoir ses règles. Malgré ça, son pantalon flottait autour d'elle, à force de faire l'impasse sur les repas. Ce matin, quand elle avait agrafé son holster par-dessus sa ceinture, il s'était mal ajusté sur sa hanche. Plus la journée s'avançait, plus il frottait, lui irritant le côté.

Lena savait qu'elle avait besoin de manger quelque chose, besoin de se remettre à vivre, au lieu de se traîner, du matin au soir, comme si ses jours étaient comptés. Pour l'instant, elle ne s'en imaginait pas capable. Elle n'avait aucune envie de sortir courir, comme elle l'avait fait tous les matins de ces quinze dernières années. Elle n'avait pas envie d'aller au Krispy Kreme prendre un café avec Frank et les autres inspecteurs. Elle n'avait aucune envie d'aller déjeuner sur le pouce ou de sortir dîner. Chaque fois qu'elle voyait de la nourriture, elle se sentait nauséeuse. Elle ne pensait qu'à une chose : Sibyl, elle, ne mangerait plus jamais rien. Lena s'affairait alors que sa sœur était morte. Lena respirait, alors que Sibyl ne respirait plus. Rien n'avait de sens. Rien ne serait plus jamais pareil.

Lena inspira à fond et souffla lentement en regardant aux deux extrémités du couloir. Julia Matthews était la seule patiente de l'hôpital aujourd'hui, ce qui lui facilitait la tâche. Mis à part une infirmière que l'on avait détachée depuis Augusta, il n'y avait à cet étage que Julia et elle.

Elle se leva, tâchant de remettre un peu sa cervelle d'aplomb. Elle se sentait abrutie de fatigue, et le seul moyen qu'elle connaissait pour lutter contre cet état, c'était de rester en mouvement. A force d'avoir un sommeil agité, son corps était douloureux, et elle était toujours incapable de s'extraire de la tête l'image de Sibyl à la morgue. Et pourtant, une part d'elle-même était contente qu'il y ait une autre victime. Elle mourait d'envie d'entrer dans la chambre de Julia Matthews et de la secouer, de la supplier de parler, de leur révéler qui lui avait infligé ça, qui avait tué Sibyl, mais Lena savait que cela ne les mènerait nulle part.

Les quelques fois où elle était entrée dans la chambre pour vérifier l'état de la jeune fille, cette dernière était restée silencieuse, incapable de répondre même à ses questions les plus anodines. Voulait-elle un autre oreiller ? Souhaitait-elle que Lena appelle quelqu'un pour elle ?

Assoiffée, la jeune étudiante s'était bornée à désigner la carafe sur la table au lieu de demander de l'eau. Et ses yeux avaient encore un voile fantomatique, à cause de la drogue qu'elle avait encore dans l'organisme. Ses pupilles étaient immenses, et elle avait le regard d'une aveugle — aveugle comme l'avait été

Sibyl. Sauf que Julia Matthews guérirait de cette cécité-là. Julia Matthews recouvrerait la vue. Elle se rétablirait. Elle retournerait à la faculté et se ferait des amis, peut-être rencontrerait-elle un jour son mari, peut-être aurait-elle des enfants. Le souvenir de ce qui s'était passé subsisterait toujours quelque part au fond de sa tête, mais au moins elle vivrait une vie. Elle aurait un avenir. Lena en voulait à Julia Matthews. Elle échangerait la vie de Julia Matthews contre celle de Sibyl, dans la seconde même.

La porte de l'ascenseur s'ouvrit avec un tintement, et Lena mit la main à son arme, sans réfléchir. Jeffrey et Nick Shelton débouchèrent dans le couloir, suivis de Frank et d'un gamin à l'air maigrichon qui paraissait avoir tout juste décroché son bac. Elle laissa retomber sa main, alla au-devant d'eux, estimant qu'il était hors de question de laisser entrer tous ces hommes dans une petite chambre d'hôpital qui abritait une femme victime d'un viol. Et surtout pas Monsieur Stups.

« Comment va-t-elle ? », s'enquit son chef.

Lena éluda la question.

« Vous n'allez pas tous entrer, non ? »

L'expression du visage de Jeffrey laissait entendre que telle était justement son intention.

« Elle ne parle toujours pas, le prévint-elle, tâchant ainsi de ménager l'amour-propre de son supérieur. Elle n'a rien dit.

— Peut-être devrions-nous entrer, rien que toi et moi, décida-t-il finalement. Désolé, Mark. »

Le jeune homme ne parut pas s'en formaliser.

« Oh, moi, je suis déjà bien content que cette affaire m'ait sorti de mon bureau pour une journée. »

Lena jugea assez minable de sa part de tenir pareil propos à portée de voix d'une femme qui venait sans doute de réchapper de l'enfer, mais Jeffrey l'attrapa par le bras avant qu'elle ait pu exprimer la moindre désapprobation. Il l'emmena à l'écart, un peu plus loin dans le couloir, et ils s'entretinrent tout en marchant.

« Elle est stationnaire ? Son état de santé ?

— Ouais. »

Jeffrey s'arrêta devant la porte de la chambre, la main sur la poignée, mais sans l'ouvrir.

« Et toi ? Tu t'en sors ?

— Bien sûr.

— J'ai l'impression que ses parents vont souhaiter son transfert à Augusta. Que penserais-tu de l'accompagner ? »

La première impulsion de Lena fut de protester, mais elle hocha la tête, signifiant son accord, attitude inhabituelle de sa part. Cela lui ferait peut-être du bien de s'éloigner un peu de la ville. D'ici un jour ou deux, Hank repartirait pour Reece. Peut-être se sentirait-elle autrement une fois qu'elle aurait récupéré la maison pour elle toute seule.

« Je te laisse commencer, proposa-t-il. S'il apparaît qu'elle se sent plus à l'aise avec toi seule, alors je m'éclipse.

— D'accord », approuva-t-elle, sachant que c'était la procédure standard. En général, la dernière chose dont une femme victime de viol avait envie, c'était de se confier à un homme. En tant que seul inspecteur de sexe féminin de toute la brigade, Lena avait déjà endossé cette mission en une ou deux occasions. Une fois, elle s'était même rendue à Macon pour aider à interroger une jeune fille que son voisin de palier avait violemment frappée avant de la violer. Pourtant, si elle venait de passer toute la journée à l'hôpital avec Julia, la seule idée de lui parler, de l'interroger en bonne et due forme lui retournait l'estomac. Tout cela la touchait de trop près.

« Tu es prête ? lui glissa Jeffrey, la main sur la porte.

— Ouais. »

Jeffrey ouvrit, s'effaçant pour laisser Lena le précéder.

Julia Matthews était endormie, mais le bruit la réveilla. Lena s'imaginait sans mal que la jeune fille mettrait un bon bout de temps à profiter à nouveau d'une bonne nuit de sommeil, si elle renouait jamais avec ce privilège.

« Vous voulez un peu d'eau ? », proposa-t-elle, en contournant le lit pour aller prendre la carafe. Elle remplit le verre de la jeune étudiante, puis orienta la paille pour lui permettre de boire.

Jeffrey resta debout, dos à la porte, manifestement désireux de ne pas empiéter sur l'espace vital de la jeune fille.

« Julia, je m'appelle Jeffrey Tolliver, je suis le chef de la police. Vous vous souvenez de moi, depuis ce matin ? »

Elle hocha lentement la tête.

« Vous avez ingéré une drogue qui s'appelle la belladone. Savez-vous ce que c'est ? »

Elle tourna la tête, d'un côté puis de l'autre.

« Parfois, cela peut rendre aphone. Pensez-vous être en mesure de parler ? »

La jeune fille ouvrit la bouche, et il en émana un raclement. Elle remua les lèvres, s'efforçant de former des mots.

Jeffrey lui adressa un sourire d'encouragement.

« Voulez-vous essayer de me dire votre nom ? »

Elle ouvrit à nouveau la bouche, et sa voix était rauque et fluette.

« Julia.

— Bien, la félicita Jeffrey. Voici Lena Adams. Vous la connaissez, n'est-ce pas ? »

Julia hocha la tête, et ses yeux trouvèrent Lena.

« Elle va vous poser quelques questions, d'accord ? »

Lena tâcha de dissimuler sa surprise. Elle n'était même pas certaine de pouvoir indiquer à Julia Matthews l'heure qu'il était, et donc encore moins de la questionner. Elle s'en remit à sa formation, en débutant par ce qu'elle connaissait.

« Julia ? » Lena approcha une chaise du lit de la jeune fille. « Nous avons besoin de savoir si vous êtes en mesure de nous communiquer des informations sur le traitement qu'on vous a fait subir. »

La jeune fille ferma les yeux. Ses lèvres tremblèrent, mais elle ne répondit rien.

« Le connaissais-tu, mon ange ? »

Elle secoua la tête.

« Etait-il étudiant dans l'un des cours que tu suis ? Est-ce que tu l'as vu rôder autour de l'école ? »

Les yeux de Julia se refermèrent. Quelques secondes plus tard, des larmes surgirent.

« Non », susurra-t-elle enfin.

Lena lui posa la main sur le bras. Il était mince et frêle, le même aspect que celui de Sibyl à la morgue. Elle tâcha de ne pas songer à sa sœur, et reprit ses questions.

« Parlons un peu de ses cheveux. Peux-tu me préciser de quelle couleur ils étaient ? »

Là encore, elle secoua la tête.

« Des tatouages ou des marques qui pourraient nous aider à l'identifier ?

— Non.

— Je sais que c'est dur, mon chou, mais il faut que nous découvrions ce qui s'est passé. Nous avons besoin de retirer ce type de la circulation, pour qu'il ne puisse plus causer de mal à personne. »

Julia garda les yeux fermés. Un silence intolérable régnait dans la pièce, à tel point que Lena éprouva même le besoin de provoquer un peu de bruit. Sans qu'elle comprenne pourquoi, ce vide la rendait nerveuse.

Sans avertissement, Julia s'exprima enfin. Elle avait la voix enrouée.

« Il m'a eue. »

Lena serra les lèvres, laissant la jeune fille prendre son temps.

« Il m'a eue, répéta-t-elle, les paupières closes, encore plus serrées. J'étais à la bibliothèque. »

Lena pensa à Ryan Gordon. Son cœur cogna dans sa poitrine. S'était-elle trompée sur son compte ? Etait-il capable de commettre un acte pareil ? Julia avait peut-être réussi à s'enfuir pendant la garde à vue de Gordon.

« J'avais un partiel, continua Julia, et je suis restée tard pour réviser. » A l'évocation de ce souvenir, sa respiration se fit plus laborieuse.

« On va respirer à fond plusieurs fois », lui conseilla Lena, et elle montra l'exemple en inspirant et soufflant. « C'est bien, mon cœur. Reste calme, voilà. »

Elle se mit à pleurer pour de bon, cette fois.

« Ryan était là », reprit-elle.

Lena ne résista pas à l'envie de lancer un regard à Jeffrey. Il était concentré sur Matthews, le sourcil froncé. Elle arrivait quasiment à lire dans ses pensées.

« A la bibliothèque ? », voulut-elle savoir, tout en veillant à ne pas trop lui souffler ses réponses.

Julia hocha la tête puis tendit la main vers le verre d'eau.

« Là », fit Lena, en l'aidant à se redresser pour qu'elle puisse boire.

La jeune fille but plusieurs gorgées, puis laissa retomber sa tête en arrière. Elle regarda de nouveau fixement par la fenêtre, tâchant manifestement de reprendre ses esprits. Lena se retint de tapoter du pied par terre. Elle avait envie de se pencher sur ce lit et de la forcer à parler. Elle ne parvenait pas à comprendre comment la jeune femme pouvait se montrer aussi passive dans le cours de son interrogatoire. Si Lena avait été dans ce lit à sa place, elle cracherait tous les détails qui lui viendraient à l'esprit. Elle pousserait celui ou celle qui l'écouterait à démasquer le responsable. Ses mains la démangeraient de l'envie d'arracher le cœur de la poitrine de cet homme. Comment Julia Matthews faisait-elle pour rester allongée là, cela lui échappait.

Lena compta jusqu'à vingt, s'imposant d'accorder un peu de temps à cette femme. Elle l'avait fait aussi durant l'interrogatoire de Ryan Gordon. C'était un de ses vieux trucs, et le seul moyen à sa disposition pour se donner au moins l'apparence de la patience. Quand elle fut parvenue à cinquante, elle posa sa question.

« Ryan était-il là-bas ? »

Julia hocha la tête.

« Dans la bibliothèque ? »

A nouveau, un hochement de tête.

Lena se pencha vers elle, posa une fois encore la main sur le bras de l'étudiante. Si cette main n'avait pas été enveloppée de bandages serrés, elle l'aurait prise dans la sienne. Pour lui poser la question suivante, elle conserva un ton égal, en y mettant juste un soupçon d'insistance.

« Tu as vu Ryan à la bibliothèque. Et ensuite, que s'est-il passé ? »

Julia réagit à cette insistance.

« Nous avons parlé un petit moment, et après je suis retournée à ma chambre.

— Etais-tu en colère contre lui ? »

Le regard de Julia rencontra celui de Lena. Ils échangèrent quelque chose, un message tacite. Elle comprit alors que Ryan exerçait sur la jeune fille une sorte de pouvoir, avec lequel elle désirait rompre. Lena sut aussi que si Ryan Gordon était un salaud, il n'était pas homme à infliger à sa petite amie le traitement qu'elle avait enduré.

« Vous êtes-vous disputés ? lui demanda-t-elle.

— Oui, mais après on s'est plus ou moins réconciliés.

— Plus ou moins, mais pas complètement ? », acheva Lena, percevant assez bien ce qui s'était produit dans la bibliothèque ce soir-là. Elle se figurait tout à fait Ryan Gordon essayant en quelque sorte de pousser Julia à s'engager vis-à-vis de lui. Elle comprenait aussi que Julia avait fini par ouvrir les yeux sur la personnalité réelle de son ancien petit ami. Elle l'avait enfin vu tel qu'il était. Malheureusement, quelqu'un d'autre l'attendait, quelqu'un de bien plus mauvais que Ryan Gordon n'aurait jamais espéré l'être lui-même.

« Donc tu as quitté la bibliothèque, et ensuite ? la questionna-t-elle.

— Il y avait un homme, fit-elle. Sur le chemin des chambres d'étudiants.

— Quel chemin as-tu pris ?

— Je suis passée par-derrière, j'ai contourné le bâtiment d'agronomie.

— Le long du lac ? »

Elle secoua la tête.

« Par l'autre côté. »

Lena attendit qu'elle poursuive.

« Je lui suis rentrée dedans, et il a laissé tomber ses livres et moi les miens. » Sa voix s'effaça peu à peu, mais dans la pièce on entendait sa respiration se faire plus âpre. Elle était presque haletante.

« Et là, as-tu vu son visage ?

— Je ne me souviens pas. Il m'a fait une piqûre. »

Le front de Lena se plissa.

« Une piqûre, avec une seringue ?

— Je l'ai sentie. Je n'ai rien vu.

— A quel endroit l'as-tu sentie ? »

Elle mit la main à sa hanche gauche.

« Quand tu as senti cette piqûre, il était derrière toi ? », demanda Lena, en déduisant que cela ferait du tueur un gaucher, comme l'agresseur de Sibyl.

« Ouais.

— Et donc ensuite il t'a enlevée ? reprit la policière. Il t'est rentré dedans, ensuite tu as senti la piqûre, et puis il t'a emmenée quelque part ?

— Oui.

— Dans sa voiture ?

— Je ne me rappelle pas, admit-elle. Tout ce que j'ai vu, après ça, c'est une cave. » Elle s'enfouit le visage dans les mains, pleurant à chaudes larmes. Son corps fut secoué de douloureux soubresauts.

« C'est bon, la rassura-t-elle, en posant sa main sur la sienne. Tu préfères arrêter ? C'est toi qui décides. »

La chambre fut de nouveau plongée dans un silence uniquement ponctué par la respiration de Julia. Quand elle reprit la parole, sa voix était réduite à un chuchotement rauque, imperceptible.

« Il m'a violée. »

L'inspectrice se sentit la gorge nouée. Elle connaissait déjà cette information, naturellement, mais la manière dont Julia venait de prononcer le mot la priva de ses dernières défenses. Elle se sentait mise à nu, à vif. Elle n'avait plus envie de la présence de Jeffrey dans cette chambre. D'une manière ou d'une autre, il parut s'en rendre compte. Quand elle leva les yeux vers lui, il désigna la porte d'un signe de tête. Lena articula un oui silencieux, et il sortit sans un bruit.

« Et après, sais-tu ce qui s'est produit ? », poursuivit Lena.

L'étudiante remua la tête, chercha Jeffrey du regard.

« Il est sorti », lui indiqua la policière, et sa voix exprimait une assurance qu'elle ne ressentait pas. « Il n'y a plus que nous, Julia. Il n'y a plus que toi et moi, et nous avons toute la journée s'il le faut. Toute la semaine, toute l'année. » Elle s'interrompit, de peur que la jeune fille ne reçoive ce dernier propos comme un encouragement à suspendre l'entretien. « Garde simplement ceci à l'esprit : plus vite nous obtenons des informations détaillées, plus tôt nous pourrons l'arrêter. Tu n'as pas envie qu'il inflige ce traitement à une autre fille, n'est-ce pas ? »

Elle prit cette question très mal, accusant le coup, ainsi que Lena l'avait prévu. Elle n'ignorait pas qu'elle devait se montrer un peu dure, sans quoi la jeune fille allait finir par se taire, tout simplement, en gardant pour elle tous les détails de sa captivité.

Julia sanglotait, et le bruit de ses sanglots emplit la pièce, résonnant aux oreilles de Lena.

« Je ne veux pas que ça puisse arriver à quelqu'un d'autre, gémit l'étudiante.

— Et moi non plus, renchérit Lena. Alors il faut me raconter ce qu'il t'a fait. Elle hésita. As-tu vu son visage, à un moment ou un autre ?

— Non, affirma-t-elle. Je veux dire, si, mais je ne pourrais pas en parler. Je serais incapable d'établir un lien. Il faisait tellement noir, tout le temps. Il n'y avait pas du tout de lumière.

— Es-tu certaine qu'il s'agissait d'une cave ?

— Ça sentait mauvais, insista-t-elle. Le moisi. Et j'entendais de l'eau qui gouttait.

— De l'eau ? releva Lena. Qui gouttait d'un robinet, ou alors peut-être à cause du lac ?

— Un robinet, précisa Julia. Plutôt comme un robinet. Ça faisait un bruit de... » Elle ferma les yeux, et pendant quelques secondes elle parut se laisser happer par un retour sur les lieux. « Comme un cliquetis métallique. Cloc, cloc, cloc, encore et toujours. Ça ne s'arrêtait jamais. » Elle porta les mains à ses oreilles, comme pour ne plus l'entendre.

« Revenons sur le campus, lui proposa la policière. Tu as senti cette piqûre à la hanche, et puis quoi ? Sais-tu quel modèle de voiture il conduisait ? »

Julia secoua la tête, une fois encore, dans un mouvement exagéré de gauche à droite.

« Je ne me souviens pas. Je ramassais mes livres et ensuite, tout ce que je sais, c'est que j'étais, j'étais... Sa voix faiblit.

— Dans cette cave ? acheva Lena. Te souviens-tu d'un détail, n'importe lequel, concernant l'endroit où tu te trouvais ?

— Il faisait sombre.

— Tu ne pouvais rien discerner ?

— Je n'arrivais pas à ouvrir les yeux. Ils refusaient de s'ouvrir. » Sa voix était si feutrée que Lena dut tendre l'oreille pour entendre ce qu'elle disait. « Je volais.

— Tu volais ?

— Je n'arrêtais pas de flotter, comme si j'étais sur l'eau. J'entendais les vagues de l'océan. »

Lena prit une profonde inspiration, puis elle respira lentement.

« Il t'a prise couchée sur le dos ? »

A cette question, le visage de Julia se chiffonna, se décomposa, et elle éclata en sanglots.

« Mon chou, souffla Lena. Ce type, il était blanc ? Noir ? Peux-tu m'apporter cette précision ? »

Une fois encore, elle secoua la tête.

« Je n'arrivais pas à ouvrir les yeux. Il me parlait. Sa voix... » Les lèvres de Julia tremblaient, et son visage avait viré au cramoisi. Les larmes coulaient à flots, dégoulinaient sans cesse. « Il me racontait qu'il m'aimait. » La panique s'empara d'elle, et elle manqua étouffer. « Il n'arrêtait pas de m'embrasser... » Elle s'interrompit, sanglotante.

Lena respira profondément, tâchant de retrouver son

calme. Elle poussait trop fort. Elle compta lentement jusqu'à cent, avant de reprendre.

« Les trous que tu as aux mains. Nous savons qu'il a fait pénétrer quelque chose dans tes mains et dans tes pieds. »

Julia considéra les bandages, comme si elle les découvrait pour la première fois.

« Oui, se souvint-elle. Je me suis réveillée, et mes mains étaient clouées. Je voyais le clou traverser, mais ça ne me faisait pas mal.

— Tu étais par terre, sur le sol ?

— Je crois. Je me sentais... » Elle parut chercher le mot. « Je me sentais suspendue. Je volais. Comment a-t-il réussi à me faire voler ? Est-ce que je volais ? »

Lena s'éclaircit la gorge.

« Non, répondit-elle. Julia, as-tu en tête quelqu'un, un nouveau venu dans ton existence, peut-être quelqu'un sur le campus ou en ville, qui te mettait mal à l'aise ? Tu ne te serais pas sentie surveillée ?

— Je le suis encore, surveillée, lâcha-t-elle, en regardant par la fenêtre.

— Moi, je veille sur toi, rectifia Lena, en ramenant le visage de la jeune fille vers elle. Je veille sur toi, Julia. Personne ne te fera plus de mal. Tu comprends ça ? Personne.

— Je ne me sens pas en sécurité », insista-t-elle, et quand elle fondit en larmes son visage de nouveau se décomposa. « Il peut me voir. Je sais qu'il peut me voir.

— Ici, il n'y a que toi et moi », lui assura-t-elle. Quand elle lui parlait, elle se faisait l'effet de s'adresser à Sibyl, c'était comme d'affirmer à Sibyl qu'elle prenait soin d'elle. « Quand tu partiras pour Augusta, je serai avec toi. Je ne vais pas te laisser sortir de mon champ de vision, pas un seul instant. Est-ce que tu comprends ça ? »

En dépit de ces propos rassurants, Julia semblait encore plus terrorisée.

« Pourquoi est-ce que je vais à Augusta ? demanda-t-elle d'une voix rauque.

— Je ne sais pas au juste, lui répondit-elle, en attrapant la carafe d'eau. Ne t'inquiète pas à ce sujet, pour le moment.

— Qui est-ce qui m'envoie à Augusta ? insista Julia, les lèvres tremblantes.

— Bois un peu d'eau, lui conseilla-t-elle, en lui maintenant le gobelet au bord des lèvres. Tes parents vont bientôt arriver. Ne te soucie de rien, si ce n'est de prendre soin de toi et de mieux te porter. »

La jeune fille en eut le souffle coupé, et ses larmes lui coulèrent dans le cou, jusque sur le drap. Ses yeux s'ouvrirent tout grands, sous l'empire de la peur panique.

« Pourquoi vous me changez d'endroit ? chuchota-t-elle. Qu'est-ce qui va se passer ?

— Nous ne te bougerons pas d'ici si tu n'en as pas envie, lui promit-elle. Je discuterai avec tes parents.

— Mes parents ?

— Ils devraient être ici sous peu, lui apprit-elle. Tout va bien.

— Ils sont au courant ? fit-elle, inquiète, et sa voix monta dans l'aigu. Vous leur avez expliqué ce qui m'est arrivé ?

— Je ne sais pas, reconnut-elle. J'ignore s'ils sont vraiment au courant des détails.

— Vous ne pouvez pas le raconter à mon père, sanglota la jeune fille. Personne ne doit le raconter à mon père, d'accord ? Il ne faut pas qu'il apprenne ce qui s'est passé.

— Toi, tu n'as rien fait, lui rappela-t-elle. Julia, ton père ne va pas t'en vouloir à cause de ça. »

Julia se tut. Au bout d'un petit moment, elle regarda de nouveau vers la fenêtre, les joues dégoulinantes de larmes.

« Ça va aller », lui promit Lena sur un ton réconfortant, et elle sortit un mouchoir en papier de la boîte posée sur la table. Elle se pencha sur elle et essuya l'eau sur l'oreiller. La dernière chose à laquelle cette jeune fille avait besoin de penser, c'était bien à la réaction de son père face à ce qui lui était arrivé. Lena avait déjà travaillé auprès de victimes de viol. Elle savait comment fonctionnait ce sentiment de responsabilité. Il était rare que la victime en veuille à quelqu'un d'autre qu'à elle-même.

Il y eut un bruit étrange qui lui sembla vaguement familier. Elle se rendit compte, trop tard, qu'il s'agissait de son propre pistolet.

« Ecartez-vous », chuchota Julia. Elle tenait l'arme maladroitement, entre ses mains bandées. Le canon s'inclina vers Lena, puis vers Julia quand cette dernière fit en sorte de trouver une meilleure prise sur la crosse. Lena regarda vers la porte, songeant à appeler Jeffrey, mais Julia l'avertit.

« Ne faites pas ça. »

Lena se tint les bras ballants, les mains écartées du corps, mais ne recula pas. Elle savait que la sécurité était enclenchée, mais il ne faudrait que quelques secondes à la jeune étudiante pour la libérer.

« Donne-moi ce pistolet, exigea-t-elle.

— Vous ne comprenez pas, se lamenta la jeune fille, au bord de la crise. Vous ne comprenez pas ce qu'il m'a fait, comment il m'a... » Elle s'interrompit, étouffant un sanglot. Elle ne tenait pas le pistolet d'une main très ferme, mais avait le doigt sur la détente et braquait le canon sur Lena. Cette dernière se sentit parcourue d'un frisson glacial, et, honnêtement, elle était incapable de se rappeler si la sécurité était mise ou non. Ce qu'elle savait, c'était qu'une balle était déjà engagée dans le canon.

Une fois la sécurité levée, une menue pression sur la détente suffirait à faire partir le coup.

Elle essaya de s'exprimer d'une voix calme.

« Quoi, mon chou ? Qu'est-ce que je ne comprends pas ? »

Julia rabattit le pistolet vers sa tête. Elle tâtonna, faillit le lâcher, avant d'appuyer le canon contre son menton.

« Ne fais pas ça, la supplia Lena. S'il te plaît, donne-moi ce pistolet. Il y a une balle engagée dans le barillet.

— Je m'y connais en pistolets.

— Julia, je t'en prie, reprit-elle, sachant qu'elle devait s'arranger pour que la jeune fille ne cesse pas de parler. Ecoute-moi. »

Un sourire évanescent se dessina sur ses lèvres.

« Mon père m'emmenait tout le temps chasser avec lui. Il me permettait toujours de l'aider à nettoyer les fusils.

— Julia...

— Quand j'étais là-bas. Elle refoula un sanglot. Quand j'étais avec lui.

— L'homme ? L'homme qui t'a enlevée ?

— Vous ne savez pas ce qu'il m'a fait, continua-t-elle, et sa voix s'étrangla dans sa gorge. Les choses qu'il m'a faites. Je ne peux pas vous les raconter.

— Je suis tellement désolée », fit Lena. Elle avait envie d'avancer, mais elle décela dans ses yeux quelque chose qui la maintenait clouée au sol. Se jeter sur cette fille n'était pas une solution.

« Je ne permettrai pas qu'il te fasse encore souffrir, Julia. Je te le promets.

— Je ne comprends pas », sanglotait la jeune fille, en faisant glisser le canon vers la fossette de son menton. Elle parvenait à peine à agripper l'arme, mais Lena savait que cela importait peu, à si courte distance.

« Mon chou, non, je t'en prie », répéta Lena, ses yeux filant vers la porte. Jeffrey était de l'autre côté, peut-être pourrait-elle l'alerter sans que Julia s'en aperçoive.

« Ne tentez rien, lança cette dernière, comme si elle lisait dans ses pensées.

— Rien ne t'oblige à faire ça », reprit Lena. Elle s'efforçait de raffermir le ton de sa voix, mais la vérité, c'était que, sur ce type de situation, elle avait uniquement lu certaines analyses dans les manuels de procédure. Dans la réalité, elle n'avait jamais été dans la position de devoir convaincre quelqu'un de ne pas se suicider.

« Sa manière de me toucher. Sa manière de m'embrasser. Sa voix se brisa. Vous ne savez pas, c'est tout.

— Quoi ? s'enquit Lena, en approchant lentement la main de l'arme. Qu'est-ce que je ne sais pas ?

— Il... » Elle s'interrompit, un son guttural s'échappa de sa gorge. « Il m'a fait l'amour.

— Il...

— Il m'a fait l'amour, répéta-t-elle, dans un chuchotement qui fit écho dans la chambre. Vous savez ce que ça signifie ? demanda-t-elle. Il n'arrêtait pas de me rabâcher qu'il ne voulait pas me causer de mal. Il avait envie de me faire l'amour. Et c'est ce qu'il a fait. »

Lena sentit sa bouche s'ouvrir, mais elle ne trouvait rien à répondre. Elle n'arrivait pas à en croire ses oreilles.

« Qu'est-ce que tu dis ? lança-t-elle, consciente de sa brusquerie de ton. Qu'est-ce que tu veux dire ?

— Il m'a fait l'amour, répéta Julia. Sa manière de me toucher. »

Lena secoua la tête, comme pour débarrasser son esprit de cette idée.

« Es-tu en train de m'expliquer que tu as aimé ça ? » Tout en posant cette question, elle ne put masquer l'incrédulité qui perçait dans sa voix.

Un claquement se fit entendre, lorsque Julia libéra la sécurité. Lena se sentait trop abasourdie pour bouger, mais elle parvint tout de même à la hauteur de la jeune fille avant qu'elle ne presse la détente. Elle baissa les yeux juste à temps pour voir la tête de Julia Matthews exploser sous elle.

L'eau de la douche lui picotait la peau comme autant d'aiguilles. Elle sentait bien la brûlure, mais ce n'était pas gênant. Toutes ses sensations étaient engourdies, profondément engourdies, du fin fond d'elle-même jusqu'à l'épiderme. Ses genoux se dérobèrent sous elle, et elle se laissa glisser dans le fond de la douche. Elle les ramena contre sa poitrine, ferma les yeux, et l'eau lui frappa les seins et le visage. Elle bascula la tête en avant, elle se sentait comme une poupée de chiffon. L'eau tambourinait sur le sommet de son crâne, lui meurtrissait la nuque, mais elle s'en moquait. Son corps ne lui appartenait plus. Elle était vidée. Elle ne trouvait rien dans sa vie qui conserve un sens, ni son métier, ni Jeffrey, ni Hank Norton, et certainement pas elle-même.

Julia Matthews était morte, tout comme Sibyl. Lena les avait laissées tomber, l'une et l'autre.

L'eau se mit à couler froide. Elle coupa la douche et se sécha avec un drap de bain, consciente d'exécuter ces gestes machinalement. Son corps lui semblait toujours sale, alors que c'était la deuxième douche qu'elle prenait au cours des cinq dernières heures. Et puis, elle avait dans la bouche un goût étrange. Elle n'était pas sûre, était-ce son imagination ou quelque chose lui était-il entré dans la bouche quand Julia avait appuyé sur la détente ?

Elle frissonna à cette pensée.

« Lee ? s'écria Hank de l'autre côté de la porte de la salle de bains.

— Je descends dans une minute », répondit-elle, en enduisant sa brosse de dentifrice. Elle s'inspecta dans le miroir, tout en se brossant les dents pour essayer de chasser le goût. Aujourd'hui, sa ressemblance avec Sibyl avait disparu. Il ne restait plus rien de sa sœur.

Elle descendit en robe de chambre et en pantoufles. Avant de franchir la porte de la cuisine, elle appuya la main contre le mur, étourdie et nauséeuse. Elle contraignait son corps à bouger, sinon elle irait dormir et ne se réveillerait jamais. Son corps douloureux qui mourait d'envie de céder, de débrancher, mais elle le savait, dès que sa tête toucherait l'oreiller, elle resterait pleinement éveillée et son cerveau se repasserait cette vision de Julia Matthews juste avant qu'elle ne se tue. A l'instant où elle avait appuyé sur la détente, la jeune fille regardait Lena. Leurs regards s'étaient rivés l'un à l'autre et Lena n'avait même pas eu besoin de voir ce pistolet pour comprendre que la jeune femme avait l'intention de mourir.

Hank était à la table de la cuisine, il buvait un Coca. A son entrée dans la pièce, il se leva. Elle se sentit envahie par la honte et fut incapable de le regarder en face. Dans la voiture, quand Frank l'avait ramenée chez elle, elle s'était montrée forte. Elle n'avait pas lâché un mot à son équipier, ou commenté le fait que, malgré tous ses efforts pour se laver, à l'hôpital, elle avait de la matière grise et du sang collés à elle comme de la cire chaude. Des fragments d'os s'étaient fichés dans sa poche poitrine et elle sentait encore le sang lui dégouliner sur le visage et dans le cou alors qu'elle avait bien tout essuyé. Ce n'est qu'après avoir refermé sa porte d'entrée qu'elle s'était laissée aller. Le fait que Hank ait été présent, qu'elle l'ait autorisé à la serrer dans ses bras alors qu'elle sanglotait, lui inspirait encore un sentiment de honte. Elle ne se reconnaissait plus. Elle ignorait qui était cette personne si faible.

Elle jeta un coup d'œil par la fenêtre.

« Il fait noir, dehors, remarqua-t-elle.

— Tu as dormi un bon moment, répondit son oncle, en se rendant à la cuisinière. Tu veux du thé ?

— Ouais », dit-elle, alors qu'en fait elle n'avait absolument pas dormi. Fermer les yeux n'avait fait que la remettre au contact de ce qui s'était produit. Elle ne trouverait peut-être plus jamais le sommeil, et cela lui irait très bien.

« Ton patron a téléphoné pour prendre de tes nouvelles, annonça Hank.

— Oh », répondit-elle, en s'asseyant à table, une jambe repliée sous elle. Elle se demanda ce qui avait pu traverser l'esprit de Jeffrey. Il était dehors, dans le couloir, il attendait qu'elle le rappelle dans la chambre, quand le coup était parti. Elle se souvint de son expression quand il avait fait irruption sur le seuil, totalement sous le choc. Elle était là, debout, encore penchée sur Julia, de la chair et des fragments d'os lui dégoulinant du torse et du visage. Il l'avait forcée à abandonner cette position, lui avait palpé le corps afin de s'assurer qu'elle n'avait pas été touchée elle aussi.

Elle était restée ainsi, muette, debout, tandis qu'il s'occupait d'elle, elle qui était incapable de détacher le regard du visage de Julia Matthews, ou de ce qu'il en restait. La jeune fille avait placé le canon sous son menton, se faisant sauter tout l'arrière de la tête. Le mur derrière elle et tout le lit en étaient éclaboussés. La balle avait creusé un trou à un mètre de distance du plafond.

Jeffrey avait obligé Lena à demeurer dans cette chambre, pour lui soutirer toutes les bribes d'information qu'elle avait pu obtenir de la jeune étudiante, l'interrogeant minutieusement sur chaque détail de son récit, et Lena était là, debout, la lèvre tremblant de manière incontrôlable, incapable de suivre le fil des mots qui s'échappaient de sa propre bouche.

Elle enfouit la tête dans ses mains. Elle écouta Hank remplir la bouilloire, entendit le crépitement de l'allumeur électrique de la cuisinière à gaz.

Hank s'assit en face d'elle, croisa les doigts.

« Ça va ? demanda-t-il.

— Je ne sais pas », hasarda-t-elle, et sa propre voix lui paraissait très lointaine. La détonation avait résonné tout près de son oreille. Le bourdonnement avait cessé depuis un moment déjà, mais les sons lui parvenaient encore avec une douleur sourde.

« Tu sais à quoi je pensais ? reprit-il en se calant contre le dossier de sa chaise. Tu te souviens de la fois où tu étais tombée de la véranda ? »

Elle le dévisagea, sans comprendre où il voulait en venir avec cette histoire.

« Ouais ?

— Eh ben. » Il eut un haussement d'épaules, et il souriait, pour une raison qui lui échappait. « Sibyl t'avait poussée. »

Elle n'était pas certaine d'avoir correctement entendu.

« Quoi ?

— Elle t'a poussée, soutint-il. Je l'ai vue.

— Elle m'a poussée de la véranda ? Elle secoua la tête. Elle a essayé de m'empêcher de tomber, oui.

— Elle était aveugle, Lee, comment aurait-elle su que tu allais tomber ? »

Sa bouche se crispa. Sa remarque était juste.

« On a dû me recoudre, seize points de suture à la jambe.

— Je sais.

— Et elle m'a poussée ? », le questionna-t-elle, et sa voix grimpa de plusieurs octaves. « Pourquoi elle m'a poussée ?

— Je l'ignore. Peut-être qu'elle voulait juste blaguer. Hank gloussa. Tu as tellement braillé que j'ai cru que les voisins allaient débarquer.

— Ça m'étonnerait, même s'ils avaient entendu tirer vingt et un coups de canon, les voisins ne seraient sûrement pas venus », ironisa-t-elle. Concernant cette maisonnée, les voisins de Hank Norton avaient appris à s'attendre à tous les vacarmes possibles et imaginables, à n'importe quelle heure du jour et de la nuit.

« Tu te souviens de la fois sur la plage ? », continua-t-il.

Elle le scruta du regard, tâchant de saisir pourquoi il évoquait tout ça.

« Quelle fois ?

— Quand tu ne retrouvais plus ton kickboard ?

— Le kickboard rouge ? se souvint Lena. Ne me dis rien, elle l'a balancé du haut du balcon. »

Il eut un petit rire.

« Nan. Elle l'a perdu dans la piscine.

— Comment peut-on perdre un kickboard dans la piscine ? »

Il balaya l'objection.

« A mon avis, c'est un gamin qui avait dû l'embarquer. Seulement, le fait est qu'il t'appartenait. Tu l'avais prévenue de ne pas y toucher et elle y a touché, et elle te l'a perdu. »

Malgré elle, Lena se sentit un peu allégée du poids qui lui pesait sur les épaules.

« Pourquoi tu me racontes tout ça ? », s'étonna-t-elle.

Une fois encore, il eut un petit mouvement d'épaules.

« Je sais pas. Ce matin, je pensais à elle, c'est tout.

Tu te souviens de cette chemise qu'elle portait tout le temps ? Celle avec les rayures vertes ? »

Elle hocha la tête.

« Elle l'a gardée.

— Non », s'étonna-t-elle, stupéfaite. Pendant toute leur scolarité dans le secondaire, elles s'étaient disputées à cause de cette chemise, jusqu'à ce que Hank ait décidé de régler le différend à pile ou face. « Pourquoi l'a-t-elle gardée ?

— Elle était à elle », lui rappela-t-il.

Lena dévisagea son oncle, ne sachant trop qu'ajouter. Elle se leva, sortit un mug du placard.

« Tu veux profiter d'un peu de temps à toi toute seule, tranquille, ou tu préfères que je sois là ? »

Elle réfléchit à sa question. Elle avait besoin d'être seule, de se retrouver un peu, et s'il y avait bien une présence qui l'en empêcherait, c'était celle de Hank.

« Tu rentres à Reece ?

— Je comptais passer la nuit chez Nan et l'aider à trier certaines affaires. »

Elle fut prise d'une panique diffuse.

« Elle ne va rien jeter, au moins ?

— Non, bien sûr que non. Elle jette juste un œil sur ses affaires, elle rassemble ses vêtements. Hank s'appuya au bar, bras croisés. Il ne faut pas qu'elle se charge de ça toute seule. »

Elle s'examina les mains. Elle avait quelque chose sous les ongles. Incapable de dire si c'était de la saleté ou du sang, elle porta le doigt à sa bouche, le nettoya avec une incisive du bas.

Hank l'observa.

« Si tu te sens d'humeur, tu pourrais passer là-bas, un peu plus tard. »

Elle secoua la tête. En se mordillant l'ongle. Elle allait se l'arracher jusqu'à se mettre la chair à vif, plutôt que de laisser ce sang sécher là où il était.

« Demain, il faut que je me lève tôt pour le boulot, mentit-elle.

— Mais, et si tu changes d'avis ?

— Pourquoi pas », grommela-t-elle, le doigt entre les lèvres. La cuticule était venue en même temps que l'ongle. Une tache rouge vif allait s'élargissant.

Il se leva, le regard rivé sur elle, puis empoigna sa veste sur le dossier de la chaise. Ils avaient déjà connu ce genre de situation, quoique certainement jamais dans de telles proportions. C'était une vieille danse familière et ils en connaissaient tous deux les pas. Hank risquait un pas en avant, et Lena reculait de deux. Ce n'était pas le moment d'apporter des changements à ce petit jeu.

« Si tu as besoin de moi, tu peux m'appeler. Tu le sais, hein ?

— Mm-mm », marmonna-t-elle, les lèvres serrées. Elle allait à nouveau pleurer, et songea qu'une part d'elle-même mourrait si elle craquait encore devant Hank.

Il parut le sentir, car il lui posa la main sur l'épaule, puis lui effleura la tête d'un baiser.

Elle garda le front baissé en attendant le déclic de la porte d'entrée. Quand la voiture de son oncle sortit de l'allée en marche arrière, elle lâcha un long soupir.

La bouilloire émettait un jet de vapeur, mais n'avait pas encore commencé à siffler. Elle n'aimait pas particulièrement le thé, mais fouilla tout de même dans les placards à la recherche des sachets. Elle dénicha une boîte de tilleul-menthe, du Tummy Mint, à l'instant où l'on frappait à sa porte.

Elle s'attendait à revoir Hank, et fut donc surprise en ouvrant.

« Oh, salut », fit-elle en se massant l'oreille à cause d'un bruit strident. Elle comprit que c'était la bouilloire qui sifflait. « Juste une seconde », ajouta-t-elle.

Elle coupait le feu quand elle sentit une présence derrière elle, puis une piqûre à la cuisse gauche.

Dix-sept

Sara se tenait bras croisés devant le corps de Julia Matthews. Elle ne quittait pas la jeune fille du regard, tâchant de la considérer d'un œil clinique, de séparer l'être dont elle avait sauvé la vie de cette morte couchée sur une table de dissection.

L'incision qu'elle avait pratiquée pour accéder au cœur de la jeune femme n'était pas encore cicatrisée, les points de suture noircis étaient encore épaissis de sang séché. Un petit orifice était visible à la base du menton. Des brûlures, autour de la plaie d'entrée du projectile, révélaient que le canon était appuyé contre la peau lorsque le coup était parti. Sur l'arrière de la tête, un trou béant marquait la blessure par où la balle était ressortie. De l'os déchiqueté pendait du crâne ouvert, comme de macabres ornements sur un sapin de Noël ensanglanté. L'odeur de la poudre flottait dans l'air.

Le corps de Julia Matthews gisait sur la table d'autopsie en porcelaine, à peu près dans la même position que celui de Sibyl Adams quelques jours auparavant. La tête de la table était équipée d'un robinet muni d'un tuyau en caoutchouc noir. En surplomb était installée une balance à organes, très semblable à celles qu'utilisent les épiciers pour peser les fruits et les légumes. A côté de la table étaient disposés les outils de l'autopsie : un scalpel, un couteau à pain de trente-cinq centimètres de long affûté pour la chirurgie, une paire de ciseaux également aiguisés, une paire de forceps (que l'on appelait aussi des « pinces »), une scie Stryker pour découper les os et une paire de cisailles à long manche pour tailler les haies, qu'on se serait normalement attendu à trouver dans un garage à côté de la tondeuse à gazon. Cathy Linton en possédait une paire à elle, et chaque fois que Sara voyait sa mère s'occuper des azalées, elle songeait à l'emploi qu'elle faisait de ces mêmes cisailles, à la morgue, pour découper les cages thoraciques.

Sara suivait machinalement les différentes étapes de préparation du cadavre de Julia Matthews en vue de l'autopsie. Ses pensées étaient ailleurs, elles revenaient à la nuit précédente, quand Julia Matthews était étendue sur la voiture, à ce moment où la jeune fille était en vie, quand il lui restait encore une chance.

Avant cela, Sara avait toujours mené ses autopsies sans état d'âme, sans jamais se laisser perturber par la mort. Ouvrir un corps, c'était comme ouvrir un livre. On pouvait apprendre quantité de choses à la lecture des tissus et des organes. Dans la mort, le corps était disponible à un examen minutieux. La raison qui l'avait conduite à accepter ce poste du Grant County tenait partiellement à l'ennui croissant que lui inspirait la pratique de la médecine hospitalière. Son emploi de médecin légiste représentait un défi, une opportunité d'acquérir un nouveau savoir-faire et d'aider les gens. Et pourtant, l'idée de découper Julia Matthews, d'exposer son corps à des mauvais traitements supplémentaires, la transperçait de part en part, comme un couteau.

De nouveau, elle se pencha sur les restes du crâne de l'étudiante. Les coups de feu à la tête étaient réputés pour leur caractère imprévisible. La plupart des victimes finissaient dans un état comateux, des légumes qui, grâce aux miracles de la science moderne, vivaient paisiblement tout le reste d'une existence dont elles ne voulaient pourtant plus. En plaçant ce pistolet sous son menton et en pressant la détente, la jeune fille avait mieux réussi dans son entreprise que beaucoup de gens. La balle avait pénétré dans le crâne suivant une trajectoire verticale, fracassé l'os sphénoïde, creusé un tunnel le long de la scissure cérébrale latérale avant de ressortir par l'os occipital. Tout l'arrière du crâne avait été emporté, permettant ainsi d'avoir un aperçu direct sur l'intérieur de la boîte crânienne. A l'inverse de sa précédente tentative de suicide, dont témoignaient ses cicatrices aux poignets, Julia Matthews avait eu l'intention de mettre fin à ses jours. Sans aucun doute possible, elle savait ce qu'elle faisait.

Sara se sentait gagnée par la nausée. Elle avait envie de secouer la jeune fille pour la ramener à la vie, exiger qu'elle continue de vivre, lui demander comment elle avait pu traverser tout ce qui lui était arrivé durant les derniers jours pour finalement s'ôter la vie. Apparemment, c'était les horreurs auxquelles Julia Matthews avait survécu qui avaient fini par la tuer.

« Ça va ? s'enquit Jeffrey en lui adressant un regard soucieux.

— Ouais », parvint-elle à articuler, non sans se demander si ça allait vraiment. Elle se sentait à vif, comme une blessure qui ne formerait pas de croûte.

Elle le savait, s'il tentait de lui faire du plat, elle le prendrait au mot, elle céderait. Elle ne pensait qu'à une chose, combien il devait être bon de se laisser aller dans ses bras, de sentir ses lèvres l'embrasser, sa langue dans sa bouche. Son corps éprouvait un besoin douloureux d'être à son contact comme jamais au cours de ces dernières années. Elle n'avait pas particulièrement envie de sexe, simplement d'être rassurée par sa présence. Elle voulait se sentir protégée. Elle désirait lui appartenir. Or, elle l'avait appris depuis belle lurette, le sexe était la seule manière par laquelle Jeffrey savait lui offrir ces choses-là.

Il était de l'autre côté de la table d'autopsie.

« Sara ? », fit-il.

Elle ouvrit la bouche, presque sur le point de lui faire une proposition, mais s'interrompit. Il était survenu tant d'événements depuis ces dernières années. Tant de changements. L'homme qu'elle désirait n'existait plus réellement. Et elle n'était même pas certaine qu'il ait jamais existé.

Elle s'éclaircit la gorge.

« Ouais ?

— Tu veux remettre la séance à plus tard ?

— Non », répondit-elle d'une voix entrecoupée, tout en se réprimandant intérieurement de s'être imaginé avoir besoin de lui. La vérité était tout autre. Jusqu'à présent, elle avait avancé sans lui. Elle parviendrait à continuer dans les mêmes conditions.

Elle appuya sur la pédale du dictaphone et enregistra ses remarques.

« C'est le corps non embaumé d'une jeune adulte, blanche, bien bâtie, bien nourrie, mince, pesant... » Par-dessus l'épaule de Jeffrey, elle consulta le tableau noir où elle avait inscrit des notes « ... cinquante-six kilos pour une taille d'un mètre soixante. » D'une pression du pied, elle arrêta le défilement de la bande, prit une profonde inspiration pour s'éclaircir l'esprit. Elle avait un peu de difficulté à respirer.

« Sara ? »

En pesant sur la pédale, elle remit l'appareil en marche, tout en secouant la tête à l'intention de Jeffrey. Désormais, la compréhension qu'elle avait tant désirée quelques minutes plus tôt l'irritait. Elle se sentait mise à nu.

Elle dicta : « L'apparence de la défunte correspond à l'âge indiqué de vingt-deux ans. Le corps a été réfrigéré durant un laps de temps d'au moins trois heures et il est froid au toucher. Elle s'interrompit, se racla la gorge. La rigidité cadavérique est formée et fixée dans les membres supérieurs et inférieurs, et des taches de lividité mortuaire sont visibles sur la partie postérieure du tronc et aux extrémités, sauf sur les régions soumises à pression. »

Et cette description clinique se poursuivit, celle d'une femme qui, voici seulement quelques heures, avait été certes rouée de coups, mais demeurait encore en vie, et qui, voici encore quelques semaines, était sinon heureuse, du moins contente de vivre.

Sara passa en revue l'aspect extérieur de Julia Matthews, se représentant ce qu'elle avait dû subir. Etait-elle éveillée, quand son agresseur lui avait arraché les dents afin de procéder à un viol buccal ? Etait-elle consciente quand il lui avait déchiré le rectum ? Les drogues avaient-elles fait barrage aux sensations quand il l'avait clouée au sol ? Une autopsie ne pouvait révéler que les seuls dommages physiques : l'état d'esprit de la victime, son degré de conscience, demeureraient un mystère. Personne ne saurait jamais ce qui lui avait traversé l'esprit quand elle avait subi cette agression. Personne ne verrait jamais exactement ce que cette jeune fille avait vu. Sara ne pouvait que deviner et elle n'aimait pas les images que ces suppositions lui amenaient à l'esprit. A nouveau, elle se vit sur une civière dans un hôpital. A nouveau, elle se vit subissant un examen.

Elle s'obligea à relever les yeux de ce cadavre et se sentit toute tremblante, nullement à sa place. Jeffrey la scrutait du regard et son visage affichait une expression étrange.

« Quoi ? », fit-elle.

Il secoua la tête, sans la quitter des yeux.

« Je préférerais », commença-t-elle, puis elle s'interrompit le temps de dissoudre la boule qui lui nouait la gorge. « Je préférerais que tu ne me regardes pas comme ça, d'accord ? Elle patienta, mais il n'accéda pas à sa requête.

— Je te regarde comment ?

— Comme un prédateur », répondit-elle, mais ce n'était pas tout à fait exact. Il la regardait comme elle avait envie qu'il la regarde. Son visage manifestait un sentiment de responsabilité, comme s'il ne souhaitait rien tant que de prendre la situation en charge pour rendre les choses meilleures. Elle se détestait, justement parce que c'était ce qu'elle désirait.

« Ce n'est pas intentionnel », se défendit-il.

Elle se défit de ses gants avec un claquement.

« Vu.

— Je me fais du souci pour toi, Sara. Je voudrais que tu me fasses part de ce qui se passe. »

Elle se dirigea vers le placard aux fournitures car elle refusait d'avoir une conversation au-dessus du corps de Julia Matthews.

« Tu n'as plus besoin de te préoccuper de ça. Tu te souviens du motif ? »

Si elle l'avait giflé en pleine figure, l'expression de son ex-mari n'eût pas été différente.

« Je n'ai jamais cessé de me préoccuper de toi. »

Elle avala sa salive avec difficulté, tâchant de ne pas se laisser entamer par cette confession.

« Merci.

— Parfois, commença-t-il, le matin, quand je me réveille, j'oublie que tu n'es pas là. J'oublie que je t'ai perdue.

— Un peu comme lorsque tu oubliais que tu m'avais épousée ? » Il s'approcha d'elle, mais elle recula jusqu'à se sentir coincée à quelques centimètres du placard. Il s'immobilisa là, debout devant elle, les mains posées sur ses bras.

« Je t'aime encore.

— Ce n'est pas suffisant. »

Il s'avança un peu plus.

« C'est-à-dire ?

— Jeffrey, se défendit-elle. Je t'en prie. »

Finalement, il recula.

« Qu'est-ce que tu en penses ? Le ton de sa voix était plutôt sec. Tu crois découvrir quelque chose ? »

Elle croisa les bras, éprouvant le besoin de se protéger.

« Je crois qu'elle est morte avec ses secrets. »

Tolliver lui lança un regard étrange, probablement parce que Sara n'était pas du genre à se laisser aller au mélodrame. Elle s'efforçait d'être elle-même et de se montrer plus clinique que jamais, mais cette simple démarche l'épuisait émotionnellement.

Quand elle pratiqua l'incision standard en forme de Y en travers de la poitrine, elle s'efforça de garder la main ferme. Le bruit de la peau, quand elle l'écarta de la chair, déchira ses pensées. Elle tâcha de les surmonter, de parler.

« Comment ses parents encaissent-ils la nouvelle ?

— Tu ne peux pas imaginer à quel point ç'a été horrible de leur annoncer qu'elle avait été violée. Et ensuite, ceci. Il désigna le corps. Tu ne peux imaginer. »

L'esprit de Sara se remit à vagabonder. Elle vit son propre père debout au-dessus d'un lit d'hôpital, sa mère derrière elle, qui la serrait dans ses bras. Si elle ne cessait pas de se projeter dans la position de Julia Matthews, elle n'arriverait pas à mener cette tâche à bien.

« Sara ? », répéta Jeffrey.

Elle leva les yeux, étonnée de s'apercevoir qu'elle avait interrompu l'autopsie. Elle se tenait devant ce cadavre, bras croisés. Jeffrey attendait patiemment, sans formuler la question qui s'imposait.

Sara prit le scalpel et se remit au travail, tout en dictant.

« Le corps est ouvert suivant l'incision habituelle en forme de Y, et les organes des cavités thoraciques et abdominales sont à leurs emplacements anatomiques normaux. »

Dès qu'elle se fut tue, Jeffrey prit la parole à son tour. Heureusement, il choisit cette fois d'aborder un autre sujet.

« Je ne sais pas ce que je vais décider concernant Lena.

— Comment cela ? s'enquit Sara, contente d'entendre le son de sa voix.

— Elle ne tient pas très bien le coup, observa-t-il. Je lui ai suggéré de s'accorder deux jours de repos.

— Tu crois qu'elle va t'obéir ?

— Je pense que c'est dans le domaine du possible. »

Elle attrapa les ciseaux, découpa le sac péricardique par brefs coups de lame.

« Et donc, où est le problème ?

— Elle est à bout. Je le sens. Je ne sais pas quel parti adopter, voilà. Il désigna Julia Matthews. Je ne voudrais pas qu'elle finisse par commettre un acte de ce genre. »

Sara le scruta par-dessus le bord supérieur de la monture de ses lunettes. Elle ignorait s'il se prêtait ou non à une manœuvre de psychologie de bazar, dissimulant sa préoccupation pour Sara en affichant celle qu'il éprouvait pour Lena, ou s'il était véritablement demandeur d'un avis sur la manière de se comporter avec son adjointe.

Elle lui offrit une réponse susceptible de satisfaire l'une et l'autre hypothèse.

« Lena Adams ? Elle secoua la tête, certaine au moins de cette vérité-là. C'est une battante. Les individus comme Lena ne se tuent pas. Ils tuent quelqu'un d'autre, mais ils ne se suppriment pas.

— Je sais », acquiesça-t-il. Pendant que Sara empoignait l'estomac et procédait à son ablation, il se tut.

« Ça ne va pas être très agréable », l'avertit-elle en déposant le viscère dans un bol en inox. Jeffrey avait déjà assisté à quantité d'autopsies, il n'y avait jamais rien d'aussi âcre que les odeurs de l'appareil digestif.

« Hé. » Elle suspendit son geste, étonnée par sa découverte. « Regarde-moi ça.

— Qu'est-ce que c'est ? »

Elle s'écarta sur le côté afin qu'il puisse voir ce que contenait l'estomac. Les sucs digestifs étaient noirs et d'une consistance épaisse, et elle se servit d'une passoire pour en prélever le contenu solide.

« Qu'est-ce que c'est ? répéta-t-il.

— Je n'en sais rien. Peut-être une espèce de graine, hasarda-t-elle, en utilisant une paire de pinces pour en séparer une du lot. Je crois que nous devrions appeler Mark Webster.

— Tiens », lui fit-il en lui tendant une pochette plastique.

Elle laissa tomber la graine dedans.

« Tu penses qu'il souhaite se faire prendre ?

— Ils désirent tous se faire prendre, non ? lui rappela-t-il. Regarde à quel endroit il les a abandonnées. Toutes les deux dans des lieux semi-publics, toutes les deux exposées, nues. Ce qui le fait bander, c'est le risque, au moins autant que le reste.

— Ouais », approuva-t-elle. Elle n'avait pas envie d'entrer dans les détails graveleux de l'affaire. Elle n'avait envie que d'accomplir son travail et de s'en aller d'ici, loin de Jeffrey Tolliver.

Ce dernier ne paraissait pas enclin au même désir.

« Ces graines sont très puissantes, exact ? »

Sara hocha la tête.

« Donc, tu penses que pendant qu'il la violait, il la maintenait dans un état second ?

— Je n'ose même pas me risquer à l'imaginer, lui répondit-elle, en toute sincérité. »

Il marqua un temps de silence, comme s'il hésitait sur la manière de formuler la phrase suivante.

« Quoi ? fit-elle, pour l'inciter à parler.

— Lena, commença-t-il. Je veux dire, Julia a confessé à Lena qu'elle y avait pris du plaisir. »

Sara plissa le front.

« Quoi ?

— Pas exactement qu'elle y avait pris du plaisir, mais qu'il lui avait fait l'amour.

— Il lui a arraché les dents et lui a déchiré le rectum. Comment a-t-elle pu appeler ça faire l'amour ? »

Il réagit par un haussement d'épaules, comme si la réponse lui échappait. Il ajouta pourtant une remarque.

« Peut-être qu'il la droguait tellement qu'elle n'a rien senti. Peut-être qu'elle ignorait ce qui allait se produire ensuite. »

Sara envisagea cette dernière hypothèse.

« C'est possible, admit-elle, et ce scénario la mit mal à l'aise.

— En tout cas, c'est ce qu'elle a déclaré », acheva-t-il.

La pièce était silencieuse, hormis le bruit du compresseur du congélateur qui accomplissait son cycle. Elle revint à l'autopsie, employant des pinces pour sectionner l'intestin grêle et le gros intestin. Quand elle les souleva pour les extraire de l'abdomen, ils étaient tout flasques entre ses mains, comme des spaghettis trop cuits. Au cours des derniers jours de son existence, Julia Matthews n'avait rien absorbé de substantiel. Son système digestif était à peu près vide.

« Voyons un peu, fit-elle, et elle plaça les intestins

sur la balance, pour les peser. Il y eut un tintement métallique, comme une pièce de monnaie qu'on aurait laissée tomber dans une timbale.

— Qu'est-ce que c'est ? », voulut savoir Jeffrey.

Elle ne lui répondit pas. Elle reprit les intestins, les souleva, puis les lâcha de nouveau. Le même bruit retentit, une sonorité de métal que répercuta le plateau de la balance.

« Il y a un truc là-dedans », marmonna-t-elle, et elle se rendit devant la table lumineuse montée sur le mur. Elle alluma la lumière en se servant de son coude, éclairant les radios de Julia Matthews. La série de la région pelvienne était accrochée au centre.

« Tu vois quelque chose ? s'enquit Jeffrey.

— S'il y a quelque chose, c'est dans le gros intestin », nota-t-elle en se focalisant sur ce qui ressemblait à une écharde dans la moitié inférieure du rectum. Elle n'avait pas repéré cette écharde précédemment, ou alors elle l'avait attribuée à un problème sur le film. L'appareil de radiologie portatif de la morgue était vieux et guère réputé pour sa fiabilité.

Sara étudia le film quelques secondes supplémentaires puis retourna à la balance. Elle sépara la terminaison de l'iléon à la hauteur de la valvule iléo-cæcale et emporta le gros intestin vers le pied de la table d'autopsie. Après l'avoir rincé de son sang sous le robinet, elle pressa la base du colon sigmoïde à la recherche de l'objet qui avait provoqué ce bruit. Elle palpa une grosseur très dure à une quinzaine de centimètres du rectum.

« Passe-moi le scalpel », ordonna-t-elle en tendant la main. Jeffrey obtempéra et la regarda opérer.

Elle pratiqua une petite incision, libérant dans la

pièce une odeur pestilentielle. Il recula, mais elle n'eut pas ce loisir. Elle utilisa les pinces pour retirer un objet d'approximativement treize millimètres de longueur. Un rinçage sous le robinet révéla une petite clef.

« Une clef de menotte ? s'enquit Jeffrey, en se penchant pour mieux voir.

— Oui », confirma-t-elle, et elle sentit sa tête tourner. « On la lui a introduite de force dans le rectum à partir de l'anus.

— Pourquoi ?

— Pour que nous la retrouvions, j'imagine, reprit-elle. Peux-tu m'attraper une pochette pour pièce à conviction ? »

De nouveau, il s'exécuta, ouvrant la pochette pour qu'elle puisse y laisser tomber la clef.

« Crois-tu qu'ils vont dénicher quelque chose dessus ?

— Des bactéries, répondit-elle. Si tu comptes sur des empreintes digitales, j'en doute fort. » Elle ferma la bouche, lèvres serrées, réfléchissant plus avant à la question. « Eteins donc la lumière une seconde.

— A quoi songes-tu ? »

Sara se rendit vers la table lumineuse, en l'éteignant d'un coup de coude.

« Je pense qu'il a dû loger la clef à cet endroit au tout début. Alors je me dis que le bord doit être coupant. Et peut-être que le préservatif s'est déchiré dessus. »

Jeffrey alla vers l'interrupteur général pendant que Sara retirait ses gants. Elle attrapa la lumière noire, qui ferait ressortir les traces de liquide séminal.

« Prête ? demanda-t-il.

— Ouais », fit-elle, et les lumières s'éteignirent.

Elle cligna plusieurs fois des yeux afin de s'adapter à cet éclairage artificiel. Lentement, elle braqua le faisceau de la lumière noire le long de l'incision qu'elle avait pratiquée dans le rectum.

« Tiens-moi ça », demanda-t-elle en lui remettant la lampe. Elle enfila une paire de gants neuve et, avec son scalpel, agrandit l'incision. Un petit renflement violet apparut par l'ouverture ainsi pratiquée.

Jeffrey lâcha un petit soupir, comme s'il avait retenu son souffle jusque-là.

« Cela suffira-t-il pour un rapprochement ADN ? »

Elle observa la matière violacée.

« Je pense. »

Sara traversa l'appartement de sa sœur sur la pointe des pieds, risquant un coup d'œil par la porte de la chambre à coucher afin de s'assurer que Tessa était bien seule.

« Tessie ? chuchota-t-elle, en la secouant doucement.

— Quoi ? grommela Tessa, en se retournant sur le côté. Quelle heure est-il ? »

Sara consulta le réveil sur la table de nuit.

« Environ deux heures du matin.

— Quoi ? répéta Tessa, en se frottant les yeux. Qu'est-ce qui ne va pas ?

— Fais-moi une place », lui souffla-t-elle.

Tessa obéit à sa sœur, en lui soulevant le drap.

« Qu'est-ce qui ne va pas ? »

Elle ne répondit rien. Elle ramena l'édredon jusque sous son menton.

« Quelque chose ne va pas ? répéta encore Tessa.

— Non, rien.

— Cette fille, elle est vraiment morte ? »

Sara ferma les yeux.

« Oui. »

Tessa se redressa dans le lit, en allumant la lumière.

« Sara, il faut qu'on se parle. »

Sara roula sur le côté, le dos tourné à sa sœur.

« Je n'ai aucune envie de discuter.

— Ça m'est égal, lui rétorqua Tessa en écartant les couvertures. Assieds-toi.

— Ne me donne pas d'ordre », riposta Sara, agacée. Elle était venue là pour s'y sentir en sécurité, afin de pouvoir trouver le sommeil sans se faire bousculer par sa sœur cadette.

« Sara, commença cette dernière. Il faut que tu racontes à Jeffrey ce qui s'est passé. »

Sara s'assit, furieuse de voir que c'était reparti, une fois de plus.

« Non, lâcha-t-elle, les lèvres pincées.

— Sara, insista-t-elle d'une voix ferme, Hare m'a parlé de cette fille. Il m'a raconté l'histoire de l'adhésif sur la bouche et sa position sur le capot de ta voiture.

— Il n'aurait pas dû évoquer ce genre d'informations devant toi.

— Il ne me l'a pas mentionné comme un point particulièrement important », rectifia Tessa. Elle sortit du lit, visiblement en colère.

« Pourquoi t'en prends-tu à moi comme ça ? », s'étonna Sara en se levant à son tour. Elles se firent face, chacune à un bout de la pièce, avec le lit entre elles.

Sara se campa les mains sur les hanches.

« Ce n'est pas ma faute, d'accord ? J'ai tenté tout

ce que j'ai pu pour aider cette fille, et si elle ne supportait pas de vivre après ce qui lui était arrivé, alors ça relève de son choix.

— Formidable, comme choix, hein ? J'imagine qu'il vaut mieux se coller une balle dans la cervelle que de garder ça en permanence à l'intérieur de soi.

— Qu'est-ce que tu veux dire, bordel ?

— Tu sais très bien ce que je veux dire, lui rétorqua Tessa d'un ton cassant. Il faut que tu en parles à Jeffrey, Sara.

— Non. »

Tessa donnait l'impression de se mesurer à elle, de la jauger. Elle croisa les bras sur sa poitrine, l'air menaçant.

« Si tu refuses, moi je le ferai.

— Quoi ? » s'écria Sara, le souffle court. Si Tessa lui avait flanqué un coup de poing, le choc n'eût pas été moindre. Elle en resta bouche bée de surprise. « Tu n'oserais pas.

— Mais si, j'oserais, riposta sa sœur, ayant sans aucun doute arrêté sa position. Et si je ne m'en charge pas, maman s'en chargera.

— C'est maman et toi qui avez concocté ce petit plan, toutes les deux ? » Sara lança un petit rire froid. « Et je suppose que papa est dans le coup, lui aussi ? Elle leva les bras au ciel. Toute ma famille se ligue contre moi.

— On ne se ligue pas contre toi, rectifia Tessa. On essaie de t'aider.

— Ce qui m'est arrivé, commença-t-elle, détachant ses mots avec précision, est sans aucun rapport avec ce qui est arrivé à Sibyl Adams et Julia Matthews. » Elle se pencha au-dessus du lit, en adressant à sa sœur un regard d'avertissement. A ce jeu-là, elles pouvaient être deux.

« Ce n'est pas à toi de prendre cette décision », la contredit sa sœur.

Sara se sentit bouillonner de colère devant cette menace.

« Tu veux que je t'explique en quoi elles sont différentes, Tessa ? Tu veux connaître les éléments dont je dispose concernant ces affaires ? » Elle ne lui accorda pas le temps de lui répondre. « Premièrement, personne ne m'a incisé une croix sur le torse et ne m'a laissée me vider de tout mon sang sur des toilettes. » Elle marqua un temps, consciente de l'impact qu'exerceraient ses paroles. Si Tessa voulait pousser sa sœur dans ses retranchements, cette dernière savait comment la contrer.

Et elle poursuivit.

« Ensuite, personne ne m'a éclaté les dents de devant pour me sodomiser la gueule. »

La main de Tessa se porta à sa bouche.

« Oh, mon Dieu.

— Personne ne m'a cloué les mains et les pieds au sol pour arriver à me baiser.

— Non », souffla Tessa, des larmes lui venant aux yeux.

Sara était incapable de s'arrêter, même si ses paroles, en se déversant dans les oreilles de sa sœur, y faisaient l'effet d'un acide.

« Personne ne m'a récuré la bouche à l'eau de Javel. Personne ne m'a rasé le pubis pour qu'on n'y décèle aucune trace de preuve. » Elle marqua une pause, le temps de respirer. « Personne ne m'a foré un trou dans les entrailles à coup de poignard pour me... » Elle s'obligea à suspendre cette litanie, comprenant qu'elle allait trop loin. Pourtant, un menu sanglot s'échappa de la bouche de Tessa, qui établissait certains liens. Durant tout ce temps, elle n'avait pas quitté sa sœur des yeux, et l'expression d'horreur qui se lisait sur son visage traversa Sara de vagues de culpabilité.

« Je suis désolée, Tessie, chuchota Sara. Je suis tellement désolée. »

La main de Tessa s'écarta lentement de ses lèvres et retomba.

« Jeffrey est un policier », rappela-t-elle.

Sara porta la main à sa poitrine.

« Je le sais.

— Tu es si belle, s'écria Tessa. Et tu es intelligente et rigolote, et grande. »

Sara sourit, pour ne pas céder aux larmes.

« Et à la même époque, il y a douze ans, tu t'es fait violer, acheva Tessa.

— Ça, je sais.

— Sara, tous les ans, il t'envoie une carte postale. Il sait où tu vis.

— Je sais.

— Sara, reprit Tessa, avec une nuance d'imploration dans la voix. Il faut que tu en parles à Jeffrey.

— Je ne peux pas. »

Tessa tint bon.

« Tu n'as pas le choix. »

Vendredi

Dix-huit

Jeffrey enfila un caleçon et se rendit dans la cuisine en claudiquant. Il avait encore le genou raide à cause de la chevrotine et, depuis qu'il était entré dans la chambre de Julia Matthews, il avait l'estomac sens dessus dessous. Il s'inquiétait pour Sara. Il s'inquiétait pour sa ville.

Quelques heures plus tôt, Brad Stephens avait emporté l'échantillon d'ADN à Macon. Il faudrait au moins une semaine pour obtenir un retour, et éventuellement une semaine supplémentaire pour accorder le temps au service du fichier ADN du FBI de confronter cet échantillon aux criminels connus. Comme dans la plupart des entreprises policières, cela participait d'un jeu de patience. Dans l'intervalle, on n'avait aucun moyen de prévoir ce que mijotait l'auteur de ces crimes. Pour autant qu'il sache, en ce moment même, cet individu pouvait fort bien se préparer à traquer sa prochaine victime. En ce moment même, il était peut-être en train de violer sa nouvelle proie, en lui infligeant des traitements dont seule une bête aurait l'instinct.

Jeffrey prit du lait dans le réfrigérateur et actionna l'interrupteur de la cuisine, mais rien ne se produisit.

Il s'adressa un juron tout en sortant un verre du placard. Il avait débranché les éclairages deux semaines auparavant, en recevant livraison par la poste d'une nouvelle suspension qu'il avait commandée. Il dénudait les fils quand il avait reçu un coup de téléphone du poste de police, et le lustre était retourné dans son carton, en attendant qu'il trouve le temps de l'installer. Du train où allaient les choses, il serait contraint de manger dans sa cuisine à la seule lumière du réfrigérateur pendant pas mal d'années.

Il termina son verre de lait et alla le rincer en boitillant. Il avait envie d'appeler Sara, histoire de s'assurer que rien ne clochait, mais eut le bon sens de se raviser. Elle le maintenait en lisière, pour des raisons qui n'appartenaient qu'à elle. Depuis leur divorce, il ne disposait plus réellement d'argument valable. Peut-être se trouvait-elle avec Jeb, ce soir. Il avait appris par l'intermédiaire de Marla, qui avait parlé à Marty Ringo, que Sara et Jeb se revoyaient. Il se souvenait vaguement que l'autre soir, à l'hôpital, Sara avait évoqué un rendez-vous, mais son esprit avait été incapable de faire le rapprochement. Ce souvenir lui étant revenu en mémoire après que Marla avait daigné lui rapporter ce ragot, il ne pouvait trop s'y fier.

Il se rassit avec un grognement sur le tabouret de bar, en face du coin-cuisine qu'il avait construit des mois auparavant. En fait, il l'avait reconstruit à deux reprises, parce qu'il n'était pas content de l'allure de l'ensemble, la première fois. Avant tout, Jeffrey était un perfectionniste, et il détestait que les choses ne soient pas symétriques. Comme il habitait dans une maison ancienne, cela signifiait qu'il était constamment amené à ajuster et réajuster, parce qu'il n'y avait pas un mur rectiligne.

Une brise légère fit trembler les épais panneaux de plastique qui fermaient le mur du fond de la cuisine. Il hésitait entre des portes-fenêtres et une baie vitrée, ou une extension de la cuisine sur environ trois mètres dans le jardin derrière la maison. Ce serait sympa d'aménager un espace pour le petit déjeuner, un endroit où s'asseoir le matin, pour suivre les évolutions des oiseaux. Ce dont il avait vraiment envie, c'était d'installer une vaste terrasse là-dehors, avec un jacuzzi de jardin ou un de ces barbecues extérieurs format de luxe. Quoi qu'il décide, il avait envie de garder une maison ouverte. Jeffrey aimait assez la manière dont la lumière pénétrait dans la journée à travers ces bandeaux semi-transparents. Il aimait bien avoir vue sur le jardin, surtout aux heures comme celle-ci... quand il aperçut quelqu'un dans le fond.

Il se leva et empoigna une batte de base-ball dans la buanderie.

Il se faufila par une fente entre les bandeaux de plastique, traversa la pelouse à pas feutrés. L'herbe était humide à cause d'une légère brume dans l'air nocturne, cette fraîcheur le fit frissonner, et il s'en remit à Dieu pour ne pas se faire tirer dessus, sachant qu'il n'était vêtu que d'un caleçon. La pensée lui vint que cet individu tapi dans le jardin pourrait bien s'écrouler de rire, et non de peur, en voyant Jeffrey dans le jardin, nu hormis son caleçon vert, brandissant une batte au-dessus de sa tête.

Il entendit un bruit familier. Comme un lapement, un chien qui ferait sa toilette à coups de langue. Il grimaça sous le clair de lune, discernant trois silhouettes sur le flanc de la maison. Deux d'entre elles étaient assez courtes pour appartenir à des chiens. L'une assez grande pour être celle de Sara. Elle jetait un œil par la fenêtre de sa chambre.

Jeffrey laissa la batte pendre le long de sa jambe et s'approcha dans son dos, à pas de loup. Il ne se préoccupa guère de Billy ou Bob, car les deux lévriers étaient les animaux les plus paresseux qu'il ait jamais vus. Fidèles à eux-mêmes, ils bougèrent à peine lorsqu'il se glissa derrière elle.

« Sara ?

— Oh, Seigneur. » Elle sursauta, trébucha sur le chien le plus proche d'elle. Jeffrey tendit la main, la rattrapa avant qu'elle ne s'étale sur le flanc.

Il éclata de rire en administrant à Bob une petite tape sur la tête.

« On joue les voyeuses ? ironisa-t-il.

— Espèce de connard, siffla Sara, en lui claquant le torse à deux mains. Tu m'as foutu une frousse d'enfer.

— Comment ? s'étonna-t-il avec innocence. Ce n'est pas moi qui suis venu rôder autour de ta maison.

— Comme si ça ne t'était jamais arrivé.

— Oui, mais ça, c'est moi, releva-t-il. Ce n'est pas toi. » Il s'appuya sur la batte. Maintenant que la décharge d'adrénaline avait cessé son effet, la douleur sourde avait repris dans sa jambe. « Tu veux m'expliquer pourquoi tu reluques par ma fenêtre en plein milieu de la nuit ?

— Je ne voulais pas te réveiller, au cas où tu aurais été endormi.

— J'étais dans la cuisine.

— Dans le noir ? » Sara croisa les bras, en lui adressant un regard allusif. « Seul ?

— Entre donc », lui proposa-t-il, sans attendre sa réponse. Il se dirigea vers la cuisine, toujours en avançant lentement, et eut le plaisir d'entendre qu'elle lui emboîtait le pas. Elle portait un blue-jean délavé avec une chemise tout aussi vieille, blanche, à col boutonné. « Tu viens promener tes chiens par ici ?

— J'ai emprunté la voiture de Tessa, expliqua-t-elle en grattant la tête de Bob.

— Bon réflexe, d'avoir amené tes chiens d'attaque.

— Je suis heureuse que tu n'aies pas essayé de me tuer.

— Qu'est-ce qui te fait croire que telle n'était pas mon intention ? » ironisa-t-il en se servant de la batte pour écarter le plastique, afin qu'elle puisse entrer.

Elle considéra ces feuilles transparentes, puis Jeffrey.

« J'adore la façon dont tu as transformé cet endroit.

— Il a bien besoin d'une touche féminine, suggéra-t-il.

— Les volontaires se bousculent, j'en suis certaine. »

Jeffrey réprima un grognement en réintégrant la cuisine.

« Ici, l'électricité ne marche pas, s'excusa-t-il en allumant une bougie près de la cuisinière.

— Ha-ha », s'exclama Sara, en essayant l'interrupteur le plus proche d'elle. Elle traversa la pièce, actionna l'autre interrupteur, pendant que Jeffrey allumait une seconde bougie. « C'est quoi, cette histoire ?

— Une vieille maison. » Il haussa les épaules, ne

voulant pas confesser sa paresse. « Brad a emporté l'échantillon à Macon.

— Deux semaines d'attente, hein ?

— Ouais, fit-il en hochant la tête. Tu crois que c'est un flic ?

— Brad ?

— Non, l'auteur de ces crimes. Tu crois que c'est un flic ? C'est peut-être pour ça qu'il a laissé cette clef de menotte dans... enfin, là. Il marqua un temps de silence. Tu sais, comme pièce à conviction.

— Peut-être se sert-il de menottes pour les entraver, objecta Sara. Il se peut qu'il soit branché sadomasochisme. Peut-être que sa mère avait l'habitude de le menotter au lit quand il était petit garçon. »

Il fut déconcerté par son ton désinvolte, mais se garda bien de commenter.

A brûle-pourpoint, elle s'écria :

« Je voudrais un Screwdriver. »

Jeffrey fit la moue, mais il alla vers sa boîte à outils et fouilla dedans.

« Un tournevis ? Cruciforme ?

— Non, un Screwdriver, une vodka-orange, quoi, rectifia Sara. Elle ouvrit la porte du congélateur, en sortit la vodka.

— Je ne crois pas avoir de jus d'orange, s'excusa-t-il alors qu'elle ouvrait celle du frigo.

— Ça ira, fit-elle », en brandissant la bouteille de jus de canneberge. Elle inspecta les placards à la recherche d'un verre, puis se versa ce qui paraissait un verre bien tassé.

Il suivit tout ce manège, l'air soucieux. Elle buvait rarement, et quand cela lui arrivait, un verre de vin pouvait suffire à l'émécher. Durant tout leur mariage, il ne l'avait jamais rien vue boire de plus fort qu'un margarita.

Sara avala son verre en frissonnant.

« J'étais censée m'en verser quelle dose ? susurra-t-elle.

— A peu près le tiers de ce que tu t'es servi », estima-t-il en lui retirant le verre. Il en avala une petite gorgée, et le goût de l'alcool lui provoqua un haut-le-cœur. « Seigneur Dieu, parvint-il à articuler entre deux accès de toux. Tu as l'intention de te supprimer ?

— Moi, et Julia Matthews avec, lui rétorqua-t-elle du tac au tac. Tu as quelque chose de sucré ? »

Jeffrey ouvrit la bouche pour lui demander ce qu'elle entendait au juste par cette repartie, mais elle était déjà en train de fouiller dans les placards.

« Il y a du pudding dans le frigo. La clayette du bas, dans le fond.

— A zéro pour cent de matière grasse ?

— Nan.

— Bien », approuva-t-elle se cassant en deux pour aller dénicher le pudding en question.

Jeffrey croisa les bras, en surveillant ses gestes. Il avait envie de lui demander ce qu'elle fabriquait dans sa cuisine au milieu de la nuit. Il avait aussi envie de comprendre ce qui se passait ces derniers temps, pourquoi elle agissait si bizarrement.

« Jeff ? lança-t-elle, tout en remuant le contenu du frigo.

— Mmh ?

— Tu regardes mon cul ? »

Il sourit. Ce n'était pas le cas, mais il lui répondit le contraire.

« Ouais. »

Sara se releva, l'emballage en plastique du pudding levé en l'air comme un trophée.

« Le dernier.

— Ouaip. »

Elle retira l'opercule du pudding et fila s'installer au bar du coin-cuisine.

« Ça va être un sale moment.

— Tu crois ?

— Hé oui. » Elle haussa les épaules, tout en léchant le pudding resté collé sur l'opercule. « Des étudiantes qui se font violer, qui se font sauter la tête. C'est pas trop le genre de situations auxquelles on est habitués, non ? »

Là encore, Jeffrey fut surpris de son attitude cavalière. Cela ne ressemblait pas à Sara, mais ces derniers temps il n'était plus trop certain de saisir sa manière de se comporter.

« J'imagine que non, admit-il.

— C'est toi qui l'as annoncé à ses parents ?

— Frank est allé les accueillir à l'aéroport. » Il hésita un instant avant de poursuivre. « Son père. » De nouveau, il suspendit sa phrase. Jeffrey n'allait pas oublier de sitôt la vision du visage torturé de Jon Matthews.

« Le père a pris ça très mal, hein ? compléta Sara. Les papas n'aiment pas savoir que leur petite fille a touché à la drogue.

— Je crois que non, en effet, dit-il, toujours étonné du choix de ses termes.

— Tu crois comme il faut.

— Ouais, réitéra-t-il. Il l'a vraiment très mal pris. »

Une lueur traversa le regard de Sara, mais elle baissa les yeux avant qu'il ait pu déterminer de quoi il s'agissait. Elle avala une longue gorgée, renversant un peu de son verre sur son chemisier. Elle eut carrément un petit rire nerveux.

Tout en sachant qu'il commettait une erreur, Jeffrey osa lui poser sa question.

« Qu'est-ce qui ne va pas, Sara ? »

Elle pointa le doigt sur la taille de Jeffrey.

« Depuis quand tu portes ça ? »

Jeffrey baissa les yeux. Comme son caleçon vert était le seul vêtement qu'il avait sur lui, il en déduisit que c'était à cela qu'elle faisait allusion. Il releva le nez vers elle, avec un haussement d'épaules.

« Ça fait un bout de temps.

— Moins de deux ans, observa-t-elle, en léchant encore un coup son pudding.

— Ouais », reconnut-il, en s'approchant d'elle, les bras dégagés du torse, loin des hanches, pour bien lui dévoiler ses dessous.

« Tu aimes ? »

Elle applaudit.

« Sara, qu'est-ce que tu fabriques ici ? »

Elle le dévisagea quelques secondes, puis elle reposa le pudding à côté d'elle. Elle s'appuya contre le comptoir, ses talons vinrent légèrement heurter les placards du bas.

« L'autre jour, je repensais à la fois où j'étais sur le ponton, tu te souviens ? »

Il secoua la tête, parce qu'ils avaient passé quasiment toutes leurs secondes de liberté de tous leurs étés sur ce ponton.

« Je venais de nager un peu, et j'étais assise sur le ponton, je me brossais les cheveux. Et toi tu es arrivé, tu m'as pris la brosse des mains et tu t'es mis à me coiffer. »

Il hocha la tête, se remémorant que c'était la première chose à laquelle il avait songé dès son réveil à l'hôpital, ce matin même.

« Je me rappelle.

— Tu m'as coiffée pendant au moins une heure. Tu t'en souviens ? »

Il sourit.

« Tu m'as simplement brossé les cheveux, et ensuite nous nous sommes préparés pour le dîner. Tu te souviens ? »

De nouveau, il hocha la tête.

« Qu'est-ce que j'ai raté ? » s'enquit-elle, et l'expression qu'il lut dans ses yeux le désarma presque au point d'avoir raison de lui. « C'était du côté du sexe ? »

Il secoua la tête. Sexuellement parlant, sa relation avec Sara avait constitué l'expérience la plus épanouissante de sa vie adulte.

« Bien sûr que non, la rassura-t-il.

— Tu aurais voulu que je sache préparer le dîner, que je cuisine ? Ou que la table soit mieux garnie quand tu rentrais à la maison ? »

Il tâcha d'en rire.

« Mais si, tu m'as fait la cuisine, tu te rappelles ? J'ai été malade pendant trois jours.

— Jeff, je suis sérieuse. Je veux savoir ce qui a raté.

— Ce n'était pas à cause de toi, souligna-t-il, sachant, dès l'instant où il prononça cette phrase, que c'était là une excuse bien banale. C'était à cause de moi. »

Elle soupira profondément. Elle tendit la main vers son verre, le vida d'un trait.

« J'ai été stupide, continua-t-il, sachant qu'il aurait été mieux inspiré de se contenter de la boucler. J'avais peur, parce que je t'aimais tellement. Il s'interrompit, soucieux d'exprimer la chose avec justesse. Je ne croyais pas que tu avais besoin de moi autant que j'avais besoin de toi. »

Elle lui lança un regard.

« Tu as toujours envie que j'aie besoin de toi ? »

Il fut surpris de sentir sa main contre sa poitrine, ses doigts jouant légèrement avec ses poils. Il ferma les yeux, tandis que les doigts de Sara remontaient jusqu'à ses lèvres.

« Là, tout de suite, j'ai vraiment besoin de toi. »

Il ouvrit les yeux. Le temps d'une fraction de seconde, il crut qu'elle plaisantait.

« Qu'est-ce que tu viens de dire ?

— Maintenant que tu as obtenu ce que tu voulais, tu n'en veux plus ? », lui demanda-t-elle, sans cesser de lui effleurer les lèvres.

Il lui lécha le bout du doigt.

Elle sourit, ses yeux se plissèrent, comme si elle voulait lire dans ses pensées.

« Est-ce que tu vas me répondre ?

— Oui, souffla-t-il, sans se souvenir de la question. Oui, oui, ajouta-t-il. J'ai toujours envie de toi. »

Elle se mit à l'embrasser dans le cou, sa langue multipliant les petits attouchements sur sa peau. Il la prit par la taille, l'attirant plus près encore du rebord du comptoir. Elle lui enroula les jambes autour de la taille.

« Sara. Il soupira, tentant de l'embrasser sur la bouche, mais elle s'écarta et, à la place, ses lèvres vinrent fureter sur la poitrine de Jeffrey. Sara, répéta-t-il, laisse-moi te faire l'amour. »

Elle lui rendit son regard, un sourire narquois lui éclairant le visage.

« Je n'ai pas envie de faire l'amour. »

Il resta bouche bée, ne sachant trop quoi répondre.

« Qu'est-ce que cela signifie ? réussit-il enfin à lui demander.

— Cela signifie... », commença-t-elle, puis elle lui prit la main et la porta à sa bouche. Il la regarda faire, elle suivait le contour du bout de son index avec sa langue. Lentement, elle engloutit ce doigt dans sa bouche et le suça. Après ce qui parut un temps infini, elle l'en ressortit, avec un sourire joueur.

« Eh bien ? »

Jeffrey se pencha pour l'embrasser, mais elle se faufila à l'écart du comptoir avant qu'il ait pu l'atteindre. Il gémit quand Sara prit tout son temps pour lui embrasser la poitrine, en descendant sans cesse plus bas, allant jusqu'à mordiller la ceinture élastique de son caleçon. Non sans peine, il s'agenouilla devant elle, tentant une fois encore de lui embrasser la bouche. Et de nouveau, elle s'écarta.

« J'ai envie de t'embrasser », confessa-t-il, surpris par le ton suppliant de sa propre voix.

Elle secoua la tête et déboutonna son chemisier.

« J'ai en tête d'autres choses que tu pourrais me faire avec ta bouche.

— Sara... »

Elle secoua la tête.

« Ne parle pas, Jeffrey. »

Il trouva bizarre que ce soit elle qui dise cela, car

le meilleur côté, dans le jeu sexuel avec Sara, c'était ses mots. Il prit son visage entre ses mains.

« Viens ici, fit-il.

— Comment ?

— Qu'est-ce qui ne va pas, chez toi ?

— Rien.

— Je ne te crois pas. » Il attendait qu'elle réponde à sa question, mais elle se contenta de le dévisager.

« Pourquoi n'ai-je pas le droit de t'embrasser ?

— Je ne suis pas d'humeur à embrasser, c'est tout. » Son sourire n'était plus aussi narquois. « Sur la bouche.

— Qu'est-ce qui ne va pas ? », répéta-t-il.

Elle ferma les yeux à demi, comme en guise d'avertissement.

« Réponds-moi », répéta-t-il.

Les yeux de Sara restèrent rivés sur lui, et elle laissa sa main s'aventurer au-delà de la ceinture de son caleçon. Elle colla sa paume contre sa peau, comme pour s'assurer qu'il avait saisi le sens de ses paroles.

« Je n'ai pas envie de te parler. »

Il immobilisa cette main en la prenant dans la sienne.

« Regarde-moi. »

Elle secoua la tête, et quand il eut obtenu qu'elle relève les yeux, elle les ferma aussitôt.

« Qu'est-ce qui ne va pas ? », chuchota-t-il.

Elle ne répondit pas. Elle l'embrassa à pleine bouche, sa langue se força un passage entre ses dents. C'était un baiser débraillé, bâclé, loin de tout ce à quoi Sara l'avait habitué, mais il renfermait une passion sourde et si forte que, s'il avait été debout, ses genoux se seraient dérobés sous lui.

Soudain, elle s'interrompit et laissa retomber sa tête contre la poitrine de Jeffrey. Il essaya de l'amener à relever les yeux vers lui, mais elle s'y refusa.

« Sara ? », murmura-t-il.

Il sentit de nouveau ses bras se nouer autour de sa taille, mais dans un geste très différent de la première fois. Maintenant, elle la serrait fort, avec une nuance de désespoir, comme si elle était en train de se noyer.

« Tiens-moi, et c'est tout, le supplia-t-elle. Je t'en prie, serre-moi fort. »

Jeffrey se réveilla en sursaut. Sa main chercha à tâtons, mais il savait fort bien que Sara ne serait pas à côté de lui. Il se rappelait vaguement qu'elle s'était faufilée hors de la chambre, depuis un petit moment déjà, mais il s'était senti trop épuisé pour bouger, et à plus forte raison pour la retenir. Il se retourna, enfonça le visage dans l'oreiller sur lequel elle avait posé le sien. Il put humer l'odeur de lavande de son shampooing et une trace légère du parfum qu'elle portait. Jeffrey serra l'oreiller contre lui et roula sur le dos. Il fixa le plafond, tâchant de se remémorer ce qui s'était produit la nuit d'avant. Le sens de tout cela lui échappait encore quelque peu. Il avait porté Sara jusque dans son lit. Elle avait doucement pleuré contre son épaule. Il avait eu si peur de ce qui se tramait derrière ces pleurs qu'il n'avait plus osé lui poser la moindre question.

Il s'assit, se gratta le torse. Il ne pouvait pas se permettre de traîner au lit toute la journée. Il avait encore une liste de criminels sexuels à compléter. Il fallait aussi qu'il interroge Ryan Gordon et toute personne avec qui Julia Matthews aurait pu se trouver dans la bibliothèque le dernier soir où on l'avait vue, avant son enlèvement. Il avait également besoin de revoir Sara, de s'assurer qu'elle allait bien.

Il s'étira, toucha le sommet du chambranle de la porte tout en entrant dans sa salle de bains. Il s'arrêta devant les toilettes. Sur le lavabo, il y avait une pile de papiers. Une pince en métal argenté maintenait les pages de couverture, reliant un document qui devait apparemment compter deux cents feuillets. Les pages étaient cornées et jaunies, comme si quelqu'un les avait feuilletées à d'innombrables reprises. Jeffrey reconnut le document : c'était la transcription des minutes d'un procès.

Il regarda autour de lui dans la salle de bains, comme si la fée qui avait laissé là ce document avait pu être encore dans les parages. La seule personne qui ait été présente dans la maison, c'était Sara, et il ne comprenait pas pourquoi elle aurait laissé ce paquet ici. Il lut la page de titre, releva que le document datait d'une douzaine d'années. L'affaire concernée était intitulée *L'Etat de Géorgie vs. Jack Allen Wright.*

Un post-it jaune dépassait d'une des pages. Il ouvrit le document à cette page-là, et resta en arrêt devant ce qu'il y vit imprimé. Le nom de Sara figurait en tête du texte. Un autre nom, Ruth Jones, probablement celui du représentant du ministère public qui avait instruit l'affaire, était indiqué comme étant celui de l'auteur de l'interrogatoire.

Jeffrey s'assit sur les toilettes et entama la lecture de cet interrogatoire de Sara Linton mené par le procureur Ruth Jones.

Question. Docteur Linton, pouvez-vous, je vous prie, nous exposer avec vos propres termes les événements qui ont eu lieu le 21ᵉ jour d'avril, à cette période l'an dernier ?

Réponse. Je travaillais au Grady Hospital, où j'étais interne en pédiatrie. J'avais eu une journée difficile et j'avais décidé d'aller faire un tour en voiture entre deux services de garde.

Q. A ce moment-là, avez-vous remarqué quoi que ce soit d'inhabituel ?

R. Quand je suis arrivée à ma voiture, on avait inscrit le mot « salope » en rayant la portière côté passager. J'ai attribué ça à l'œuvre d'un vandale, et donc j'ai utilisé un bout d'adhésif pour tuyauterie que je gardais dans mon coffre afin de recouvrir le graffiti.

Q. Et ensuite, qu'avez-vous fait ?

R. Je suis retournée à l'hôpital, prendre mon tour de garde.

Q. Voulez-vous un verre d'eau ?

R. Non, merci. Je me suis rendue en salle de repos, et alors que je me lavais les mains au lavabo, Jack Wright est arrivé.

Q. L'accusé ?

R. C'est exact. Il est entré. Il tenait une serpillière et il était vêtu d'une combinaison grise. Je savais que c'était un appariteur. Il s'est excusé de ne pas avoir frappé, il m'a dit qu'il reviendrait plus tard pour nettoyer, et puis il est ressorti des lavabos.

Q. Et ensuite, qu'est-il arrivé ?

R. Je suis entrée dans le box pour passer aux toilettes. L'accusé, Jack Wright, a sauté du plafond. C'était un plafond suspendu. Il m'a menottée à la rambarde pour handicapés, et puis il m'a bâillonnée avec un bout d'adhésif argenté pour tuyauterie.

Q. Vous êtes certaine qu'il s'agissait de l'accusé ?

R. Oui. Il avait enfilé sa cagoule rouge, mais je l'ai reconnu à ses yeux. Il a des yeux très caractéristiques. Je me souviens de m'être fait la réflexion, avant cette histoire, qu'avec ses longs cheveux blonds, sa barbe et ses yeux bleus, il ressemblait aux images bibliques de Jésus. Je suis certaine que c'est Jack Wright qui m'a agressée.

Q. Voyez-vous un autre trait distinctif susceptible de vous conduire à penser que c'est l'accusé qui vous a violée ?

R. J'ai vu sur son bras un tatouage de Jésus cloué sur la croix, avec les mots JÉSUS au-dessus et SAUVEUR au-dessous. J'ai reconnu ce tatouage, qui appartenait à Jack Wright, un appariteur de l'hôpital. Auparavant, je l'avais croisé plusieurs fois dans le couloir, mais nous ne nous étions jamais parlé.

Q. Et ensuite, qu'est-il arrivé, docteur Linton ?

R. Jack Wright m'a poussée des toilettes, m'a tirée au sol. J'avais les chevilles entravées par mon pantalon. Il était par terre. Mon pantalon. Autour de mes chevilles.

Q. Je vous en prie, docteur Linton, prenez votre temps.

R. Il m'a tirée en avant, mais j'avais les bras dans le dos, comme ceci. Il m'a maintenue basculée en avant, en plaçant un bras autour de ma taille. Il tenait un long couteau, d'approximativement quinze centimètres, tout contre mon visage. Il m'a entaillé la lèvre, à titre d'avertissement, je suppose.

Q. Et après, qu'a fait l'accusé ?

R. Il a introduit son pénis en moi et m'a violée.

Q. Docteur Linton, pourriez-vous tout au moins nous préciser ce que l'accusé vous a déclaré pendant qu'il vous violait ?

R. Il n'arrêtait pas de s'adresser à moi avec ce terme, « salope ».

Q. Pourriez-vous nous rapporter ce qui s'est produit après cela ?

R. Il a essayé d'arriver à l'éjaculation, à plusieurs reprises, mais sans succès. Il a ressorti son pénis et s'est fait jouir tout seul [mots marmonnés].

Q. Auriez-vous l'obligeance de répéter ?

R. Il s'est fait jouir tout seul, sur ma figure et sur ma poitrine et dans mon sexe.

Q. Pourriez-vous nous indiquer ce qui a suivi ?

R. Il m'a encore injuriée, puis il m'a poignardée à coups de couteau. Au côté gauche, ici.

Q. Et là, qu'est-il arrivé ?

R. J'ai senti quelque chose dans ma bouche. J'en ai étouffé. C'était du vinaigre.

Q. Il vous a versé du vinaigre dans la bouche ?

R. Oui, il avait sur lui un petit flacon, comme il en existe pour les échantillons de parfum. Il me l'a versé dans la bouche et il m'a dit : « C'est la fin. »

Q. Cette phrase, docteur Linton, revêt-elle pour vous une signification particulière ?

R. Elle est tirée de Jean, dans la traduction autorisée de la Bible, celle de 1611.

« C'est la fin. » Selon Jean, ce sont les derniers mots que Jésus prononce quand il agonise sur la croix. Il supplie qu'on lui apporte quelque chose à boire, et on lui donne du vinaigre. Il boit ce vinaigre, et après, pour citer le verset à la lettre, il rend l'âme. Il meurt.

Q. C'est dans la Crucifixion ?

R. Oui.

Q. Jésus dit : « C'est la fin. »

R. Oui.

Q. Les bras en croix, comme cela ?

R. Oui.

Q. On lui plante une épée dans le flanc ?

R. Oui.

Q. S'est-il dit autre chose entre vous ?

R. Non. Jack Wright a prononcé ces mots-là, et puis il a quitté les toilettes.

Q. Docteur Linton, avez-vous la moindre idée du temps que vous avez passé seule dans les toilettes ?

R. Non.

Q. Etiez-vous encore menottée ?

R. Oui. J'étais encore menottée et j'étais à genoux, la tête baissée vers le sol. J'étais incapable de me redresser, de me rasseoir.

Q. Et que s'est-il produit ?

R. L'une des infirmières est entrée dans les toilettes. Elle a vu le sang sur le sol et elle s'est mise à hurler.

Quelques secondes plus tard, le docteur Lange, mon chef de service, est arrivé à son tour. J'avais perdu beaucoup de sang, et j'étais toujours menottée. Ils ont essayé de me secourir, mais ils ne pouvaient pas grand-chose, avec ces menottes. Jack Wright avait trafiqué la serrure, de sorte qu'ils ne puissent pas l'ouvrir. Il avait inséré quelque chose dedans, un cure-dents ou quelque chose de ce genre. Il a fallu attendre qu'un serrurier sectionne les menottes. Entre-temps, je me suis évanouie. La position de mon corps était telle que le sang continuait de s'écouler de la blessure.

Q. Docteur Linton, prenez votre temps. Souhaitez-vous vous accorder une courte pause ?

R. Non, je veux continuer.

Q. Pouvez-vous m'indiquer quelles ont été les conséquences de ce viol, dans les faits ?

R. A la suite de ce contact sexuel, je suis tombée enceinte, et j'ai développé une grossesse extra-utérine, autrement dit l'ovule s'est implanté dans la trompe de Fallope. Il y a eu éclatement de la trompe, avec hémorragie à l'intérieur de l'abdomen.

Q. Quel effet majeur cela a-t-il eu ?

R. On a pratiqué sur moi une hystérectomie partielle, au cours de laquelle on a procédé à l'ablation de mes organes reproducteurs. Je ne peux plus avoir d'enfants.

Q. Docteur Linton ?

R. J'aimerais m'accorder une pause.

Jeffrey était assis dans la salle de bains, sans parvenir à détacher le regard de ces pages. Il les relut, une fois, une autre fois encore, et ses sanglots se répercutèrent dans la salle de bains, il pleurait la Sara qu'il n'avait jamais connue.

Dix-neuf

Lena souleva lentement la tête, tâchant de repérer à quel endroit elle se trouvait. Elle ne vit que l'obscurité. Elle leva la main à quelques centimètres de son visage, incapable de discerner sa paume et ses doigts. La dernière chose dont elle se souvenait, c'était le moment où elle était assise dans sa cuisine, en train de parler avec Hank. Après quoi, c'était le noir total. Comme si elle avait fermé les yeux, pour se retrouver, à la seconde suivante, transportée dans cet endroit. Sans savoir où il était situé.

Elle gémit, bascula sur le côté afin de s'asseoir. Avec une lucidité soudaine, elle se rendit compte qu'elle était nue. Le sol, sous elle, était d'un contact rugueux contre la peau. Elle sentait les rainures des planches de bois. Pour une raison qu'elle ignorait, son cœur se mit à cogner, et son cerveau refusait de lui indiquer pourquoi. Lena tendit la main devant elle, et ne sentit, là encore, que du bois brut, mais cette fois dans le sens vertical, une cloison.

En s'appuyant des deux mains contre le mur, elle réussit à se lever. Quelque part au fond de sa tête, elle distingua un bruit, mais qui lui était inconnu. Tout lui semblait incohérent, déplacé. Elle avait physiquement l'impression d'être absente de l'endroit où elle était. Elle s'aperçut qu'elle penchait la tête contre la cloison, que le bois lui rentrait dans la peau du front. Ce bruit, il martelait au rythme d'un léger staccato, à la limite de son champ auditif, un cognement, puis plus rien, un cognement, puis plus rien, comme un marteau sur une pièce d'acier. Comme un forgeron façonnant un fer à cheval.

Cloc, cloc, cloc.

Où avait-elle entendu cela auparavant ?

Elle fit enfin le lien, et le cœur de Lena cessa de battre une fraction de seconde. Dans l'obscurité, elle revit remuer les lèvres de Julia Matthews, reproduisant ce bruit.

Cloc, cloc, cloc.

C'était le bruit des gouttes d'eau.

Vingt

Jeffrey se tenait debout derrière la vitre sans tain, il regardait vers l'intérieur de la salle d'interrogatoire. Ryan Gordon était assis devant la table, ses bras maigres croisés sur sa poitrine creuse. Buddy Conford était assis à côté du jeune homme, les mains sur la table, les doigts entrecroisés. Buddy était un lutteur de la vie. A l'âge de dix-sept ans, il avait perdu sa jambe droite à partir du genou, dans un accident de voiture. A vingt-six ans, il avait perdu l'œil gauche à cause d'un cancer. A trente-neuf ans, un client mécontent avait tenté de le payer de deux balles de revolver. Il avait perdu un rein et subi un collapsus pulmonaire, mais deux semaines plus tard, il était de retour en salle d'audience. Jeffrey espérait que le sens du bien et du mal, du vrai et du faux chez Buddy allait contribuer à faire évoluer les choses. Le matin, il avait téléchargé une photo de Jack Allen Wright depuis la base de données de l'Etat. S'il obtenait une identification formelle du côté d'Atlanta, il disposerait d'un argument bien plus valable sur lequel s'appuyer.

Jeffrey ne s'était jamais considéré comme un homme très émotif, mais un élancement persistant dans la poitrine refusait de s'effacer. Il avait une grande envie de parler à Sara, mais était terrorisé à l'idée de prononcer les mots qu'il ne fallait pas. En se rendant à son travail en voiture, il s'était répété mentalement, encore et encore, le discours qu'il allait lui tenir, allant jusqu'à le prononcer à voix haute pour entendre comment sonneraient ses paroles. Rien ne sortait convenablement, et il avait fini par s'asseoir dans son bureau pendant une dizaine de minutes, la main posée sur le combiné du téléphone, avant de parvenir à s'insuffler suffisamment de courage pour composer le numéro de Sara à la clinique.

Après avoir signifié à Nelly Morgan qu'il ne s'agissait pas d'une urgence, mais que, quoi qu'il en soit, il aimerait s'entretenir avec Sara, il s'entendit répondre cette formule coupante (« Elle est avec un patient »), suivie du claquement d'un téléphone que l'on raccroche brutalement. Voilà qui lui procura une énorme sensation de soulagement, puis une impression de dégoût devant sa propre couardise.

Il savait qu'en face d'elle, il lui fallait se montrer fort, mais aussi, chaque fois qu'il pensait à ce qui était arrivé à Sara, il se sentait tellement piégé qu'il était incapable de rien d'autre que de sangloter comme un enfant. D'un côté, il se sentait blessé qu'elle ne lui ait pas suffisamment accordé sa confiance pour lui raconter ce qu'elle avait subi à Atlanta. De l'autre, il était en colère parce qu'elle lui avait froidement menti sur toute la ligne. La cicatrice qu'elle conservait au côté, elle la lui avait présentée comme la conséquence d'une ablation de l'appendice, et pourtant, cela lui revenait, cette cicatrice était verticale et dentelée, aucun rapport avec l'incision propre et nette d'un chirurgien.

Sur son incapacité à concevoir des enfants, il ne

l'avait jamais trop sollicitée, car c'était à l'évidence une corde sensible. Il jugeait plus commode de ne pas l'importuner avec cela, supposant qu'il s'agissait d'un problème de santé ou que peut-être, comme certaines femmes, elle ne se sentait pas destinée à porter un enfant. Il était censé se comporter en flic, en inspecteur de police, et il avait pris tout ce qu'elle lui avait déclaré pour argent comptant, car Sara était le genre de femme qui disait la vérité. Ou tout au moins l'avait-il cru.

« Chef ? fit Marla, en frappant à la porte. Un type a appelé d'Atlanta et m'a prié de vous informer que tout était réglé. Il a pas laissé de nom. Ça vous dit quelque chose ?

— Oui », répondit-il, en vérifiant le contenu de la chemise qu'il tenait à la main, afin de s'assurer que le document imprimé y était toujours. Il observa fixement le cliché, une nouvelle fois, alors qu'il avait déjà pratiquement mémorisé la photo floue. Il fila, et passa dans le couloir devant Marla, comme un courant d'air.

« Après cette séance, je pars pour Atlanta. Je ne sais pas quand je serai de retour. Frank me remplacera. »

Il ne lui accorda pas le temps de réagir. Il ouvrit la porte donnant sur la salle d'interrogatoire et entra.

Buddy lui fit la morale.

« Nous sommes ici depuis dix minutes.

— Et nous n'allons y rester que dix minutes de plus, pour peu que ton client consente à se montrer coopératif », renchérit Jeffrey, en s'installant sur la chaise en face de celle de Buddy.

La seule chose que Tolliver savait avec une relative certitude, c'était qu'il avait envie de tuer Jack Allen Wright. En dehors du terrain de football, il n'avait jamais été un être violent, mais il avait une envie si intense d'occire l'homme qui avait violé Sara que ses dents en devinrent douloureuses.

« Nous sommes prêts, nous commençons ? », s'écria Buddy, en tapotant de la main sur la table, en cadence.

Jeffrey lança un coup d'œil vers la petite fenêtre de la porte.

« Il faut qu'on attende Frank », objecta-t-il, en se demandant où était son homme. Il espérait qu'il était allé vérifier si Lena tenait le coup.

La porte s'ouvrit et Frank entra dans la pièce. Il donnait l'impression de ne pas avoir dormi de la nuit. Sa chemise pendait sur le côté, et il avait une tache de café sur sa cravate. Jeffrey consulta sa montre d'un regard appuyé.

« Désolé, s'excusa Frank, en attrapant la chaise à côté de celle de son chef.

— Bien, fit ce dernier. Il faut que nous posions quelques questions à Gordon. En échange de ses bonnes dispositions, nous sommes prêts à abandonner les charges qui pèsent sur lui après cette saisie de drogue.

— Merde avec ça, rugit Gordon. Je vous ai dit que c'était pas mon pantalon. »

Jeffrey échangea un regard avec Buddy.

« Je n'ai pas de temps à perdre avec cette histoire. On va se contenter de l'envoyer au pénitencier d'Atlanta et on arrête les dégâts.

— Quel genre de questions ? », s'enquit Buddy.

Aussitôt, Jeffrey lâcha sa petite bombe. Buddy s'était attendu à devoir intervenir, une fois de plus, dans une banale accusation d'usage de stupéfiants contre un de ces gamins de la fac. D'un ton égal, Jeffrey le détrompa.

« Des questions sur la mort de Sibyl Adams et le viol de Julia Matthews. »

Buddy parut accuser le coup avec un petit choc. Son visage blêmit, faisant ressortir encore davantage la tache noire qu'il avait autour de l'œil, contrastant avec la pâleur de son teint.

« Tu étais au courant de cela ? », demanda-t-il à Gordon.

Frank répondit à sa place.

« Il a été la dernière personne à voir Julia Matthews dans la bibliothèque. C'était son petit ami. »

Gordon se plaignit d'une voix fluette.

« Je vous l'ai dit, c'était pas mon pantalon. Sortez-moi d'ici, bordel. »

Buddy lui lança un regard noir.

« Tu as intérêt à leur raconter ce qui s'est produit, sinon, tes prochaines lettres à ta maman, c'est depuis la prison que tu vas les écrire. »

Gordon croisa les bras, visiblement en colère.

« Vous êtes censé être mon avocat.

— Tu es censé te conduire en être humain, rétorqua Buddy, en attrapant sa serviette. Ces jeunes filles ont été frappées et assassinées, fiston. Tu as la possibilité d'échapper à une inculpation, tout simplement en accomplissant ton devoir. Si ça te pose un problème, il va falloir te trouver un autre avocat. »

Buddy se leva, mais Gordon l'arrêta.

« Elle était dans la bibliothèque, d'accord ? »

Buddy se rassit, mais il garda sa serviette sur les genoux.

« Sur le campus ? intervint Frank.

— Ouais, sur le campus, confirma Gordon d'un ton sec. Je suis tombée sur elle et c'est tout, vu ?

— Vu, répondit Tolliver.

— Donc, je lui ai adressé la parole. Elle voulait que je revienne. Ça, j'avais bien compris. »

Jeffrey hocha la tête, mais il se figurait que Julia Matthews avait été très perturbée de voir Gordon dans la bibliothèque.

« Enfin, en tout cas, on s'est parlé, on a joué un peu de la langue, si vous voyez ce que je veux dire. » Il flanqua un coup de coude à Buddy, qui s'écarta. « On a prévu de se retrouver un peu plus tard.

— Et après ? voulut savoir Jeffrey.

— Après, vous savez, elle est partie. C'est ce que je vous dis, elle est partie et puis c'est tout. Elle a ramassé ses bouquins et tout ça, et elle m'a promis qu'on se reverrait plus tard, ensuite elle est partie de là-bas.

— Tu as vu quelqu'un la suivre ? demanda Frank. Quelqu'un de suspect ?

— Nan, répondit l'autre. Elle était seule. Si quelqu'un l'avait surveillée, je l'aurais remarqué, vous savez. C'était ma petite amie. Je la tenais à l'œil.

— Est-ce que tu aurais idée de quelqu'un qu'elle pourrait fréquenter, pas simplement un étranger, quelqu'un face à qui elle se sentirait mal à l'aise ? Peut-être qu'elle sortait avec un autre, après votre rupture à tous les deux ? »

Gordon lui adressa le regard qu'il aurait jeté à un chien stupide.

« Elle ne voyait personne. Elle était amoureuse de moi.

— Tu ne te souviens pas d'avoir vu de voiture

bizarre sur le campus ? insista Jeffrey. Ou de camionnette ? »

Gordon secoua la tête.

« Je n'ai rien vu, compris ?

— Revenons à votre rendez-vous, reprit Frank. Tu étais censé la retrouver un peu plus tard ?

— Elle était censée me retrouver derrière le bâtiment d'agronomie à dix heures, rectifia Gordon.

— Et elle ne s'est pas montrée ? compléta Frank.

— Non, fit Gordon. J'ai pas mal attendu, vous savez. Et puis, ça m'a mis en rogne et je suis allé la chercher. Je suis entré dans sa chambre pour voir ce qui se passait, et elle n'y était pas. »

Jeffrey s'éclaircit la gorge.

« Est-ce que Jenny Price était là ?

— Cette pute ? » Gordon balaya la question d'un revers de main. « Elle était sûrement en train de troncher avec la moitié de l'équipe scientifique. »

Ce langage hérissa Jeffrey. Il avait du mal à supporter les types qui considéraient invariablement les femmes comme des putains, notamment parce qu'en général cette attitude allait de pair avec les violences commises à l'égard des femmes.

« Donc, Jenny n'était pas là, résuma-t-il. Et alors, qu'est-ce que tu as fait ?

— Je suis retourné dans ma piaule. Il haussa les épaules. Je me suis mis au lit. »

Jeffrey se redressa sur son siège, croisa les bras.

« Qu'est-ce que tu es en train de nous raconter, Ryan ? lança-t-il. Parce que, si j'examine un peu les choses de près, le côté "coopération" de notre petit accord n'est pas du tout respecté, là. Si j'étudie un peu les choses de près, ce chandail orange que tu portes, là, tu risques de le garder sur le dos pendant ces dix prochaines années. »

Gordon dévisagea Jeffrey, d'un regard que le jeune voyou devait croire menaçant.

« Je vous ai tout dit.

— Ah non, objecta Tolliver. On en est loin. Tu oublies quelque chose de très important, et je jure devant Dieu que tu ne sortiras pas de cette pièce tant que tu ne m'auras pas révélé ce que tu sais. »

Le regard de Gordon se fit plus fuyant.

« Je ne sais rien. »

Buddy se pencha en avant et chuchota quelque chose à l'oreille de l'étudiant qui eut pour effet de transformer ses yeux en deux billes bien rondes. Quelles qu'aient été les paroles prononcées par l'avocat, elles avaient atteint leur but.

« Je l'ai suivie à l'extérieur de la bibliothèque.

— Ah ouais ? l'encouragea Tolliver.

— Elle a retrouvé ce type, d'accord ? » Gordon jouait avec ses mains posées devant lui. Jeffrey avait envie de l'étrangler. « J'ai essayé de les rattraper, mais ils étaient plutôt rapides.

— Rapides, c'est-à-dire ? insista-t-il. Elle marchait à côté de lui ?

— Non, fit Gordon. Il la portait. »

Jeffrey sentit son estomac se nouer.

« Et tu n'as pas trouvé ça suspect, qu'un type l'emmène en la portant dans ses bras ? »

Les épaules de Gordon remontèrent jusqu'au niveau de ses oreilles.

« J'avais la haine, pigé ? J'avais la haine contre elle.

— Tu savais pertinemment qu'elle n'avait pas l'intention de te retrouver plus tard, commença Jeffrey, et donc tu l'as suivie. »

L'autre esquissa un léger mouvement d'épaules qui pouvait équivaloir à un oui comme à un non.

« Et ce type qui l'emmenait en la portant dans ses bras, tu l'as vu ? poursuivit Tolliver.

— Ouais.

— De quoi avait-il l'air ? intervint Frank.

— Grand, je pense, fit Gordon. Je n'ai pas pu voir sa gueule, si c'est ce que vous voulez insinuer.

— Blanc ? Noir ? le questionna Tolliver.

— Ouais, blanc, précisa Gordon. Blanc et grand. Il portait des vêtements sombres, il était tout en noir. Je ne les ai pas vraiment vus, sauf qu'elle, elle portait un chemisier blanc, vu ? Il prenait un peu la lumière, alors elle, elle ressortait, mais pas lui.

— Tu les as suivis ? », demanda Frank.

Gordon secoua la tête.

Frank gardait le silence, il avait la mâchoire tétanisée de colère.

« Tu sais qu'elle est morte, tu le sais, hein ? »

Gordon baissa les yeux sur la table.

« Ouais, je sais ça. »

Jeffrey ouvrit son dossier et montra à Gordon le document sorti sur imprimante. Il s'était servi d'un feutre pour barrer le nom de Wright, mais le reste des données était resté à découvert.

« C'est ce type-là ? »

Gordon y jeta un coup d'œil.

« Non.

— Regarde-moi cette photo, putain ! », ordonna Jeffrey, d'une voix si forte que Frank, à côté de lui, sursauta.

Gordon fit ce qu'on lui commandait, approchant le visage si près du document que son nez le touchait presque.

« Je sais pas, mec, hésita-t-il. Il faisait noir. Je pouvais pas voir sa gueule. » Il parcourut des yeux les mensurations de Wright. « Il était grand comme ça, oui. A peu près cette carrure. Ça aurait pu être lui, j'imagine. » Il eut un mouvement d'épaules un peu désinvolte. « Je veux dire, bon Dieu, c'était pas à lui que je faisais attention. Je la surveillais, elle. »

Le trajet vers Atlanta était long et fastidieux, sans rien d'autre que des massifs d'arbres de temps à autre et l'habituel kudzu pour rompre la monotonie. A deux reprises, il essaya de joindre Sara chez elle et de lui laisser une forme de message, mais le répondeur ne prenait pas l'appel, même pas au bout de vingt sonneries. Jeffrey en éprouva une bouffée de soulagement, aussitôt suivie par un sentiment de honte envahissant. Plus il approchait de la ville, plus il était convaincu d'agir comme il le fallait. Il aurait toujours la latitude de rappeler Sara dès qu'il aurait appris quelque chose. Peut-être pourrait-il la rappeler pour lui apprendre que Jack Allen Wright avait connu un malheureux accident, impliquant le pistolet de Jeffrey et la poitrine du violeur.

Même en roulant à cent vingt, il lui fallut quatre heures avant d'atteindre la sortie de l'autoroute 20 et de prendre la rocade qui menait au centre-ville. Un peu après la bifurcation, il passa devant le Grady Hospital et sentit les larmes tout près de jaillir à nouveau. Le bâtiment était un monstre surplombant l'autoroute à la hauteur de ce que les journalistes chargés de couvrir l'état du trafic appelaient le Virage Grady. Le Grady était l'un des plus grands hôpitaux du monde. Sara lui avait expliqué qu'en année moyenne, les services des urgences accueillaient plus de deux cent mille patients. Une rénovation récente, d'un montant de quatre cents millions de dollars, conférait à l'établissement l'allure d'un élément de décor pour *Batman*. Au sein du gotha politique haut en couleur d'Atlanta, cette rénovation avait fait l'objet d'une enquête explosive, la piste des pots-de-vin et des gratifications en tout genre remontant jusqu'aux portes de l'hôtel de ville.

Jeffrey prit la sortie en direction du centre-ville, puis dépassa le siège de l'Etat. Son ami au sein de la police d'Atlanta avait essuyé un coup de feu sur le terrain et accepté un poste de gardien au tribunal plutôt que de partir en retraite anticipée. Moyennant un coup de fil passé depuis Grant County, il avait pu convenir d'un rendez-vous pour une heure. A moins le quart, Jeffrey trouva une place dans la partie surchargée du parking du centre-ville réservée à l'administration de l'Etat.

Il se dirigea vers le tribunal. Keith Ross l'y attendait, tenant dans une main un grand dossier et, dans l'autre, une enveloppe blanche sans en-tête.

« Ça fait un bail que je t'ai pas revu, lança Keith, avec une vigoureuse poignée de main.

— Et moi aussi, je suis bien content de te revoir, Keith », s'exclama-t-il, en tâchant de prêter à son ton de voix une légèreté qu'il ne ressentait pas. La route jusqu'à Atlanta n'avait fait que le remonter un peu plus encore. Même la marche d'un pas vif entre le garage et le bâtiment du tribunal n'avait pas soulagé cette tension.

« Je peux te confier ce dossier quelques instants, pas plus », l'avertit Keith, qui percevait le besoin de Jeffrey que les choses progressent. « J'ai obtenu ces pièces auprès d'un de mes potes du service des fichiers. »

Jeffrey prit le dossier, mais sans l'ouvrir. Il savait ce qu'il allait y trouver : des photos de Sara, des témoignages, la description détaillée de ce qui s'était produit dans les fameuses toilettes.

« Entrons », proposa Keith, introduisant son collègue dans le bâtiment.

A la porte, Tolliver exhiba son insigne, s'évitant ainsi de se soumettre au contrôle de sécurité. Keith le conduisit dans une petite salle située sur le côté du hall. Un bureau entouré d'écrans de télévision remplissait la pièce. A leur entrée, un gamin portant d'épaisses lunettes et un uniforme de policier leva les yeux, l'air surpris.

Keith sortit de sa poche un billet de vingt dollars.

« Sors donc t'acheter des bonbons », lui conseilla-t-il.

Le gamin accepta l'argent et sortit sans ajouter un mot.

« Ce qui s'appelle être dévoué à son métier, commenta Keith sur un ton narquois. On finit par se demander ce qu'ils fabriquent dans la police.

— Ouais », grommela Tolliver, peu désireux d'entamer une conversation trop prolongée sur la qualité du recrutement policier.

« Je te laisse avec ça, fit Keith. Dix minutes, d'accord ?

— D'accord », acquiesça-t-il, et il attendit que la porte se referme.

Le dossier était coté et daté, annoté de quelques mentions obscures que seul un employé de l'administration aurait pu déchiffrer. Il laissa son doigt courir sur la couverture, de bas en haut, comme s'il avait pu s'imprégner des informations qu'il contenait sans même avoir à réellement les consulter. Comme cela ne suffisait guère, il prit une profonde inspiration et ouvrit la chemise.

D'emblée, il fut accueilli par des photos de Sara prises après le viol. Des gros plans sur les mains et les pieds, sur l'estafilade au côté, et sur ses parties génitales endommagées, étalées sur le bureau, et en couleurs. Cette vision lui coupa littéralement le souffle. Il se sentit la poitrine comprimée, et une douleur lancinante lui descendit tout le long du bras. L'espace d'une seconde, il crut qu'il faisait une crise cardiaque, mais quelques longues respirations l'aidèrent à reprendre ses esprits. Il s'aperçut qu'il avait fermé les yeux et les rouvrit, sans regarder les photos de Sara qu'il retourna contre la table.

Il dénoua sa cravate, tâchant de s'extraire ces clichés de l'esprit. Il feuilleta les autres, en trouva un de la voiture. C'était une BMW 320 gris clair métallisé avec des pare-chocs noirs et un bandeau bleu sur les flancs. Gravé dans la portière, probablement avec une clef, il lut le mot SALOPE, comme Sara l'avait indiqué dans sa déposition devant la cour. Les clichés montraient l'après et l'avant, avec et sans le bout d'adhésif argenté. Le temps d'un éclair, il eut la vision de Sara agenouillée devant cette portière, appliquant l'adhésif pour masquer les dégâts, et prévoyant probablement de confier, pour la repeindre, la portière abîmée à son oncle Al, la prochaine fois qu'elle se rendrait à Grant.

Il consulta sa montre et nota que cinq minutes s'étaient écoulées. Il repéra Keith sur l'un des écrans de surveillance, les mains fourrées dans les poches, en train de discuter le bout de gras avec les gardiens de l'entrée.

En feuilletant vers la fin du dossier, il y trouva le procès-verbal d'arrestation de Jack Allen Wright. Wright avait déjà été arrêté deux fois sur la foi d'une suspicion, mais jamais mis en accusation. Lors du premier incident, une jeune femme, à peu près du même âge que Sara à l'époque de l'agression, avait renoncé à sa plainte et déménagé hors de la ville. Dans l'autre affaire, la jeune femme s'était suicidée. Jeffrey se frotta les yeux, songeant à Julia Matthews.

On frappa à la porte.

« Il faut que je lève la séance, Jeffrey, le prévint Keith.

— Ouais, acquiesça-t-il, refermant le dossier. Il n'avait plus envie de le tenir entre les mains. Il le lui remit sans regarder l'autre homme.

— Ça t'a servi à quelque chose ? »

Jeffrey opina du chef, en rajustant sa cravate.

« Un peu, confessa-t-il. Tu as pu dégoter l'endroit où se trouve ce type ?

— Juste en bas de la rue, répondit l'autre. Il travaille au Bank Building.

— C'est à quoi, dix minutes de l'université ? Et encore à cinq du Grady ?

— Exact.

— Qu'est-ce qu'il fabrique, là-bas ?

— Il est appariteur, comme il l'était au Grady », lui précisa Keith. A l'évidence, il avait jeté un œil au dossier avant de le confier à son collègue. « Toutes ces étudiantes, et lui, il est à dix minutes d'elles.

— La police du campus est-elle au courant ?

— Ils sont au courant, confirma son interlocuteur, en adressant à Jeffrey un regard entendu. C'est pas qu'il présente encore une véritable menace.

— Qu'est-ce que cela signifie ?

— Ça fait partie de sa mise en liberté conditionnelle, l'informa-t-il en désignant le dossier. Tu n'es pas tombé sur ce passage ? Il prend du Depo. »

Jeffrey sentit le malaise l'envahir, comme un flux d'eau chaude. Le Depoprovera, c'était le dernier cri en matière de traitement des criminels sexuels. Utilisé en temps normal chez les femmes dans le cadre de leur thérapie de substitution hormonale, un dosage suffisamment élevé pouvait aussi infléchir l'appétit sexuel masculin. Quand ce médicament était appliqué aux auteurs d'agressions sexuelles, on le définissait comme une forme de castration chimique. Jeffrey savait que cette substance ne fonctionnait que tant que le criminel en prenait. C'était plus un tranquillisant qu'une cure.

Jeffrey indiqua le dossier. Il ne parvenait pas à prononcer le nom de Sara dans cette pièce.

« Après ça, il a violé quelqu'un d'autre ?

— Après ça, des "quelqu'un d'autre", il y en a eu deux, lui apprit Keith. Il a violé cette fille, Linton. Elle, en prime, il lui a flanqué un coup de poignard, pas vrai ? Tentative de meurtre, six ans. Il a été libéré sous condition pour bonne conduite et mis sous Depo ; il a arrêté le Depo, il est sorti, et il a violé trois autres femmes. Pour l'une d'elles, ils l'ont chopé, mais l'autre fille n'a pas voulu témoigner, alors on l'a recollé en prison trois ans ; maintenant il est libéré sous condition, et on lui administre son Depo sous contrôle étroit.

— Il a violé sept filles et il n'a purgé que dix ans ?

— Ils ne l'ont pincé que pour trois viols, et mis à part elle... Il pointa du doigt le dossier de Sara... les autres identifications étaient assez peu fiables. Il portait un masque. Tu sais comment ça se passe, avec ces filles, à la barre. Elles sont toutes sur les nerfs et en deux temps trois mouvements l'avocat de la défense finit par les faire même douter qu'elles ont été violées, alors inutile d'insister pour qu'elles dénoncent l'auteur de la chose. »

Jeffrey tint sa langue, mais son ancien collègue parut lire dans ses pensées.

« Hé, reprit ce dernier, si j'avais travaillé sur ces affaires, ce salopard, on l'aurait envoyé à la chaise. Tu vois ce que je veux dire ?

— Ouais, acquiesça Tolliver, songeant que cette vantardise ne les mènerait nulle part. Il est prêt pour un troisième tour ? », demanda-t-il. Depuis quelque temps, la Géorgie, comme beaucoup d'autres Etats, avait promulgué une loi dite du « troisième tour », stipulant que le troisième crime d'un condamné, quel que soit son degré de gravité, suffirait à le (ou la) renvoyer en prison, et vraisemblablement pour le restant de ses jours.

« Ça m'en a tout l'air, confirma Keith.

— Qui est son contrôleur judiciaire ?

— J'ai déjà vérifié ce point. Wright porte un bracelet. Sa contrôleuse judiciaire estime qu'au cours des deux dernières années, Wright s'est conduit proprement. Elle estime aussi qu'il préférerait se couper la tête plutôt que de retourner en prison. »

Jeffrey acquiesça. Jack Wright était contraint de porter un bracelet de surveillance, condition de sa mise en liberté. S'il quittait son périmètre assigné ou s'il ne respectait pas son horaire de couvre-feu, un signal d'alarme se déclencherait au poste de surveillance. Sur le territoire de la ville d'Atlanta, la plupart des contrôleurs judiciaires étaient stationnés dans les commissariats de quartier, ce qui leur permettait de rattraper les contrevenants en deux temps trois mouvements. C'était un bon système, et bien qu'Atlanta fût une très grande ville, les prisonniers libérés sur parole qui arrivaient à se faufiler par les failles du système étaient relativement peu nombreux.

« Donc, ajouta Keith, je me suis rendu au Bank Building. » Il haussa les épaules, en guise d'excuse, reconnaissant par là qu'il avait outrepassé ses fonctions. Cette enquête était l'affaire de Jeffrey Tolliver, mais Keith s'ennuyait probablement à mourir, à force de contrôler toute la sainte journée le contenu des sacs à main pour y dénicher d'éventuelles armes à feu.

« Mais non, le rassura Jeffrey. C'est bon. Qu'est-ce que tu as découvert ?

— J'ai jeté un œil sur ses cartes de pointage. Il pointe tous les matins à sept heures, ensuite à l'heure du déjeuner, à midi, et puis il est de retour à midi et demi, et il quitte à cinq heures.

— Quelqu'un a pu pointer à sa place. »

Keith écarta l'argument.

« Sa chef de service ne le tient pas à l'œil en permanence, mais elle affirme que s'il n'était pas à son poste de travail, il y aurait eu des plaintes émanant des bureaux. Evidemment, ces ronds-de-cuir, ils aiment bien qu'on leur récure leurs chiottes de bon matin. »

Jeffrey désigna l'enveloppe blanche que Keith tenait à la main.

« Et ça, qu'est-ce que c'est ?

— Sa carte grise, lui répondit-il en lui tendant l'enveloppe. Il conduit une Chevy Nova bleue. »

Jeffrey décacheta l'enveloppe avec le pouce. A l'intérieur, il y avait une photocopie de la carte grise du véhicule de Jack Allen Wright. Une adresse était inscrite sous le nom.

« Encore valable, l'adresse ? s'enquit-il.

— Ouais. Sauf que tu as bien compris, ce n'est pas par moi que tu l'as obtenue. »

Jeffrey comprenait ce qu'il entendait par là. Le chef de la police d'Atlanta dirigeait ses services au couteau. Il n'ignorait pas la réputation de cette femme et il admirait son travail, mais il savait aussi que si elle apprenait qu'un péquenot de flic de Grant County venait empiéter sur ses plates-bandes, dans la minute qui suivrait, il tâterait de son talon aiguille de huit centimètres dans le creux de la nuque.

« Une fois que tu auras obtenu de Wright ce qu'il te faut, lui conseilla Keith, tu appelles le commissariat central d'Atlanta. » Il remit à Jeffrey une carte de visite ornée en son centre d'un logo, le phénix d'Atlanta. Il la retourna et il y lut un nom et un numéro de téléphone griffonnés au verso.

« C'est la contrôleuse judiciaire. Elle est bonne fille, mais il faudra lui fournir un bon motif pour expliquer ce qui t'a conduit en face de Wright.

— Tu la connais ?

— De réputation, fit-il. Une vraie casse-couilles, alors fais gaffe à toi. Si tu l'appelles pour lui faucher son gars sous le nez, elle trouvera que tu la regardes de travers, et elle se débrouillera pour que tu le revoies jamais.

— Je tâcherai de me conduire en gentleman, promit Jeffrey.

— Ashton, ça se trouve juste à la sortie de l'autoroute. Je vais t'expliquer le chemin. »

Vingt et un

La voix de Nick Shelton tonna à l'autre bout du fil.

« Salut, madame.

— Salut, Nick. »

Sara se retourna, referma un dossier de patient posé sur son bureau. Elle était à la clinique depuis huit heures ce matin et avait reçu des patients jusqu'à seize heures. Elle avait l'impression d'avoir couru dans des sables mouvants toute la journée. Une légère migraine lui embrumait le crâne et elle avait l'estomac dérangé d'avoir un peu trop bu la nuit précédente, sans parler de son malaise après le drame affectif qui s'était noué ensuite. A mesure que la journée avançait, elle se sentait de plus en plus épuisée. Au déjeuner, Molly avait jugé que Sara avait aujourd'hui davantage l'air d'un patient que d'un médecin.

« J'ai montré ces graines à Mark, lui rapporta Nick. Il confirme qu'il s'agit bien de belladone, mais ce ne sont que les baies, pas les graines.

— C'est toujours bon à savoir, j'imagine, parvint-elle à commenter. Il en est certain ?

— A cent pour cent, reprit Nick. Selon lui, c'est plutôt curieux qu'elles aient absorbé les baies. Souviens-toi, c'est la partie la moins vénéneuse. Peut-être que ton type là-bas leur administre ces baies pour les maintenir dans un état un peu vague, et il ne leur refile la dose ultime qu'avant de les relâcher.

— Ça paraît rationnel », admit-elle, tout en se refusant à y réfléchir davantage. Aujourd'hui, elle n'avait aucune envie d'être médecin. Elle ne voulait pas non plus être médecin légiste. Elle avait envie d'être dans son lit, avec un thé et une télévision abrutissante. D'ailleurs, c'était exactement ce qu'elle allait faire dès qu'elle aurait terminé d'actualiser son dernier dossier médical. Heureusement, Nelly lui avait inscrit le lendemain comme jour de congé. Elle prendrait le week-end pour décompresser. Lundi, elle serait redevenue elle-même.

« Rien sur l'échantillon de sperme ?

— Là, nous rencontrons quelques difficultés, sachant à quel endroit tu l'as prélevé. Enfin, je pense qu'on finira par en tirer quelque chose.

— Bonne nouvelle.

— Tu vas parler de ces baies à Tolliver, ou faut-il que je le joigne ? »

La mention du nom de Jeffrey lui noua le ventre.

« Sara ? fit Nick.

— Ouais, répondit-elle. Je vais aller lui annoncer ça dès que j'aurai terminé ma journée. »

Après les formules de politesse d'usage, elle raccrocha puis s'assit dans son fauteuil et se massa le bas du dos. D'un coup d'œil, elle passa en revue le dossier du patient suivant, mit à jour une modification de posologie et programma une visite de contrôle après des résultats de laboratoire. Le temps d'en finir avec le dernier dossier, il était cinq heures et demie.

Elle en fourra deux autres dans sa serviette, sachant

qu'il y aurait bien un moment dans le courant du week-end où la culpabilité reprendrait le dessus et la pousserait à travailler un peu. Chez elle, elle pouvait dicter avec un petit magnétophone. Il existait à Macon une officine qui se chargeait de la transcription de ses notes et qui, en quarante-huit heures, les lui retournait dactylographiées.

Elle boutonna sa veste en traversant la rue et se dirigea vers le centre-ville. Elle prit le trottoir en face de la pharmacie, car elle ne voulait pas tomber sur Jeb. Sara garda la tête baissée, dépassa la quincaillerie et la boutique de vêtements, ne voulant pas prêter le flanc à la conversation. Elle fut surprise de constater qu'elle s'était arrêtée devant le commissariat. Son esprit opérait à son insu, et à chaque pas elle se sentait de plus en plus en colère que Jeffrey ne l'ait pas appelée. C'était sans doute son âme qu'elle lui avait laissée en dépôt sur le lavabo de sa salle de bains, et il n'avait pas eu la décence de lui téléphoner.

Elle entra dans le poste de police, souriant non sans mal à Marla.

« Jeffrey est là ? »

Marla fronça le sourcil.

« Je ne crois pas, fit-elle. Il est sorti vers midi, à peu près. Vous devriez interroger Frank.

— Il est dans le fond ? En levant sa serviette, Sara désigna la porte.

— Je crois », répondit Marla qui se replongea dans sa tâche du moment.

Au passage, Sara jeta un coup d'œil sur cette femme d'un certain âge. Marla travaillait sur ses mots croisés.

La pièce du fond était déserte, une dizaine de

bureaux environ, occupés en temps normal par les inspecteurs principaux, étaient pour le moment vacants. Sara supposa qu'ils étaient sortis confronter la liste des criminels dressée par Jeffrey ou chercher leur dîner. Elle garda la tête haute, et entra d'un pas nonchalant dans le bureau de Jeffrey Tolliver. Comme de juste, il n'était pas là.

Elle resta debout dans cette petite pièce, posa sa serviette sur le bureau. Elle s'était tant de fois trouvée là qu'elle n'oserait même pas les compter. Ici, elle s'était toujours sentie en sécurité. Jeffrey était digne de confiance : même après son divorce, c'était le seul endroit où elle avait ressenti cela. En tant que policier, il avait toujours agi comme il fallait. Il avait fait tout ce qui était en son pouvoir pour s'assurer que les gens qu'il servait étaient protégés.

La première fois que Sara était revenue s'installer à Grant, douze ans auparavant, toutes les assurances de son père et de sa famille n'avaient pas suffi à la convaincre qu'elle était en sécurité. Elle le savait, dès qu'elle serait entrée dans la boutique du prêteur sur gages, la nouvelle qu'elle avait acheté une arme se répandrait. Qui plus est, elle n'ignorait pas que, pour enregistrer une arme, elle devrait se rendre au commissariat. Ben Walker, l'ancien chef de la police, le prédécesseur de Jeffrey, jouait au poker avec Eddie Linton tous les vendredis soir. Elle n'avait aucun moyen d'acheter cette arme sans que tous les gens qui la connaissaient en soient alertés.

Vers cette époque, un garçon coupable d'un viol collectif avait été admis à l'hôpital d'Augusta avec un bras à moitié arraché par une balle. Elle avait opéré ce gamin et lui avait sauvé le bras. Il n'avait que quatorze ans, et quand sa mère s'était présentée, elle avait commencé par le frapper sur la tête avec son sac à main. Sara avait quitté la chambre, mais quelques instants plus tard la mère l'avait retrouvée. Cette femme avait remis à Sara l'arme de son fils, en lui demandant de s'en charger. Si Sara avait été chrétienne, elle aurait considéré cet incident comme un miracle.

Le pistolet, elle le savait, était rangé à présent dans le tiroir du bureau de Tolliver. Elle jeta un coup d'œil par-dessus son épaule avant de faire coulisser ce tiroir, l'ouvrit, et en sortit la pochette en plastique avec le Ruger à l'intérieur. Elle le glissa dans sa serviette et, dans les minutes qui suivirent, elle franchissait la porte.

Toujours la tête haute, elle se dirigea vers la faculté. Son bateau était amarré au ponton en face du hangar, et elle y plaça sa serviette, d'une seule main, tout en dénouant l'amarre de l'autre. Ses parents lui avaient offert en cadeau, pour sa pendaison de crémaillère, cette embarcation ancienne mais robuste. Le moteur était puissant, et elle s'était fréquemment fait tracter en ski nautique par son père, qui retenait la commande de l'accélérateur de peur de démettre les deux bras de sa fille.

Après avoir vérifié qu'elle n'était pas observée, elle sortit le pistolet de sa serviette et l'enferma dans la boîte à gants étanche située devant le siège du passager, avec son sac plastique. Elle tendit la jambe pardessus bord, s'aidant de son pied pour se dégager du ponton. Elle tourna la clef, et le moteur crachota. En théorie, après tout un hiver durant lequel elle ne s'en était pas servi, elle aurait dû faire réviser le bateau avant de le réutiliser, mais elle n'avait pas vraiment le choix car les mécanos n'en auraient pas fini avec sa voiture avant lundi. Demander à son père de la déposer l'aurait trop exposée à la conversation, et il n'était pas question de faire appel à Jeffrey.

Après avoir émis un nuage de fumée bleue de vilaine apparence, le moteur démarra et, s'autorisant un petit sourire, Sara s'écarta du ponton. En partant comme ça, avec son pistolet dans sa serviette, elle s'était fait l'effet d'être une criminelle, mais se sentait davantage en sécurité. Tout ce que Jeffrey penserait en découvrant que l'arme avait disparu ne la concernait pas vraiment.

Une fois atteint le milieu du lac, le bateau fendit l'eau en bondissant. Le vent lui fouettait le visage et elle mit ses lunettes pour se protéger les yeux. Le soleil avait beau cogner, l'eau était fraîche à cause des pluies récentes. Ce soir-là, apparemment, l'orage se rapprochait encore, mais n'éclaterait certainement pas avant que le soleil se soit couché.

Elle ferma bien sa veste jusqu'en haut pour lutter contre le froid. Malgré cela, le temps qu'elle puisse apercevoir l'arrière de sa maison, son nez coulait et ses joues étaient si froides qu'elle avait l'impression d'avoir plongé la figure dans un baquet d'eau glacée. Elle vira sèchement sur la gauche, barra au large d'un groupe de rochers à fleur d'eau. A une époque, une bouée marquait l'endroit, mais cela faisait des lustres qu'elle avait pourri. Avec les dernières pluies, les eaux du lac étaient hautes, mais elle n'avait pas envie de courir de risques.

Elle avait accosté dans le hangar à bateaux et avait mis en marche le treuil électrique, quand sa mère surgit de derrière la maison.

« Merde, bougonna-t-elle, en appuyant sur le bouton rouge pour arrêter le treuil.

— J'ai appelé la clinique, fit Cathy. Nelly m'a prévenue que tu avais pris ta journée de demain.

— C'est exact, confirma Sara, alors qu'elle tirait sur la chaîne pour abaisser la porte derrière le bateau.

— Ta sœur m'a raconté votre dispute de la nuit dernière. »

Sara cala bien la chaîne, provoquant un fracas qui se répercuta dans toute la structure métallique.

« Si tu es venue ici pour me menacer, le mal est fait.

— Ce qui signifie ? »

Elle passa devant sa mère, descendit du ponton.

« Ce qui signifie qu'il sait, fit-elle, les mains calées sur les hanches, attendant que sa mère poursuive. Je lui ai montré le compte rendu.

— Comment a-t-il réagi ?

— Je ne peux rien en dire », répondit Sara en se tournant vers la maison. Sa mère la suivit à travers la pelouse, mais heureusement elle resta silencieuse.

Sara déverrouilla la porte de derrière, et la laissa ouverte pour sa mère, en entrant dans la cuisine. Elle s'aperçut, mais trop tard, que la maison était en désordre.

« Franchement, Sara, tu pourrais trouver le temps de ranger.

— J'ai été très occupée au boulot.

— Ce n'est pas une excuse, la sermonna Cathy. Dis-toi simplement : "Je vais prévoir une lessive un jour sur deux. Je vais m'arranger pour remettre les choses là où je les ai prises." Et assez vite, tu seras organisée. »

Sara ignora ce conseil bien connu et entra dans le salon. Elle appuya sur la touche de défilement de la bande du répondeur, mais aucun message n'y était enregistré.

« Le courant a sauté, l'informa sa mère, qui enfonçait tous les boutons de la cuisinière en même temps. Ces orages fichent en l'air tous les câbles. Quand ton père a allumé la télévision pour voir *Jeopardy !* il n'a obtenu que de la neige. Il en a presque eu une attaque. »

La nouvelle la soulagea. Il était possible que Jeffrey ait appelé. On a vu se produire des choses plus étranges. Elle se rendit à l'évier, et remplit la bouilloire d'eau.

« Tu veux du thé ? »

Cathy secoua la tête.

« Moi non plus », maugréa Sara qui reposa la bouilloire dans l'évier. Elle passa dans le fond de la maison, retira son chemisier et sa jupe en entrant dans la salle de bains. Cathy la suivit, observant les faits et gestes de sa fille d'un œil averti de mère.

« Tu t'es encore disputée avec lui ? »

Sara enfila un T-shirt.

« Je me dispute tout le temps avec lui, maman. Entre nous, ça fonctionne comme ça.

— Sauf quand tu te tortilles sur ton banc à l'église pour le reluquer. »

Sara se mordit la lèvre, sentant ses joues virer à l'écarlate.

« Qu'est-ce qui s'est passé, cette fois ? demanda Cathy.

— Seigneur, maman, je n'ai vraiment pas envie d'en discuter.

— Alors parle-moi un peu de cette histoire avec Jeb McGuire.

— Il n'y a pas d'"histoire". Franchement. » Elle enfila un pantalon de jogging.

Cathy s'assit sur le lit, lissa le drap du plat de la main.

« C'est mieux. Ce n'est vraiment pas ton genre. »

Sara éclata de rire.

« C'est quoi, mon genre ?

— Quelqu'un qui sache te tenir tête.

— Mais peut-être que je l'aime bien, Jeb, riposta Sara, consciente de son ton de voix irascible. Peut-être que j'aime bien le fait qu'il soit prévisible et gentil et calme. Dieu sait s'il a eu la patience d'attendre suffisamment longtemps de pouvoir sortir avec moi. Peut-être que je devrais me mettre à le fréquenter.

— Tu n'es pas autant en colère contre Jeffrey que tu le crois.

— Oh, vraiment ?

— Tu es simplement blessée, et c'est ça qui te met en colère. Tu t'ouvres si rarement aux autres », poursuivit Cathy. Sara remarqua que la voix de sa mère se voulait réconfortante mais ferme, comme si elle s'employait à amadouer un animal dangereux pour l'attirer hors de sa tanière. « Je me souviens, quand tu étais petite. Tu veillais toujours tellement au choix de ceux que tu autorisais à se lier d'amitié avec toi. »

Sara s'assit sur le lit, afin de pouvoir enfiler ses chaussettes.

« J'avais plein d'amis.

— Oh, tu avais du succès, mais tu n'autorisais que quelques rares personnes à t'approcher. Elle ramena les cheveux de sa fille derrière les oreilles. Et après ce qui s'est produit à Atlanta... »

Sara se masqua les yeux de la main. Elle sentit des larmes monter et articula sa réponse avec peine.

« Maman, je ne suis vraiment pas capable de parler de ça maintenant. Tu comprends ? Je t'en prie, pas maintenant.

— Très bien », concéda sa mère, en prenant sa fille par l'épaule. Elle l'attira contre sa poitrine. « Chut, souffla Cathy, en lui caressant les cheveux. Ça va aller.

— C'est simplement... » Sara remua la tête, incapable de poursuivre. Elle avait oublié à quel point c'était bon d'être réconfortée par sa mère. Ces dernières journées, elle avait dépensé tellement d'énergie à repousser Jeffrey qu'elle avait fini par créer une certaine distance avec sa famille aussi.

Cathy posa les lèvres sur la tête de sa fille.

« Entre ton père et moi, il y a eu un accroc. »

Sara était tellement interloquée qu'elle cessa de pleurer.

« Papa t'a trompée ?

— Bien sûr que non. » Cathy se rembrunit. Quelques secondes s'écoulèrent avant qu'elle reprenne. « C'était l'inverse. »

Sara entendit comme un écho.

« C'est toi qui as trompé papa ?

— Ça n'a jamais été consommé, mais dans mon cœur j'ai eu le sentiment que ça l'était.

— Qu'est-ce que ça signifie ? » Sara secoua la tête, estimant que cette phrase sonnait comme une de ces excuses chères à Jeffrey : piètre et futile. Non, peu importe. Elle s'essuya les yeux du dos de la main, estimant qu'elle n'avait pas réellement envie d'entendre la réponse. Le mariage de ses parents était le piédestal sur lequel elle avait érigé toutes ses conceptions touchant aux relations affectives et à l'amour.

Cathy semblait résolue à lui raconter cette histoire.

« J'ai annoncé à ton père que je voulais le quitter pour un autre homme. »

Sara, la bouche grande ouverte, se sentit stupide, mais elle n'y pouvait pas grand-chose.

« Qui est-ce ? réussit-elle enfin à demander.

— Un homme, c'est tout. Il était stable, il avait un boulot dans une usine. Très calme. Très sérieux. Très différent de ton père.

— Que s'est-il passé ?

— J'ai annoncé à ton père que j'avais envie de le quitter.

— Et ?

— Il a pleuré et moi aussi. Nous nous sommes séparés environ six mois. Au bout du compte, nous avons décidé de rester ensemble.

— Qui est l'autre homme ?

— Cela n'a plus d'importance, maintenant.

— Il vit encore en ville ? »

Cathy secoua la tête.

« Ça n'a plus d'importance. Il n'est plus dans ma vie, et je suis avec ton père. »

Sara se concentra un moment sur le rythme de sa respiration. Finalement, elle parvint à formuler sa question.

« Quand est-ce arrivé ?

— Avant ta naissance et celle de Tessie. »

Sara déglutit pour dissoudre la boule qu'elle avait dans la gorge.

« Que s'est-il passé ?

— Comment cela ? »

Sara enfila une chaussette. Tirer les vers du nez de sa mère, c'était comme extraire une dent. Elle lui souffla la réponse.

« Comment as-tu fini par changer d'avis ? Qu'est-ce qui t'a donné envie de rester avec papa ?

— Oh, un million de choses, ou à peu près, lui répondit Cathy, un sourire de fine mouche sur les lèvres. A mon avis, je me suis simplement laissée un petit peu distraire par cet autre monsieur et je n'avais pas compris toute l'importance que ton père revêtait pour moi. Elle lâcha un profond soupir. Je me souviens de m'être réveillée, un matin, dans mon ancienne chambre chez maman, et je n'arrivais pas à me sortir de la tête qu'Eddie aurait dû être là, avec moi. J'avais tellement envie de lui. » S'avisant de la réaction de sa fille à cette dernière formule, Cathy fit grise mine. « Ne te monte pas le bourrichon, il y a d'autres façons d'avoir envie de quelqu'un. »

Cette réprimande fit brièvement rentrer Sara dans sa coquille, et elle enfila son autre chaussette.

« Alors tu l'as rappelé ?

— Je suis allée à la maison et je me suis assise sous la véranda, et je l'ai pratiquement supplié de me reprendre avec lui. Non, à bien y repenser, je l'ai vraiment supplié. Je lui ai dit que si nous devions être tous deux malheureux séparés l'un de l'autre, alors à tout prendre, autant être malheureux ensemble, et je lui ai avoué que j'étais profondément désolée, et que je ne le considérerais plus jamais comme un dû, pas tant que je vivrais.

— Le considérer comme un dû ? »

Cathy posa la main sur le bras de sa fille.

« Ça, c'est la partie qui fait mal, n'est-ce pas ? La partie qui te fait sentir que tu ne comptes plus autant pour lui qu'à une époque. »

Sara hocha la tête, s'efforçant de ne pas oublier de respirer. Sa mère avait mis le doigt sur le point sensible.

« Quand tu lui as promis ça, comment papa a-t-il réagi ? lui souffla-t-elle.

— Il m'a demandé de me lever, de ne pas rester sur la véranda et de venir prendre un petit déjeuner. » Cathy porta la main à sa poitrine, en tapotant exactement à cet endroit. « Je ne sais pas comment Eddie a pu puiser dans son cœur la force de me pardonner, c'est un être si fier, mais je suis heureuse qu'il ait su y parvenir. Cela m'a conduite à l'aimer encore davantage, à découvrir qu'il était capable de ne pas me tenir rigueur après un acte aussi horrible que celui-là, que je pouvais le blesser jusqu'au fond de l'âme et qu'il était encore capable de m'aimer. Je crois que reprendre les choses de la sorte, cela a renforcé encore notre mariage. Son sourire gagna en intensité. Naturellement, il est vrai que j'avais une arme secrète.

— Comment cela ?

— Toi.

— Moi ? »

Cathy caressa la joue de Sara.

« Je revoyais ton père, mais c'était tellement forcé. Rien n'était plus comme avant. Je crois que le fait de t'avoir entre nous a permis à ton père d'élargir sa vision des choses. Ensuite, Tessie est arrivée, après vous êtes allées toutes les deux à l'école, et puis vous étiez toutes les deux grandes, et puis il y a eu la faculté. Elle sourit. Seulement, tout ça prend du temps.

De l'amour et du temps. Et d'avoir à courir après une petite chahuteuse rouquine, cela constitue une bonne distraction.

— Oui, enfin, je risque pas de tomber enceinte », rétorqua Sara, consciente de la vivacité de sa repartie.

Cathy parut peser sa réponse.

« Parfois, il faut s'apercevoir que l'on a perdu quelque chose pour en mesurer la véritable valeur, rappela-t-elle. N'en parle pas à Tessie. »

Sara acquiesça d'un signe de tête. Elle se leva, rentra son T-shirt dans son pantalon.

« Je lui ai dit, maman, fit-elle. Je lui ai laissé le compte rendu. »

Cathy reprit en écho.

« Le compte rendu du procès ?

— Ouais, confirma Sara, en s'appuyant contre la commode. Je sais qu'il l'a lu. Je le lui ai laissé dans sa salle de bains.

— Et ?

— Et, poursuivit Sara, il n'a même pas appelé. Il ne s'est pas manifesté de toute la journée.

— Eh bien, conclut Cathy, sa religion manifestement faite. Alors, qu'il aille se faire foutre. C'est un minable. »

Vingt-deux

Jeffrey trouva assez facilement le 633 Ashton Street. La maison était délabrée, ce n'était guère plus qu'un quadrilatère composé de parpaings. Apparemment, on n'avait pensé aux fenêtres qu'après coup, aucune d'entre elles n'étant de la même taille. Une cheminée en céramique trônait sur la véranda avec des piles de journaux et de magazines entassées de part et d'autre, probablement pour servir à l'allumage du feu.

Il effectua un tour de la bâtisse, tâchant de se comporter avec nonchalance. Vêtu d'un costume et d'une cravate, conduisant une grosse berline blanche, Jeffrey était loin de correspondre au décor ambiant. Ashton Street, tout au moins la partie de la rue où habitait Jack Wright, était décrépie et plutôt miteuse. La plupart des maisons du voisinage étaient clouées de planches, des affiches jaunes avertissant qu'elles étaient condamnées. Des gamins jouaient dans les terrains vagues encombrés qui tenaient lieu de jardin à ces maisons, et leurs parents demeuraient invisibles. L'endroit dégageait une odeur, pas franchement d'égout, mais de la même famille. Cela évoquait à Jeffrey la portion de route qui longeait la décharge municipale, dans la banlieue de Madison. Par une belle journée, même quand vous étiez dans le sens du vent, l'odeur de détritus en décomposition vous remontait encore aux narines. Même avec les fenêtres fermées et la clim allumée.

Jeffrey respira plusieurs fois, profondément, s'efforçant de s'habituer à cette odeur tout en se rapprochant de la maison. La porte était recouverte d'un gros grillage avec un cadenas qui la maintenait au cadre. La porte proprement dite était munie de trois verrous à bouton et, rien que pour ouvrir l'une des serrures, on eût dit qu'il fallait une combinaison au lieu d'une clef. Jack Wright avait vécu en prison le plus clair de son existence. A l'évidence, c'était un homme qui souhaitait préserver sa vie privée. Jeffrey regarda autour de lui avant de se rendre devant une des fenêtres. Celle-ci aussi était protégée d'un grillage et d'un lourd cadenas, mais le chambranle était vieux et facile à forcer. Deux ou trois poussées un peu fermes suffirent à déplacer le cadre tout entier. De nouveau, il regarda autour de lui avant de retirer la fenêtre, le chambranle et tout le reste, puis de se glisser à l'intérieur de la maison.

Le salon était sombre et défraîchi, des détritus et des journaux traînant un peu partout. Il y avait un canapé orange avec des taches noires suintantes. Il était incapable de dire si c'était du jus de tabac ou un quelconque fluide corporel. Ce qu'il savait, c'était qu'une odeur irrespirable de sueur mélangée à du Lysol imprégnait toute la pièce.

En haut des murs du salon, comme une frise décorative, étaient accrochées toutes sortes de crucifix. Leurs tailles étaient variables, depuis le format de ces gadgets que l'on trouvait dans les distributeurs de bonbons jusqu'à certains qui mesuraient bien vingt-cinq centimètres de longueur. Ils étaient cloués au mur, bord à bord, en bandeau ininterrompu. Prolongeant ce thème de Jésus, des affiches mettant en scène le Christ et ses disciples, tout droit sorties d'une salle de classe de l'école du dimanche, étaient fixées au mur. Sur l'une d'elles, Il tenait un agneau. Sur une autre, Il tendait les mains, montrant les blessures de Ses paumes.

A cette vision, il sentit s'accélérer le rythme de ses pulsations cardiaques. Il porta la main à son pistolet, détacha la bride de son holster tout en avançant vers les fenêtres côté rue, histoire de s'assurer que personne ne s'engageait dans l'allée.

Des assiettes étaient empilées dans l'évier de la cuisine, maculées de saleté, répugnantes. Le sol était poisseux, et toute la pièce sentait l'humidité, une humidité provoquée par autre chose que de l'eau. La chambre était dans le même état, imprégnée d'une odeur musquée qui collait au visage de Jeffrey comme une lavette humide. Sur le mur au-dessus du matelas maculé de taches trônait une grande affiche de Jésus-Christ, avec un halo Lui surmontant la tête. Comme sur l'affiche du salon, Jésus présentait Ses paumes pour montrer les blessures de Ses mains. Le motif de la crucifixion continuait sur tout le pourtour de la chambre, mais là, les croix étaient plus grandes. En montant sur le lit, Jeffrey put constater que quelqu'un, probablement Wright, avait utilisé de la peinture rouge pour exagérer ces blessures, faisant dégouliner le sang jusque sur le torse et ressortir la couronne d'épines posée sur la tête. Sur tous les Jésus qu'il avait devant lui, Jeffrey put aussi distinguer des X barrant les yeux. Tout se passait comme si Wright avait voulu empêcher les yeux du Christ de le surveiller. A quels actes Wright se livrait-il pour éprouver un tel besoin de se dissimuler, c'était la question à laquelle Jeffrey devait répondre.

Il descendit du lit. Il parcourut quelques magazines, prit le temps d'enfiler une paire de gants en latex tirés d'une de ses poches avant de toucher quoi que ce soit. Les magazines étaient surtout de vieux numéros de *People* et *Life*. Le placard de la chambre était rempli de bas en haut de revues pornographiques. *Busty Babes* figurait à côté de *Righteous Redheads*. Jeffrey pensa à Sara, et sa gorge se noua.

En s'aidant du pied, il souleva le matelas. Un Sig Sauer 9 millimètres était couché sur le sommier. L'arme avait l'air neuve et bien entretenue. Le soir, dans un quartier comme celui-là, seul un imbécile irait au lit sans un pistolet à portée de la main. En repoussant le matelas pour le remettre en place, Jeffrey sourit. Ultérieurement, voilà qui pourrait lui être utile.

En ouvrant la commode, Jeffrey ignorait à quelle découverte il devait s'attendre. Encore du porno, peut-être. Un autre pistolet, ou une quelconque arme de fabrication maison. A la place, les deux tiroirs du haut étaient remplis de sous-vêtements féminins. Pas seulement des sous-vêtements, comme ceux, en soie sexy, que Jeffrey aimait voir Sara porter. Il y avait là des nuisettes et des strings, des collants de coupe française avec des nœuds à la taille. Et ils étaient de très grande taille, assez grands pour aller à un homme.

Il réprima un frisson. Il attrapa un crayon pour inspecter sans risque le contenu de ces tiroirs, ne voulant pas se blesser sur une aiguille ou rien de tranchant, ou par crainte d'attraper une maladie vénérienne. Il était sur le point de refermer l'un des tiroirs quand quelque chose le fit changer d'avis. Le papier-journal qui en tapissait le fond provenait du cahier spécial dimanche du *Grant County Observer*. Il avait reconnu l'ours du journal.

Ecartant les vêtements, il sortit la page du quotidien. Cette Une était celle d'un jour pauvre en nouvelles fraîches. Une photo du maire, tout sourire, tenant un cochon dans ses bras s'étalait sous ses yeux. La date indiquait un numéro vieux de plus d'un an. Il ouvrit les autres tiroirs, en quête d'autres exemplaires de l'*Observer*. Il en dénicha bien quelques-uns, mais la plupart ne comportaient que des articles inoffensifs. Toutefois, il trouva intéressant que Jack Wright se soit abonné au *Grant County Observer*.

Il retourna dans le salon, vérifia une pile de journaux posée par terre avec un certain regain d'intérêt. Brenda Collins, l'une des autres victimes de Wright, après Sara, était originaire du Tennessee, cet élément lui revenait à l'esprit. Un exemplaire du *Monthly Vols*, une lettre d'information des diplômés de l'université du Tennessee, étaient mélangés à quelques journaux d'Alexander City, une ville de l'Alabama. Dans la pile suivante, il dénicha d'autres journaux extérieurs à l'Etat de Géorgie, tous en provenance de petites villes. A côté, il y avait des cartes postales, représentant toutes des vues différentes de la ville d'Atlanta. Le dos de ces cartes était vierge, en attente d'être rempli. Jeffrey ne comprenait pas trop quel usage un type comme Wright pouvait bien faire de ces cartes postales. Il ne lui apparaissait pas précisément comme le genre d'individu à compter beaucoup d'amis.

Il se retourna, voulant s'assurer de ne rien avoir manqué dans cette pièce exiguë. Il y avait une télévision calée dans l'âtre. Elle avait l'air d'un modèle assez récent, de ceux qu'on peut se procurer sur le trottoir pour cinquante dollars, pourvu qu'on ne se hasarde pas à poser trop de questions quant à sa provenance. Sur le poste était installé un décodeur du réseau câblé.

Il regagna la fenêtre pour ressortir, mais il s'arrêta lorsqu'il avisa quelque chose sous le canapé. Du bout du pied, il renversa ce canapé, ce qui eut pour effet d'envoyer des cafards détaler en tous sens. Un petit clavier noir était posé par terre.

En fait, le décodeur tenait lieu d'interface au clavier. Il alluma la télévision, appuya sur les touches jusqu'à ce que l'interface se connecte sur Internet. Il s'assit au bord du canapé retourné, en attendant que le système établisse la connexion. Au poste de police, c'était Brad Stephens l'informaticien de la brigade, mais Jeffrey en avait appris suffisamment en observant le jeune policier pour savoir surfer.

Les courriers électroniques de Wright étaient assez faciles d'accès. Mis à part une offre d'un concessionnaire de pièces détachées pour Chevy et les inévitables e-mails publicitaires pour des sites porno où de prétendues jeunes filles en chaleur étaient en quête de financement pour leurs études universitaires, le genre de courriers électroniques que tout le monde pouvait recevoir, il y avait une longue lettre d'une femme qui se révéla être la mère de Wright. Un autre courrier était assorti d'un fichier, la photo d'une jeune femme, qui posait les jambes écartées. L'adresse de l'expéditeur n'était qu'une série de chiffres indéterminés. C'était probablement un copain de prison de Wright. Néanmoins, il nota l'adresse sur un bout de papier qu'il trouva dans sa poche.

En manipulant les touches de déplacement, il se rendit dans le menu des favoris. A côté de divers sites de pornographie et de violence, il y repéra un lien d'accès au site en ligne du *Grant Observer*. L'effet de choc aurait difficilement pu être plus brutal. Là, sur l'écran de la télévision, il vit s'afficher la page du jour annonçant le suicide de Julia Matthews, survenu la nuit dernière. Il appuya sur la touche de défilement vers le bas, parcourut l'article une seconde fois. Il se rendit dans la section des archives et lança une recherche sur Sibyl Adams. Quelques secondes plus tard, un autre article s'afficha, consacré à la journée d'information universitaire sur les carrières de l'an dernier. Une recherche sur Julia Matthews révéla la Une du jour, mais rien d'autre. Quand il tapa le nom de Sara, plus de soixante articles apparurent.

Il se déconnecta et remit le canapé en place.

Une fois dehors, il replaça le cadre de la fenêtre. Il refusait de rester en place, aussi fut-il forcé de tirer l'une des chaises de la véranda pour remettre le châssis d'aplomb. Vue depuis sa voiture, le cadre ne donnait pas du tout l'impression d'avoir été rafistolé, mais Jack Wright comprendrait, dès qu'il aurait mis le pied dans sa véranda, que quelqu'un s'était introduit chez lui. L'homme paraissait si soucieux de sa sécurité que cela fournirait probablement un bon moyen de l'amorcer.

Quand Tolliver remonta dans sa voiture, le réverbère au-dessus de sa tête s'alluma. Même dans cette rue du bout de l'enfer, le coucher du soleil derrière la ligne d'horizon des gratte-ciel d'Atlanta offrait un merveilleux spectacle. Il songea que, s'il n'y avait le lever et le coucher du soleil, les habitants de ce pâté de maisons ne se considéreraient plus guère comme des humains.

Il attendit trois heures et demie avant que la Chevy Nova bleue ne s'engage dans l'allée. La voiture était vieille et sale, des taches de rouille étaient visibles sur la malle arrière et autour des feux stop. Visiblement, Wright avait tenté d'effectuer quelques réparations. De l'adhésif pour tuyauterie couleur argent barrait de croisillons le panneau arrière, et sur l'un des flancs du pare-chocs était appliquée une décalcomanie proclamant : DIEU EST MON COPILOTE. Sur le flanc opposé, un autocollant zébré avertissait : AU ZOO D'ATLANTA JE ME CHANGE EN SAUVAGE.

Jack Wright était dans le circuit depuis suffisamment longtemps pour savoir de quoi un flic avait l'air. Il lança à Jeffrey un regard méfiant, tout en descendant de sa Nova. Wright était un type grassouillet, le front dégarni. Sa chemise était ouverte, et Jeffrey vit qu'il laissait ainsi à demi dénudés ce que l'on aurait pu appeler une paire de seins. Il supposa que c'était l'effet du Depo. L'une des nombreuses raisons pour lesquelles les violeurs et les pédophiles avaient tendance à refuser la prise de ce médicament tenait notamment aux effets secondaires déplaisants qui amenaient certains d'entre eux à prendre du poids et à se voir pousser des attributs féminins.

Wright adressa un signe de tête à Tolliver, et ce dernier s'engagea à son tour dans l'allée. Si négligé que soit ce quartier de la ville, tous les réverbères y étaient encore en état de marche. La maison était illuminée comme en plein jour.

Quand Wright s'exprima, sa voix était haut perchée, autre effet secondaire du Depo.

« Vous me cherchez ? s'écria-t-il.

— C'est exact, répondit Jeffrey, en s'immobilisant face à l'homme qui avait violé et poignardé Sara Linton.

— Merde alors, s'écria Wright, en faisant la moue. Une fille s'est encore fait enlever, hein, j'imagine ? Chaque fois qu'une jeune petite chose est portée disparue, vous allez tout le temps revenir frapper à ma porte.

— Entrons chez vous, suggéra Jeffrey.

— Ah ça je ne pense pas, rétorqua-t-il en s'adossant contre sa voiture. Elle est jolie, la fille qui a disparu ? » Il s'interrompit, comme s'il espérait une réponse. Il se passa lentement la langue sur les lèvres. « Moi, je ne me fais que les filles jolies.

— Il s'agit d'une affaire plus ancienne, expliqua Jeffrey, en veillant à ne pas mordre à l'hameçon de son interlocuteur.

— Amy ? C'est à propos de ma douce petite Amy ? »

Jeffrey le dévisagea. Il reconnut ce prénom d'après le dossier qu'il avait consulté. Après avoir été violée par Jack Wright, Amy Baxter s'était suicidée. C'était une infirmière, qui avait déménagé d'Alexander City pour venir s'installer à Atlanta.

« Non, c'est pas Amy, rectifia Wright, en portant la main à son menton, comme pour réfléchir. C'était pas cette gentille petite... Il s'interrompit, jeta un coup d'œil à la voiture du policier. Grant County, hein ? Pourquoi vous le disiez pas ? Il sourit, dévoilant l'une de ses incisives ébréchées. Comment elle va, ma petite Sara ? »

Jeffrey s'approcha de l'homme, mais Wright ne se laissa pas intimider.

« Vas-y, frappe-moi. J'aime quand ça cogne. »

Jeffrey recula, s'interdisant de toucher à cet homme.

Subitement, Wright se saisit de ses deux seins à pleines mains.

« Tu aimes ça, papa ? » Il sourit devant l'expression de dégoût que Jeffrey dut laisser transparaître. « Je prends du Depo, mais ça tu le savais déjà, n'est-ce pas, chéri ? Tu sais aussi ce que ça me provoque, n'est-ce pas ? Il baissa la voix. Ça me change en fille. Le Depo, ça donne aux garçons le meilleur des deux mondes.

— Ça suffit, fit Jeffrey, en regardant autour de lui. Les voisins de Wright étaient sortis pour assister à son numéro.

— J'ai des couilles qui ont rapetissé, deux billes, continua Wright, en plaquant la main à la ceinture de son jean. Tu veux les voir ? »

La voix de Jeffrey se réduisit à un grommellement.

« Non, sauf si tu veux terminer sur une vraie castration, sans l'adjectif “chimique”. »

La réplique fit glousser Wright.

« Tu es un homme et grand et fort, toi, tu sais ? reprit-il. C'est toi qui es censé t'occuper de ma Sara ? »

Jeffrey ne trouva rien d'autre à faire que d'avaler sa salive.

« Elles veulent toutes savoir pourquoi je les ai choisies. “Pourquoi moi ? Pourquoi moi ?”, glapit-il, d'une voix qui partait encore plus dans l'aigu. Elle, Sara, je voulais savoir si c'était une vraie rousse. »

Tolliver demeura là, incapable d'esquisser un geste.

« Toi, je suppose que tu le sais, hein ? A tes yeux, je le vois bien. Wright croisa les bras, le regard posé sur Jeffrey. Ah ça, elle avait de ces seins, super. J'adorais les lui lécher. Il se passa de nouveau la langue sur les lèvres. J'aurais voulu que tu voies cette terreur sur sa figure. Je voyais bien qu'elle avait pas l'habitude. Qu'elle avait encore jamais eu un homme, un vrai, pour elle toute seule, tu saisis de quoi je veux parler ? »

Jeffrey empoigna le type à la gorge, le plaqua contre la voiture. Le geste fut si rapide qu'il ne se rendit même pas compte de ce qu'il faisait, avant que Jack Wright ne lui plante ses ongles longs dans la peau du dos de la main.

Jeffrey essaya de lui faire lâcher prise. Wright postillonnait, toussait, cherchant à reprendre son souffle. Jeffrey décrivit un petit cercle, pour vérifier à quel endroit étaient restés les voisins. Aucun d'entre eux n'avait changé de place. Le spectacle paraissait tous les ravir.

« Tu crois que tu me fais peur ? susurra Wright, d'une voix rauque. Je m'en suis tapé des plus costauds que toi, deux d'un coup, en prison.

— Où étais-tu, lundi dernier ? lui demanda Tolliver.

— J'étais au boulot, frérot. Vérifie avec mon contrôleur judiciaire.

— C'est peut-être bien ce que je vais faire.

— Elle m'a réservé un petit contrôle surprise vers... » Wright fit semblant de réfléchir... « Je dirais vers deux heures, deux heures et demie. C'est l'heure qui t'intéresse ? »

Jeffrey ne répliqua pas. L'heure de la mort de Sibyl Adams avait été imprimée dans l'*Observer*.

« Je balayais, je passais la serpillière, et j'enlevais les ordures », poursuivit Wright.

Jeffrey désigna son tatouage.

« Je vois que tu es un homme très croyant. »

L'autre regarda son bras.

« C'est ça qui m'a trahi, avec Sara.

— T'aimes bien rester en contact avec tes anciennes copines, hein ? lança Jeffrey. Peut-être que tu épluches les journaux ? Peut-être que tu gardes le contact avec elles par Internet ? »

Pour la première fois, Wright eut l'air nerveux.

« T'es entré chez moi ?

— J'aime assez ta déco, sur tes murs, ajouta-t-il. Tous ces petits Jésus. Quand on se déplace dans la pièce, leurs yeux vous suivent. »

Le visage de Wright changea du tout au tout. Quand il cria, il lui révéla le versant de son personnage que seule une poignée de malheureuses avaient pu voir.

« C'est ma propriété à moi. Tu n'avais rien à faire là.

— Je suis entré, lui lâcha Jeffrey, retrouvant son calme à présent que l'autre avait perdu le sien. J'ai tout fouillé.

— Espèce d'enflure, beugla l'ex-détenu en tentant de lui balancer un coup de poing. Jeffrey esquiva le coup et lui tordit le bras en le ramenant à lui. Wright piqua une tête en avant et tomba face contre terre. Jeffrey s'assit sur lui, le genou calé dans le dos de l'homme.

— Qu'est-ce que tu sais ? insista Jeffrey.

— Laissez-moi, supplia l'autre. Je vous en prie, laissez-moi. »

Tolliver sortit ses menottes et les referma sur les poignets de l'autre qu'il immobilisa de force. Le déclic des serrures mit l'ex-détenu en hyperventilation.

« J'ai juste lu des articles sur cette histoire, prétendit-il. Je vous en prie, je vous en prie, lâchez-moi. »

Jeffrey se pencha en avant et chuchota à l'oreille de l'homme.

« Tu vas retourner en prison.

— Ne me renvoyez pas là-bas, supplia Wright. S'il vous plaît. »

Jeffrey tendit la main et tira sur le bracelet de cheville du libéré sous condition. Sachant de quelle manière fonctionnait la municipalité d'Atlanta, ce serait plus rapide que d'appeler le 911. Comme le bracelet ne cédait pas, il le fracassa à coups de talon.

« Vous avez pas le droit de faire ça, cria Wright. Vous avez pas le droit. Ils vous ont tous vu faire. »

Jeffrey leva les yeux, se rappelant les voisins. Il les regarda, qui tournaient tous le dos, sans un mot, chacun réintégrant sa maison.

« Oh, Seigneur, ne me renvoyez pas là-bas, supplia Wright. Je vous en prie, je ferai tout ce que vous voudrez.

— Ils vont pas apprécier non plus ce 9 millimètres que tu as sous ton matelas, Jack.

— Oh, Seigneur », sanglota l'homme en tremblant.

Jeffrey s'adossa contre la Nova, et sortit la carte de visite que Keith lui avait remise plus tôt dans la journée. Le nom inscrit sur la carte était celui de Mary Ann Moon. Il consulta sa montre. A huit heures moins dix, un vendredi soir, il doutait sérieusement qu'elle soit très contente de faire sa connaissance.

Vingt-trois

Le soleil vint taper en plein sur son visage, Lena ferma les yeux. L'eau était chaude et engageante, à chaque vague qui venait rouler sous elle, une brise légère lui caressait le corps. Elle ne se rappelait pas la dernière fois qu'elle était allée à l'océan, mais elle avait bien mérité ces vacances, c'était le moins qu'on puisse dire.

« Regarde », fit Sibyl, en pointant le doigt au-dessus de leurs têtes.

Lena suivit le doigt de sa sœur, qui lui désignait une mouette dans le ciel de l'océan. Au lieu de l'oiseau, elle s'aperçut qu'elle se concentrait sur les nuages. Ils ressemblaient à des balles de coton sur un fond bleu layette.

« C'est ça que tu voulais récupérer ? » lui demanda Sibyl, en tendant à sa sœur un kickboard rouge.

Lena rit.

« Hank m'avait raconté que tu l'avais perdu. »

Sibyl sourit.

« Je l'avais caché, à un endroit où il n'aurait pas pu le trouver. »

Avec une soudaine clarté, Lena s'aperçut que c'était Hank, et non Sibyl, qui avait perdu la vue. Elle n'arrivait pas à comprendre comment elle avait pu les confondre, tous les deux, mais il y avait Hank, sur la plage, les yeux masqués par des lunettes noires. Il se redressa, se soutint de ses mains, offrant sa poitrine aux rayons du soleil. Lena ne l'avait jamais vu aussi hâlé. En réalité, toutes les fois où ils s'étaient rendus ensemble au bord de la mer, Hank était resté à l'hôtel au lieu d'accompagner les filles à la plage. Ce qu'il fabriquait enfermé toute la journée, elle l'ignorait. Quelquefois, Sibyl le rejoignait pour s'abriter un peu du soleil, mais Lena, elle, adorait rester dans le sable. Elle adorait jouer avec l'eau ou suivre des parties improvisées de volley-ball, où elle se ménageait une place grâce à son charme naturel.

C'est ainsi que Lena avait rencontré Greg Mitchell, le dernier de ses petits amis en date qui ait un peu compté. Greg jouait au volley-ball avec un groupe de copains. Il avait environ vingt-huit ans, mais ses amis étaient beaucoup plus jeunes et plus intéressés par les filles que par le match. Elle s'était approchée, sachant que ces jeunes hommes la toisaient du regard, l'estampillaient comme un morceau de viande, et leur avait demandé si elle pouvait se joindre à la partie. Greg lui avait lancé la balle, un tir tendu à hauteur de poitrine, et Lena l'avait rattrapé de la même manière.

Au bout d'un moment, les plus jeunes abandonnèrent la partie pour aller se mettre en quête d'alcool, de femmes ou des deux. Lena et Greg eurent l'impression de jouer des heures durant. S'il s'était attendu à voir Lena renoncer par égard pour sa masculinité, il se trompait lourdement. Elle l'avait tellement écrasé qu'à la fin du troisième match, il avait déclaré forfait et, à titre de récompense, l'avait invitée à dîner.

Il l'avait emmenée dans un bar mexicain pas cher qui aurait fait chavirer le cœur de son grand-père s'il n'était pas déjà mort. Ils avaient bu des margaritas sucrés, puis ils avaient dansé, et pour finir Lena avait gratifié Greg d'un sourire narquois en guise de baiser de bonne nuit. Le lendemain, il était de retour devant son hôtel, cette fois avec une planche de surf. Elle avait toujours voulu apprendre à surfer, et elle ne s'était pas fait répéter deux fois sa proposition de leçons, elle l'avait pris au mot.

A présent, elle pouvait sentir le contact de la planche sous ses pieds, les vagues soulevant son corps en l'air avant de le laisser retomber. La main de Greg s'était posée dans le creux de ses reins, avant de descendre plus bas, encore plus bas, jusqu'à envelopper son derrière dans le creux de sa paume. Elle se retourna lentement, elle lui permit de voir et de toucher son corps nu. Le soleil tapait, et sa peau était chaude et vivante.

Il se versa de l'huile solaire dans les mains, puis il se mit à lui masser les pieds. Ses mains enserrèrent ses chevilles, lui écartèrent grand les jambes. Elles flottaient encore sur l'océan, mais l'eau était en quelque sorte solide, elle soutenait son corps, elle l'offrait à Greg. Les mains du garçon remontèrent le long de ses cuisses, les caressèrent, les touchèrent, dépassèrent ses parties intimes pour englober ses seins. Il joua de sa langue, embrassa puis mordilla ses tétons, ses seins, et avança jusqu'à sa bouche. Les baisers de Greg étaient vigoureux et bruts, et Lena le découvrait sous un jour qu'elle n'avait jamais soupçonné. Elle se sentit réagir à ses attouchements comme jamais elle n'aurait pu l'imaginer.

Le poids de son corps sur le sien était d'une sensualité affolante. Ses mains étaient calleuses, son contact rugueux, et il faisait d'elle ce qu'il voulait. Pour la première fois de sa vie, Lena perdait toute maîtrise d'elle-même. Pour la première fois de sa vie, Lena était complètement sans défense, sous le corps de cet homme. Elle ressentait un vide qui ne pouvait être rempli que par lui. Tout, elle ferait tout ce qu'il voudrait. Tous les souhaits qu'il formulerait, elle les exaucerait.

La bouche de l'homme descendit sur son corps, sa langue l'explora au creux de ses cuisses, râpeuse sur sa peau. Elle essaya de tendre les mains vers lui, de l'attirer plus près d'elle, mais s'aperçut qu'elle était immobilisée. Soudain, il fut sur elle, il lui écartait les mains du corps, il les disposait sur les côtés comme pour l'écarteler, la crucifier au moment d'entrer en elle. Une vague de plaisir monta, qui parut durer des heures, et subitement, il y eut la délivrance, insoutenable. Son corps tout entier s'ouvrit à lui, le dos arqué, elle était désireuse de souder sa peau à la sienne.

Et puis ce fut fini. Lena sentit son corps se relâcher, et son esprit retrouver toute son acuité. Elle laissa sa tête se balancer d'un côté, de l'autre, se délectant dans le reflux du plaisir. Elle se lécha les lèvres, entrouvrit à peine les yeux sur la pièce plongée dans l'obscurité. Un bruit lointain de déclic lui parvenait aux oreilles. Un autre bruit, plus proche, l'entourait de toute part, un tic-tac irrégulier, comme celui d'une pendule, mais ce n'était que l'eau. Elle se rendit compte qu'elle était incapable de se souvenir du mot qui décrit l'eau quand elle tombe des nuages, à verse.

Lena tenta de remuer, mais ses mains semblaient s'y refuser. Elle jeta un coup d'œil devant elle, vit le bout de ses doigts, même si aucune source de lumière ne venait en révéler le contour. Elle sentait quelque chose autour de ses poignets, quelque chose de serré et d'implacable. Son cerveau établit la connexion nécessaire pour qu'elle bouge les doigts, et elle sentit contre le dos de sa main la surface inégale du bois. De même, une entrave lui enserrait les chevilles, maintenait ses pieds au sol. Elle était dans l'impossibilité de bouger les pieds et les mains, littéralement écartelée au sol. Quand elle comprit, son corps lui sembla revenir à la vie : elle était prise au piège.

Lena était de retour dans la pièce obscure, de retour là où on l'avait amenée, plusieurs heures auparavant. A moins que ce ne soit plusieurs jours, ou plusieurs semaines ? Le cliquettement était toujours là, la lente pulsation de la torture de la goutte d'eau qui lui martelait l'intérieur du crâne. La pièce n'avait ni fenêtres, ni lumière. Il n'y avait que Lena, et cette chose qui la retenait au sol.

Subitement, la lumière surgit, une lumière aveuglante qui lui brûla les yeux. Elle tenta une fois encore de se dégager de ses entraves, mais c'était en vain. Quelqu'un était là, quelqu'un qui, elle le savait, aurait dû lui venir en aide, mais qui n'en ferait rien. Elle se tordit pour lutter contre ces liens, tortilla son corps, essaya de se libérer, mais sans succès. Sa bouche s'ouvrit, mais pas un mot n'en sortit. Elle s'obligea à formuler ces mots mentalement — Je vous en prie, aidez-moi —, mais n'eut pas la satisfaction d'entendre le son de sa voix.

Elle tourna la tête de côté, cligna des yeux, tâcha d'y voir par-delà cette lumière, et juste à cet instant une pression infime vint s'exercer sur la paume de sa main. C'était une sensation sourde, mais à la lumière Lena vit qu'un long clou était enfoncé dans la chair de sa main. Toujours dans la lumière, elle vit un marteau levé.

Elle ferma les yeux, sans ressentir aucune douleur.

Elle était de retour sur la plage, mais pas dans l'eau. Cette fois, elle volait.

Vingt-quatre

Mary Ann Moon était une femme peu avenante. Sa bouche affichait un rictus destiné à prévenir Jeffrey — « Ne déconnez pas avec moi » — avant même qu'il ait eu l'opportunité de se présenter. Elle avait brièvement jeté un œil sur le bracelet de surveillance de Wright, cassé en deux, et adressa ses réflexions à Tolliver.

« Savez-vous ce que coûtent ces appareils ? »

Et tout à l'avenant.

Le plus gros problème qu'il rencontrait avec Moon, ainsi qu'elle aimait qu'on l'appelle, c'était la barrière du langage. Elle était originaire d'une région du Nord-Est, le genre de coin où les consonnes mènent une vie qui leur est propre. De surcroît, elle parlait fort, avec brusquerie, deux manières de procéder qu'une oreille du Sud devait forcément considérer comme grossières.

Durant le trajet en ascenseur depuis la centrale d'enregistrement jusqu'aux salles d'interrogatoire, elle resta tout près de lui, la bouche pincée réduite à un trait rectiligne signifiant la désapprobation, les bras croisés bas sur le ventre. Moon avait à peu près quarante ans, mais c'était une quarantaine difficile, celle que peut réserver l'excès de tabac et de boisson. Ses cheveux d'un blond soutenu étaient parsemés de discrètes mèches grises. Ses lèvres étaient creusées de rides, des sillons qui se prolongeaient autour de la bouche, sur la peau du visage.

Son ton nasillard et le fait qu'elle parle à cent à l'heure donnaient à Jeffrey l'impression de discuter avec un cor de chasse. Toutes les réponses qu'il lui fournissait étaient lentes à venir, car il lui fallait attendre que son cerveau ait fini de traduire les propos de son interlocutrice. Il avait bien constaté, précédemment, qu'elle considérait cette lenteur comme une preuve de stupidité, mais il n'y pouvait vraiment rien.

Elle lui avait lâché une remarque en vitesse pardessus l'épaule, alors qu'ils traversaient le quartier. Ayant refait défiler la phrase au ralenti, il avait finalement compris ce qu'elle venait de lui dire : « Parlez-moi de votre affaire, chef. »

Il lui avait soumis un bref récapitulatif des événements depuis la découverte de Sibyl Adams, en omettant de mentionner sa relation avec Sara. Il voyait bien que son récit ne défilait pas assez vite, car Moon n'arrêtait pas de l'interrompre avec des questions auxquelles il aurait été sur le point de répondre si elle lui avait accordé une seconde supplémentaire, le temps de finir sa phrase.

« J'en déduis que vous êtes entré dans la maison de mon gars ? observa-t-elle. Vous avez vu tout ce merdier, là, sur le thème de Jésus ? Elle leva les yeux au ciel. Ce 9 millimètres, il n'est pas entré dans votre jambe de pantalon, n'est-ce pas, shérif Taylor ? »

Jeffrey lui lâcha un regard qu'il espéra suffisamment menaçant. Elle lui répondit par une explosion de rire à lui transpercer le tympan.

« Ce nom ne m'est pas inconnu.

— Quel nom ?

— Linton. Et Tolliver non plus, d'ailleurs. Elle posa ses mains menues sur ses hanches fluettes. Question notification, je suis très bonne, chef. J'ai dû rappeler Sara un certain nombre de fois pour l'informer de l'endroit où se trouvait Jack Allen Wright. C'est mon boulot de notifier ça aux victimes, au rythme d'une fois par an. Son affaire à elle, ça remonte à dix ans.

— Douze.

— Donc, je lui ai parlé au moins six fois. »

Comprenant qu'il venait de se faire coincer, il se confessa.

« Sara est mon ex-femme. Elle a été l'une des premières victimes de Wright.

— Et sachant l'existence de ce lien entre vous, on vous laisse travailler sur cette affaire ?

— Je suis en charge de cette affaire, madame Moon », lui répliqua-t-il.

Elle lui adressa un regard ferme, qui devait exercer son petit effet sur ses prisonniers libérés sous condition, mais qui n'en eut pas d'autre sur Jeffrey que de l'irriter. Il mesurait environ soixante centimètres de plus que Mary Ann Moon et n'était pas disposé à se laisser intimider par cette petite boule de haine yankee.

« Wright est un accro du Depo. Vous saisissez ce que j'entends par là ?

— Manifestement, il adore ça.

— Cela remonte au temps de sa jeunesse, tout juste après Sara. Aviez-vous vu des photos de lui ? »

Jeffrey secoua la tête.

« Suivez-moi. »

Il obtempéra, tâchant de ne pas lui marcher sur les talons. Elle était rapide en tout, sauf à la marche et, chacun des pas de Tolliver mesurait le double des siens. Elle s'arrêta devant un petit bureau encombré jusqu'à la gueule de boîtes de rangement. Elle se jucha sur une pile de manuels, et tira une chemise de son bureau.

« Quel foutoir, cet endroit, reconnut-elle, comme si le fait n'avait rien à voir avec elle. Tenez. »

Il ouvrit la chemise en question, et vit, agrafée sur la première page, une photo de Jack Allen Wright plus jeune, plus mince, moins efféminé. Il avait davantage de cheveux sur la tête et le visage maigre. Le corps était taillé comme celui qu'obtiennent les types qui consacrent trois heures par jour à soulever des haltères, et les yeux étaient d'un bleu perçant. Jeffrey se souvenait des yeux chassieux du Wright de tout à l'heure. Il se rappelait aussi que son identification par Sara reposait en partie sur ces yeux bleu clair. Depuis qu'il l'avait agressée, l'apparence de Wright s'était altérée, à tous égards. Cette fois, c'était l'homme que Jeffrey s'était attendu à découvrir quand il était allé fouiller sa maison. C'était cet homme-là qui avait violé Sara, qui lui avait volé toute possibilité d'avoir un enfant avec Tolliver.

Moon tourna les pages du dossier.

« C'est une photo prise à sa libération », précisa-t-elle, en sortant un autre cliché de sa pochette.

Jeffrey hocha la tête, ayant cette fois sous les yeux l'autre individu, celui qu'il connaissait sous le nom de Wright.

« Il a purgé une peine très dure, vous êtes au courant ? »

Jeffrey acquiesça de nouveau, d'un signe de tête.

« Beaucoup d'hommes tentent de lutter. Certains renoncent, tout bonnement.

— Vous allez me briser le cœur, maugréa Tolliver. En prison, il recevait beaucoup de visites ?

— Uniquement sa mère. »

Il referma le dossier et le lui rendit.

« Et quand il est sorti de taule ? Evidemment, il a arrêté de prendre du Depo ? Et il a encore commis d'autres viols.

— Il soutient que non, mais s'il avait vraiment pris la dose qu'il était censé prendre, jamais il n'aurait pu lever la queue, pas moyen.

— Qui exerçait le contrôle médical, à l'époque ?

— Il était sous son propre contrôle. » Avant qu'il ait pu ajouter quoi que ce soit, elle l'interrompit. « Ecoutez, je sais que ce système n'est pas parfait, mais de temps en temps il faut bien se fier à ces types. Et quelquefois, on a tort de s'y fier. Avec Wright, on a eu tort. Elle balança le dossier sur le bureau. Désormais, il se rend en clinique une fois par semaine, et on lui administre sa piqûre de Depo. Tout se passe proprement. Le bracelet que vous avez eu la bonté de détruire le maintenait sous étroite surveillance. Il était branché en permanence.

— Il n'a pas quitté la ville ?

— Non, affirma-t-elle. J'ai opéré un contrôle surprise tout récemment, lundi dernier, sur son lieu de travail. Il était au Bank Building.

— Sympa de votre part de l'avoir placé à proximité de toutes ces étudiantes.

— Là, vous dépassez les bornes », le prévint-elle.

Il leva les mains, paumes déployées.

« Notez-moi toutes les questions que vous voulez voir posées, lui proposa-t-elle. Je parlerai à Wright.

— J'ai besoin de travailler sur ses réponses.

— En théorie, je ne devrais même pas vous laisser entrer ici. Vous devriez vous estimer heureux que je ne vous renvoie pas en vous bottant le train jusqu'à Mayberry. »

Il se mordit la langue pour se retenir de lui rétorquer sur le même ton. Elle avait raison. Il pourrait appeler des amis à lui au sein du commissariat central d'Atlanta, dès demain matin, histoire d'obtenir qu'on le traite avec davantage d'égards, mais pour le moment, c'était Mary Ann Moon qui était en charge de ce dossier.

« Vous m'accordez une minute ? demanda-t-il. Il désigna le bureau. Il faut que je vérifie quelque chose auprès de mes gens.

— Je n'ai pas droit aux appels longue distance. »

Il brandit son portable.

« C'était plutôt la confidentialité que je recherchais. »

Elle hocha la tête, et tourna les talons.

« Merci », souffla Jeffrey, mais elle se garda bien de lui répondre dans le même esprit. Il attendit qu'elle ait atteint le bout du couloir, puis il ferma la porte. Après avoir enjambé un ensemble de boîtes, il s'assit au bureau de Moon. Le fauteuil était bas et il eut l'impression que ses genoux allaient lui toucher le menton. Avant de composer le numéro de Sara, Jeffrey consulta sa montre. Elle était du genre couche-tôt, mais il avait besoin de lui parler. Quand il entendit la ligne sonner, il se sentit tout entier parcouru d'une vague d'excitation.

A la quatrième sonnerie, elle décrocha, la voix ensommeillée.

« Allô ? »

Il s'aperçut qu'il avait retenu son souffle.

« Sara ? »

Elle demeura silencieuse et, l'espace d'un instant, il crut qu'elle avait raccroché. Il l'entendit bouger, il perçut le bruissement des draps : elle était au lit. Il entendait la pluie tomber au-dehors, et un tonnerre lointain roula sourdement dans l'écouteur. Il eut la vision éclair d'une nuit qu'ils avaient partagée, il y avait de cela très longtemps. Sara, qui n'avait jamais aimé les orages, avait réveillé Jeffrey car elle désirait qu'il lui retire le tonnerre et les éclairs de l'esprit.

« Qu'est-ce que tu veux ? », murmura-t-elle.

Il chercha quelque chose à dire, comprenant qu'il avait attendu trop longtemps avant de la contacter. Il entendit bien, au ton de sa voix, que quelque chose s'était transformé dans leur relation. Il n'était pas tout à fait certain de savoir ni pourquoi ni comment.

« J'ai déjà essayé de t'appeler, avant, se défendit-il avec l'impression de mentir, alors que ce n'était pas le cas. A la clinique, ajouta-t-il.

— Vraiment ?

— J'ai eu Nelly.

— Et tu lui as précisé que c'était important ? »

Il sentit son estomac peser le poids du plomb. Il ne répondit pas.

Sara laissa échapper ce qu'il prit pour un rire.

« Je ne voulais pas te parler avant d'avoir découvert quelque chose, argumenta-t-il.

— Quelque chose sur quoi ?

— Je suis à Atlanta. »

Elle observa un temps de silence.

« Laisse-moi deviner, ironisa-t-elle. Au 633, Ashton Street.

— Plus haut, répondit-il. A présent, je suis au commissariat central d'Atlanta. On le garde à vue dans une salle d'interrogatoire.

— Jack ? », s'étonna-t-elle.

Quelque chose dans la familiarité avec laquelle elle prononça son prénom le fit grincer des dents.

« Dès que son écran de surveillance s'est coupé, Moon m'a appelée, exposa Sara d'une voix monocorde. J'avais l'intuition que c'était là-bas que tu te trouvais.

— Je voulais m'entretenir avec lui sur les événements, avant l'arrivée de la cavalerie. »

Elle lâcha un lourd soupir.

« Une bonne chose pour toi. »

De nouveau, ce fut le silence sur la ligne, et de nouveau il fut pris de court, ne trouvant pas ses mots. Sara rompit ce silence.

« C'est pour cela que tu m'appelles ? Pour m'annoncer que tu l'avais arrêté ?

— Pour vérifier que tu allais bien. »

Elle ponctua d'un petit rire.

« Oh, ouais. J'ai la pêche, Jeff. Merci de ton appel.

— Sara ? s'écria-t-il, redoutant qu'elle ne raccroche. J'avais déjà essayé de t'appeler.

— Manifestement sans te tuer à la tâche », répliqua-t-elle.

Il sentait sa colère, à l'autre bout du fil.

« En t'appelant, je voulais avoir quelque chose à t'annoncer. Du concret. »

Elle l'arrêta, sa repartie fut grave et succincte.

« Tu ne savais pas quoi me raconter, alors au lieu de marcher deux pâtés de maisons jusqu'à la clinique ou de faire en sorte de me joindre à coup sûr, tu as filé à Atlanta pour te mesurer avec Jack, face à face. Elle hésita une seconde. Dis-moi quel effet ça t'a fait de le voir. »

Il fut incapable de répondre.

« Qu'est-ce que tu as fait, tu l'as cogné ? Le ton devenait accusateur. Il y a douze ans, cela aurait pu m'être bien utile. Pour l'heure, j'avais juste envie que tu sois là, pour moi. Pour me soutenir.

— J'essaie de te soutenir, Sara, plaida Jeffrey, se sentant pris à revers. Que crois-tu que je fasse ici ? J'essaie de savoir si ce type rôde encore et cherche à violer des femmes.

— Moon affirme que, ces deux dernières années, il n'a pas quitté la ville.

— Il se peut que Wright soit impliqué dans ce qui se passe à Grant. As-tu songé à cela ?

— En fait, non, répondit-elle avec désinvolture. Je ne pensais qu'à une chose, te montrer ce compte rendu de procès. Ce matin, j'ai mis mon âme à nu, pour toi, et ta réponse a consisté à quitter la ville.

— Je voulais...

— Tu voulais me fuir. Tu ne savais pas comment te confronter à ça, alors tu es parti. Je veux bien admettre que ce n'est pas aussi tordu que de me laisser rentrer à la maison pour te découvrir au lit avec une autre, mais ça délivre le même genre de message, tu ne crois pas ? »

Il secoua la tête, ne comprenant pas comment ils en étaient arrivés là.

« Comment ça la même chose ? En quoi est-ce la

même chose ? En ce moment, j'essaie de te venir en aide. »

A cet instant, sa voix changea, et elle paraissait moins en colère que profondément blessée. Elle ne lui avait parlé de la sorte qu'une seule fois auparavant, juste après l'avoir surpris en train de la tromper. Il s'était senti alors comme il se sentait à cette minute, comme un pauvre salopard, comme un égoïste.

« Comment peux-tu me venir en aide, à Atlanta ? En quoi cela m'aide-t-il, que tu sois à quatre heures d'ici ? Sais-tu dans quel état je me suis sentie, toute la journée, à sursauter chaque fois que le téléphone sonnait, en espérant que ce soit toi ? Elle répondit à sa place. Je me suis sentie comme une idiote. T'imagines-tu ce que ça a pu être dur de te montrer ce document ? De t'autoriser à savoir ce qui m'était arrivé ?

— Je n'ai pas...

— Jeffrey, j'ai bientôt quarante ans. J'ai choisi d'être une bonne fille pour mes parents et un soutien pour ma sœur, Tessa. J'ai choisi de me pousser à fond, pour sortir diplômée en tête de ma classe dans l'une des universités les plus prestigieuses d'Amérique. J'ai choisi d'être pédiatre afin de venir en aide aux enfants des autres. J'ai choisi de revenir m'installer à Grant afin d'être proche de ma famille. J'ai choisi d'être ta femme pendant six ans, parce que je t'ai aimé, Jeffrey. Je t'ai tellement aimé. Elle s'interrompit, et il comprit qu'elle pleurait. Je n'ai pas choisi d'être violée. »

Il tenta de parler, mais elle l'en empêcha.

« Ce qui m'est arrivé a duré un quart d'heure. Une quinzaine de minutes, et tout a été anéanti. Quand on met ces quinze minutes-là dans la balance, plus rien ne compte.

— Ce n'est pas vrai.

— Ah non ? réagit-elle. Alors pourquoi ne m'as-tu pas appelée, ce matin ?

— J'ai essayé...

— Tu ne m'as pas appelée, parce que maintenant tu me perçois comme une victime. Tu me considères de la même façon que tu considères Julia Matthews ou Sibyl Adams.

— Mais non, Sara, objecta-t-il, choqué qu'elle l'accuse d'une pareille attitude. Je ne vois pas...

— Je suis restée assise là-bas, dans ces toilettes d'hôpital, pendant deux heures, avant qu'on ne vienne couper mes liens. J'ai presque saigné à mort, rappela-t-elle. Quand il en a eu fini avec moi, il ne restait plus rien. Rien du tout. J'ai dû rebâtir ma vie. A cause de ce salopard, j'ai dû accepter de ne jamais avoir d'enfants. Oh, j'étais loin de songer à refaire l'amour. J'étais loin de m'imaginer qu'un homme aurait envie de me toucher, après ce qu'il m'avait fait. » Elle se tut, et il avait une telle envie de lui dire quelque chose, mais les mots ne lui venaient pas.

Quand elle reprit la parole, sa voix était sourde.

« Tu me répétais que je ne m'ouvrais jamais à toi. Eh bien, c'était pour ça. Je te livre mon secret le plus noir, le plus profond, et toi, qu'est-ce que tu fais ? Tu files à Atlanta pour te confronter à l'homme qui m'a infligé ça, au lieu de me parler. Au lieu de me réconforter.

— Je croyais que tu préférerais que j'agisse.

— Je voulais que tu agisses, acquiesça-t-elle, d'une voix remplie de tristesse. Je voulais, oui. »

Il y eut un déclic sur la ligne, quand elle raccrocha. Il recomposa le numéro, mais la ligne était occupée. Il enfonça de nouveau la touche d'appel, il réessaya encore à cinq reprises, mais Sara avait décroché le combiné.

*
* *

Jeffrey était debout derrière la vitre sans tain, dans la salle d'observation, se répétant mentalement sa conversation avec Sara. Une tristesse accablante l'avait envahi tout entier. Il comprenait qu'elle avait raison, au sujet de cet appel. Il aurait dû insister auprès de Nelly pour qu'elle le mette en relation. Il aurait dû se rendre à la clinique et lui avouer qu'il l'aimait encore, qu'elle demeurait toujours la femme la plus importante de sa vie. Il aurait dû se mettre à genoux et la supplier de revenir vers lui. Il n'aurait pas dû la quitter. Une fois de plus.

Il songea à la manière dont Lena avait employé le terme victime, quelques jours plus tôt, en décrivant les cibles des criminels sexuels. Elle avait donné un certain tour à ce mot, en le prononçant de la même façon qu'elle aurait dit « faible » ou « stupide ». Jeffrey n'avait pas apprécié cette catégorisation de la part de Lena, et il n'avait certes pas aimé non plus l'entendre dans la bouche de Sara. Il la connaissait probablement mieux que n'importe lequel des hommes qu'elle avait eus dans sa vie, et il savait qu'elle n'était la victime de rien, sinon de son propre jugement sur elle-même, en vertu duquel elle se damnait et se condamnait. A cet égard, il ne la tenait pas pour une victime. Bien plutôt, il la voyait comme une survivante. Jeffrey était blessé au tréfonds de lui-même que Sara ait eu une si piètre opinion de lui.

Moon coupa court à ses réflexions.

« Prêt ?

— Ouais », fit Jeffrey, en refoulant Sara de son esprit. Peu importait ce qu'elle venait de lui dire, Wright restait encore une piste viable, liée aux événements qui se déroulaient à Grant County. Jeffrey était déjà à Atlanta. Tant qu'il n'aurait pas obtenu tout ce dont il avait besoin de la part de cet homme, il n'avait aucune raison de rentrer. Il serra les mâchoires, s'obligeant à se concentrer sur la tâche qui l'attendait, tout en observant fixement par la vitre.

Moon entra dans la pièce en claquant la porte derrière elle, tira une chaise de la table avec un raclement, et les pieds crissèrent sur le sol carrelé. Malgré tout l'argent du commissariat central d'Atlanta et ses fonds spéciaux, les salles d'interrogatoire de la ville étaient loin d'être aussi propres que celles de Grant County. La pièce où était assis Jack Allen Wright était sale et défraîchie. Les murs en ciment n'étaient pas peints et ils étaient gris. Il émanait de cet endroit un côté lugubre qui encouragerait n'importe qui à avouer rien que pour en sortir.

Jeffrey prit en compte tout cela, s'en imprégna, tout en regardant Mary Ann Moon travailler Wright. Elle était loin d'être aussi forte que Lena Adams, mais on ne pouvait lui dénier le bénéfice d'une certaine relation qu'elle entretenait avec ce violeur. Elle s'adressait à lui comme une grande sœur.

« Ce vieux bouseux, il a pas perdu son temps, avec toi, hein ? », commença-t-elle.

Tolliver savait qu'elle s'efforçait d'établir une relation de confiance avec ce type, mais il n'appréciait guère cette présentation de sa personne, surtout que Mary Ann Moon, supposa-t-il, avait dû choisir cette épithète tout à fait à dessein.

« Il m'a cassé mon bracelet, se plaignit l'ex-détenu. C'est pas moi, c'est lui.

— Jack. » Moon soupira, et s'assit à la table, en face de lui. « Ça, je sais, vu ? Il faut qu'on découvre comment ce pistolet est arrivé sous ton matelas. C'est une infraction manifeste et tu es bon pour un troisième tour. Pigé ? »

Wright lança un coup d'œil vers le miroir, sachant fort bien que Tolliver se tenait derrière.

« Je sais pas comment il est arrivé là.

— J'imagine que c'est aussi lui qui a déposé tes empreintes dessus ? », ironisa Moon en croisant les bras.

Il parut réfléchir à la question. Jeffrey savait que cette arme appartenait à Wright, mais il savait aussi qu'il était absolument et matériellement exclu que Moon ait eu le temps de la transmettre à la police scientifique si rapidement et d'en tirer des identifications d'empreintes.

« J'avais peur, avoua-t-il enfin. Mes voisins, ils savent, vous comprenez ? Ils savent qui je suis.

— Et qu'est-ce que tu es ?

— Ils savent au sujet de mes filles. »

Moon se leva de sa chaise. Elle tourna le dos à Wright, l'œil vers la vitre. Un grillage, semblable à celui de la maison de Wright, en recouvrait le cadre. Tolliver s'aperçut avec sidération que cet homme avait construit sa maison à l'image d'une prison.

« Parle-moi de tes filles, lui suggéra Moon. Je pense à Sara. »

A l'évocation du nom de Sara, Jeffrey sentit ses mains se contracter.

Wright se redressa sur son siège, se passa la langue sur les lèvres.

« Elle, elle avait la chatte bien étroite. Il eut un petit sourire satisfait. Je l'ai trouvée bonne. »

Moon répondit d'une voix ennuyée. Elle était dans le métier depuis suffisamment longtemps pour ne plus être choquée par grand-chose.

« Ah oui ? demanda-t-elle.

— Elle était tellement douce. »

Moon se détourna, s'adossant au grillage.

« Tu sais ce qui se passe, là où elle habite, je suppose. Tu sais ce qui est arrivé à ces filles.

— Je sais uniquement ce que j'en ai lu dans les journaux, prétendit Wright, en ébauchant un haussement d'épaules. Vous allez pas me foutre au trou pour ce pistolet, hein, patronne ? Il fallait bien que je me protège. J'avais peur pour ma vie.

— Parlons un peu de Grant County, suggéra Moon. Ensuite, on reparlera de ce pistolet. »

Il se tripota la figure, en la jaugeant du regard.

« Vous êtes réglo avec moi ?

— Bien sûr que je suis réglo, Jack. Quand est-ce que je n'ai pas été réglo avec toi ? »

Il parut peser le pour et le contre. De l'avis de Jeffrey, cela ne relevait pas du casse-tête : c'était soit se montrer coopératif, soit la prison. Toutefois, il imaginait que Wright souhaitait préserver un semblant de maîtrise sur son existence.

« Ce truc qu'on lui a fait à sa bagnole, reprit ce dernier.

— C'est-à-dire ? s'étonna Moon.

— Ce mot, sur sa bagnole, précisa Wright. C'est pas moi qui ai fait ça.

— Ah non ?

— Je lui avais dit, à mon avocat, mais lui, il m'avait certifié que ça n'avait pas d'importance.

— Eh bien maintenant, c'est important, Jack », souligna Moon, avec très exactement la dose d'insistance requise dans la voix.

« Moi, j'irais pas écrire ça sur la voiture de quelqu'un.

— Salope ? s'enquit-elle. C'est comme ça que tu l'as appelée dans les toilettes.

— C'est différent, argumenta-t-il. C'était dans le feu de l'action. »

Moon ne réagit pas à cette formule.

« Alors qui a inscrit ça ?

— Ça, j'en sais rien, affirma l'autre. Je suis resté toute la journée à l'hôpital, au travail. Je savais pas dans quel genre de bagnole elle roulait. Enfin, j'aurais pu deviner. Elle avait cette allure de pimbêche. Comme si elle se croyait au-dessus de tout le monde.

— On va pas commencer à entrer là-dedans, Jack.

— Je sais, admit-il en baissant les yeux. Je suis désolé.

— A ton avis, qui lui a écrit ça sur sa voiture ? répéta Moon. Quelqu'un de l'hôpital ?

— Quelqu'un qui la connaissait, qui savait quelle bagnole elle conduisait.

— Un médecin peut-être ?

— Je sais pas. De nouveau, un haussement d'épaules. Peut-être.

— Tu es réglo avec moi ? »

Il parut déconcerté par la question.

« Bon sang, ouais, je suis réglo.

— Alors, tu penses que quelqu'un de l'hôpital aurait pu écrire ça sur sa voiture. Pourquoi ?

— Peut-être qu'elle leur tapait sur le système ?

— Elle tapait sur le système de beaucoup de monde ?

— Non. Il secoua la tête avec véhémence. Sara était quelqu'un de bien. Elle adressait tout le temps la parole à tout le monde. » Il semblait ne pas se souvenir de sa remarque précédente au sujet des grands airs suffisants de Sara. Il poursuivit. « Elle me disait toujours "salut", dans le couloir. Vous savez, pas du genre "Comment ça va" ou quelque chose dans ce goût-là, mais "Salut, je sais bien que vous êtes là". Presque tous les autres, ils vous voient, mais ils vous voient pas. Vous comprenez ce que je veux dire ?

— Sara est une fille bien, acquiesça Moon, faisant en sorte que l'autre ne perde pas le fil. Qui lui aurait fait ça sur sa voiture ?

— Peut-être quelqu'un qui était en pétard après elle pour une raison ou une autre ? »

Jeffrey plaqua les mains sur la vitre, et il sentait la chair de poule lui remonter dans le cou. De son côté, Moon reprit la balle au bond.

« A cause de quoi ? fit-elle.

— J'en sais rien, répéta-t-il. Tout ce que je peux affirmer, moi, c'est que j'ai pas écrit ça sur sa bagnole.

— Tu en es sûr. »

Wright eut du mal à avaler sa salive.

« Vous m'avez promis de m'échanger l'histoire du pistolet contre ce que je vous révélerais, hein ? »

Moon le considéra d'un œil mauvais.

« Ne remets pas ma parole en doute, Jack. Je t'ai promis dès le début que c'était notre marché. Alors, qu'est-ce que tu as en magasin pour nous ? »

Il lança un coup d'œil vers la vitre sans tain.

« C'est tout ce que j'ai, que c'est pas moi qui lui ai fait ça sur sa bagnole.

— Alors, qui ? »

Une fois encore, il haussa les épaules.

« Je vous ai dit que j'en savais rien.

— Tu penses que c'est le même type qui lui a rayé sa voiture qui est l'auteur de ces actes à Grant County ? »

Toujours le même haussement d'épaules.

« Je suis pas inspecteur. Je vous raconte simplement ce que je sais. »

Moon croisa les bras.

« Ce week-end, on va te garder sous les verrous. Quand on se reparlera, lundi, tu verras si tu n'as pas une petite idée de qui pourrait être cet individu. »

Les larmes vinrent aux yeux de Wright.

« Je vous dis la vérité.

— Nous verrons lundi s'il s'agit toujours de la même vérité.

— Ne me renvoyez pas là-bas, je vous en prie.

— C'est juste une garde à vue, Jack, souligna Moon, sur un ton rassurant. Je vais m'assurer qu'on te réserve une cellule pour toi tout seul.

— Laissez-moi rentrer chez moi, et puis c'est tout.

— Ça, je ne crois pas, le contredit Moon. On va te

laisser mariner une journée. Te laisser un peu le temps de bien mettre de l'ordre dans tes priorités.

— Je les connais, mes priorités. »

Moon n'attendit pas qu'il poursuive. Elle laissa Wright dans la pièce, la tête enfouie dans les mains, en larmes.

Samedi

Vingt-cinq

Sara se réveilla en sursaut, sans trop savoir où elle était, le temps d'une seconde, d'une brève seconde de panique. Elle regarda autour d'elle dans sa chambre, se raccrochant du regard à des objets solides, réconfortants. La vieille commode qui avait appartenu à sa grand-mère, le miroir qu'elle avait trouvé dans une brocante à domicile, l'armoire qui était si large que son père l'avait aidée à sortir la porte de la chambre de ses gonds, afin de pouvoir la faire coulisser à l'intérieur.

Elle s'assit dans son lit, contempla le lac à travers la rangée de fenêtres. L'eau était encore agitée après le dernier orage, et des vaguelettes couraient à sa surface. Dehors, le ciel était d'un gris chaud, barrant la route aux rayons du soleil, plaquant le brouillard bas sur la terre. La maison était froide, et elle s'imaginait qu'il devait faire encore plus froid à l'extérieur. Elle sortit du lit en s'enroulant dans la couette, se rendit dans la salle de bains et fronça le nez quand ses pieds entrèrent en contact avec le sol glacial.

Dans la cuisine, elle alluma la cafetière électrique et resta debout devant l'appareil en attendant que le café soit suffisamment passé. Elle retourna dans sa chambre, enfila un short de jogging en tissu extensible puis un vieux pantalon de survêtement. Le combiné du téléphone était encore décroché depuis le coup de fil de Jeffrey la veille au soir, et Sara le remit en place. Presque immédiatement, il sonna.

Sara respira à fond, avant de répondre.

« Allô ?

— Salut, mon bébé, s'écria Eddie Linton. Où étais-tu ?

— J'ai renversé le téléphone, sans le faire exprès », mentit-elle.

Soit son père ne mordit pas à ce mensonge, soit il préféra laisser filer.

« Nous avons un petit déjeuner qui se prépare par ici. Tu veux venir ?

— Non, merci », répondit Sara, mais dans l'instant même son ventre protesta contre ce refus. « J'allais sortir courir.

— Tu viendras peut-être après ?

— Peut-être », fit-elle, en s'approchant du bureau dans l'entrée. Elle ouvrit le tiroir du haut et en sortit douze cartes postales. Douze années, depuis le viol, et une carte postale tous les ans. Une citation de la Bible figurait toujours à côté de l'adresse tapée à la machine.

« Mon bébé ? insista Eddie.

— Ouais, pap' », répondit Sara, captant à nouveau ce qu'il disait. Elle rangea les cartes dans le tiroir, le referma en le repoussant avec la hanche.

Ils eurent une petite conversation de rien à propos de l'orage, Eddie lui apprenant qu'une branche d'arbre avait manqué la maison des Linton de deux mètres, et Sara proposant de passer plus tard pour l'aider à dégager cette branche. Tout en parlant, elle se remémora en un éclair les instants qui avaient immédiatement suivi le viol. Elle était dans un lit d'hôpital, le respirateur artificiel sifflait en cadence à chaque inspiration, à chaque expiration, le moniteur cardiaque lui assurant qu'elle n'était pas morte, même si ce rappel n'avait pas grand-chose de réconfortant.

Elle s'était endormie, et à son réveil Eddie était là, qui observait les mains de sa fille entre les siennes. Elle n'avait encore jamais vu son père pleurer, mais là il pleurait, c'étaient des petits sanglots pathétiques qui s'échappaient de ses lèvres. Cathy était derrière lui, les bras autour de la taille de son mari, sa tête reposant contre son dos. Sara s'était sentie de trop, et elle s'était brièvement demandé ce qui les bouleversait tant, jusqu'à ce qu'elle se remémore ce qui lui était arrivé.

Au bout d'une semaine d'hôpital, Eddie l'avait ramenée à Grant en voiture. Durant tout le trajet, assise à l'avant de son vieux camion, calée entre sa mère et son père, tout comme avant la naissance de Tessa, elle avait gardé la tête sur l'épaule de ce dernier. Sa mère chantait faux un cantique que Sara n'avait jamais entendu auparavant. Il y était question de salut. Question de rédemption. D'amour.

« Mon bébé ?

— Ouais, papa, répondit-elle, essuyant une larme au coin de son œil. Je viendrai plus tard, d'accord ? Elle lui adressa un baiser au téléphone. Je t'aime. »

Il lui fit une réponse de la même eau, mais elle perçut bien toute la préoccupation qui perçait dans sa voix. Elle garda la main sur le combiné, car elle ne voulait pas lui causer de peine. Le plus difficile dans cette rémission, après ce que lui avait infligé Jack Allen Wright, avait été de savoir que son père était au courant des moindres détails de ce viol. Elle s'était tellement longtemps sentie mise à nue devant lui, que la nature de leur relation avait changé. La Sara avec laquelle il jouait à des petits jeux de séduction avait disparu. Disparues aussi les plaisanteries d'Eddie qui aurait apprécié que sa fille devienne au moins gynécologue, pour qu'il puisse se vanter d'avoir ses deux filles dans la plomberie. Il ne la considérait plus comme son invulnérable Sara. Il la percevait comme quelqu'un qui avait besoin de protection. En fait, il avait d'elle la même perception que Jeffrey aujourd'hui.

Elle tira d'un coup sec sur les lacets de ses tennis, les serra trop fort, mais cela lui était égal. Hier soir, dans la voix de Jeffrey, elle avait entendu de la pitié. Instantanément, elle avait compris que les choses avaient irrévocablement changé. A partir de maintenant, il ne la verrait plus que comme une victime. Elle avait bataillé trop ferme afin de surmonter cette sensation pour y céder à présent.

Enfilant un blouson léger, elle sortit de la maison. Elle descendit l'allée à petites foulées, jusqu'à la rue, en tournant à gauche, à l'opposé de la maison de ses parents. Elle n'aimait pas courir dans la rue. Elle avait vu trop de blessures aux genoux, des claquages provoqués par la constante répétition de l'impact sur l'asphalte. Quand elle s'entraînait, elle utilisait les tapis de jogging du YMCA de Grant ou bien elle nageait à la piscine du complexe. L'été, tôt le matin, elle allait plonger dans le lac pour s'éclaircir l'esprit et se concentrer sur la journée qui l'attendait. Aujourd'hui, elle avait envie de repousser plus loin ses limites, et au diable les conséquences pour ses articulations. Elle avait toujours été très physique, et se mettre en nage la recentrait.

A environ trois kilomètres de chez elle, elle prit une piste de traverse à l'écart de la grande route, pour courir le long du lac.

Par endroits, le terrain était accidenté, mais la vue spectaculaire. Le soleil était enfin en train de remporter sa bataille avec le sombre plafond nuageux, quand elle s'aperçut qu'elle était arrivée devant la maison de Jeb McGuire. Elle s'était arrêtée pour regarder le bateau noir et racé au mouillage de son ponton, avant même d'avoir fait le lien avec le lieu où elle se trouvait. La main en visière, elle observa l'arrière de la maison de Jeb.

Il habitait dans l'ancienne demeure des Tanner, que l'on venait de mettre récemment sur le marché. Les gens du lac hésitaient toujours à renoncer à leur terre, mais les enfants Tanner, qui avaient quitté Grant depuis des années, avaient été plus que ravis d'encaisser leur argent et de filer, après que leur père eut finalement succombé à un emphysème. Russell Tanner était un homme charmant, mais il avait ses manies, comme presque toutes les personnes âgées. Jeb était allé lui livrer ses remèdes personnellement, ce qui l'avait probablement aidé à obtenir la maison à bas prix après la mort du vieil homme.

Sara gravit la pelouse en pente raide qui conduisait à la bâtisse. Une semaine après son emménagement, Jeb avait tout refait à neuf, remplacé les vieilles fenêtres en mauvais état par des fenêtres à double battant, et fait retirer les bardeaux en amiante du toit et des panneaux latéraux. Aussi loin que remontent ses souvenirs, cette bâtisse était restée gris foncé, mais Jeb l'avait repeinte en rouge cerise. Cette couleur était trop vive pour elle, mais elle allait bien à McGuire.

« Sara ? », s'écria Jeb en sortant de chez lui. Il portait une ceinture à outils avec sur le côté un marteau de construction suspendu à une bride.

« Salut ! », fit-elle en s'avançant. Plus elle s'approchait de la maison, plus elle se rendait compte d'un bruit d'eau qui gouttait. « Qu'est-ce que c'est que ce bruit ? », demanda-t-elle.

Jeb pointa le doigt vers une gouttière qui pendait du rebord du toit.

« Justement, j'étais en train de m'en occuper, expliqua-t-il en venant vers elle. Il posa la main sur son marteau. J'ai été tellement pris par mon travail que je n'ai pas eu le temps de respirer. »

Elle hocha la tête, comprenant son dilemme.

« Je peux te donner un coup de main ?

— C'est bon, lui répliqua Jeb, en attrapant une échelle de deux mètres. Tout en parlant, il la porta jusqu'au pied de la gouttière qui pendait. Tu entends, ça bat. Ce foutu bazar laisse l'eau s'écouler trop lentement, ça frappe sur la base de l'écoulement comme un marteau-piqueur. »

Elle le suivit vers la maison, et le bruit se fit plus distinct. C'était un battement régulier, irritant, comme celui d'un robinet qui goutte dans un évier en inox.

« C'est dû à quoi ? s'enquit-elle.

— Au bois qui est vieux, je suppose, dit-il, en retournant l'échelle à l'endroit. C'est malheureux à dire, mais cette maison est un gouffre. Je me suis occupé de réparer le toit et les gouttières tombent en morceaux. J'isole la terrasse et la base des murs se met à fuir. »

Sara regarda sous la terrasse, remarquant l'eau stagnante.

« Ta cave est inondée ?

— Dieu merci, je n'en ai pas, sinon en bas, là-dedans, ce serait marée haute », plaisanta Jeb, en fouillant dans l'une des poches de sa ceinture en cuir. Il en sortit un clou à gouttière dans une main, et alla chercher le marteau de l'autre.

Sara regarda ce clou fixement, établissant un lien.

« Je peux voir ça ? »

Il lui adressa un drôle de regard, avant de lui répondre.

« Bien sûr. »

Elle prit le clou, le soupesant dans sa main. Avec ses vingt-cinq centimètres, il avait certainement la longueur requise pour fixer une gouttière, mais quelqu'un aurait-il pu se servir d'un clou semblable pour clouer Julia Matthews au sol ?

« Sara ? fit Jeb. Il tendait la main pour récupérer son clou. J'en ai d'autres dans l'appentis, expliqua-t-il, en indiquant la baraque en taule. Si tu veux en garder un pour toi.

— Non », répondit-elle, en lui rendant le clou. Il fallait qu'elle rentre chez elle et qu'elle appelle Frank Wallace à ce propos. Jeffrey était probablement toujours à Atlanta, mais quelqu'un jugerait sûrement utile de retrouver la piste de celui qui aurait pu récemment acheter ce type de clous. C'était une bonne piste.

« Tu t'es procuré ça à la quincaillerie ?

— Ouais, lui dit-il, avec un regard curieux. Pourquoi ? »

Sara sourit, tâchant de se décontracter. Il devait probablement trouver bizarre qu'elle s'intéresse tant à un clou de gouttière. Elle ne pouvait pas franchement lui révéler pourquoi. La liste des garçons susceptibles de sortir avec elle était suffisamment limitée comme ça sans qu'elle en supprime Jeb McGuire en lui laissant entendre que ses clous à gouttière fourniraient un bon moyen de clouer au sol une femme que l'on voudrait violer.

Elle le regarda refixer la gouttière qui fuyait à la façade de la maison et se surprit à penser à Jeffrey et à Jack Wright, réunis tous deux dans la même pièce. Moon lui avait certifié que Wright s'était laissé incarcérer, que cette menace sur le corps de Sara, cette menace taillée au ciseau de sculpteur, s'était muée en graisse molle, mais elle le revoyait tel qu'elle l'avait vu ce jour-là, douze ans plus tôt. Il avait la peau tendue sur les os, ses veines saillaient le long de ses bras. Quand il l'avait violée, son expression était un modèle de haine, ses dents grinçaient dans un sourire menaçant.

Sara laissa échapper un frisson involontaire. Ces douze dernières années, sa vie s'était passée à refouler Wright de son esprit, et le voir à présent de retour, sous quelque forme que ce soit, à travers Jeffrey ou à travers une stupide carte postale, suffisait à ce qu'elle se sente de nouveau violée. Rien qu'à cause de cela, elle en voulait à mort à Jeff, surtout parce qu'il était le seul à pouvoir souffrir des conséquences de cette haine qu'elle éprouvait à son égard.

« Attends une minute », fit Jeb, coupant court à ses pensées. Il plaça sa main en conque à son oreille, pour écouter. Le battement sourd était toujours là, avec l'eau qui gouttait de son écoulement. « Ça va me rendre dingue, pesta-t-il, couvrant de la voix l'eau qui ne cessait de tambouriner.

— Je vois ça », dit-elle, songeant que cinq minutes de ce bruit lui donnaient déjà la migraine.

Jeb descendit de son échelle, en fourrant le marteau dans sa ceinture.

« Quelque chose ne va pas ?

— Non, lui assura-t-elle. Je réfléchissais, c'est tout.

— A quoi ? »

Elle respira profondément avant de lui répondre.

« A propos de notre rendez-vous reporté. Elle leva les yeux vers le ciel. Pourquoi tu ne viens pas à la maison vers deux heures pour un déjeuner sur le tard ? Je vais aller chercher des plats à emporter chez le traiteur de Madison. »

Il sourit et, avec un soupçon de tension dans la voix, s'écria :

« Ouais. Ça me paraît super. »

Vingt-six

Jeffrey essayait de se concentrer sur la conduite mais il avait trop de choses en tête pour y parvenir vraiment. Il n'avait pas dormi de la nuit et l'épuisement prenait le dessus sur son organisme. Même après s'être arrêté sur le bas-côté de la route pour une sieste d'une demi-heure, il ne se sentait toujours pas la tête d'aplomb. Trop d'événements s'accumulaient. Trop de tiraillements simultanés dans toutes les directions.

Mary Ann Moon lui avait promis de transmettre une demande officielle de communication relative aux dossiers professionnels du Grady Hospital datant de l'époque où Sara travaillait là-bas. Jeffrey pria pour que cette femme tienne parole. Elle avait estimé que ces dossiers seraient disponibles pour consultation aux alentours de dimanche après-midi. Le seul espoir de Tolliver, c'était qu'un nom, parmi ces employés de l'hôpital, lui mettrait la puce à l'oreille. Sara n'avait jamais mentionné quiconque, étant originaire de Grant, qui aurait exercé là-bas en même temps qu'elle à l'époque, mais il fallait quand même qu'il lui pose la question. Il avait appelé trois fois chez elle, et n'avait obtenu que son répondeur. Il se garda bien de lui laisser un message pour qu'elle le rappelle. Le ton de sa voix, la veille au soir, avait suffi à le convaincre qu'elle ne lui adresserait probablement plus jamais la parole.

Il arrêta sa Town Car sur le parking du commissariat. Il avait besoin de passer chez lui prendre une douche, mais il fallait aussi qu'il se montre sur son lieu de travail. Son périple à Atlanta lui avait pris davantage de temps que prévu, et il avait manqué la réunion du début de matinée.

Au moment où il se garait, Frank Wallace sortait par la porte de devant. Frank lui fit un signe de la main avant de contourner la voiture et de monter à bord.

« La gosse a disparu, lui annonça-t-il.

— Lena ? »

Frank confirma d'un hochement de tête, alors que Jeffrey mettait la voiture en prise.

« Qu'est-ce qui s'est passé ? lui demanda-t-il.

— Son oncle Hank a appelé au poste, il la cherchait. Il a indiqué que la dernière fois qu'il l'avait vue, c'était dans sa cuisine, juste après que Matthews ne se crame la cervelle.

— Ça remonte à deux jours, répliqua Jeffrey. Mais enfin bon sang, comment c'est arrivé ?

— J'ai laissé un message sur son répondeur. Je me suis figuré qu'elle faisait profil bas. Tu lui avais pas donné un congé ?

— Si, confirma Jeffrey, se sentant envahi par la culpabilité. Hank est chez elle ? »

De nouveau, Frank hocha la tête, en bouclant sa ceinture de sécurité tandis que son supérieur poussait la voiture à plus de cent trente. Sur le trajet vers le domicile de Lena, la tension devenait de plus en plus palpable. Quand ils arrivèrent sur place, Hank Norton attendait, assis devant la véranda.

Il s'approcha de la voiture au petit trot.

« Elle n'a pas dormi dans son lit, leur apprit-il en guise de salut. J'étais chez Nan Thomas. Nous n'avions pas eu de nouvelles d'elle, ni Nan ni moi. Nous pensions qu'elle était avec vous.

— Elle n'était pas avec nous », dut lui avouer Jeffrey, n'ayant que cette évidence à lui offrir en guise de réponse.

Il entra chez Lena, passant la pièce principale au crible, en quête d'indices. La maison comportait deux niveaux, comme la plupart des constructions du voisinage. La cuisine, la salle à manger et le salon étaient situés à l'étage principal, avec en plus deux chambres et une salle de bains au premier.

Il monta l'escalier quatre à quatre, sa jambe protestant à chaque marche, et pénétra dans ce qu'il supposait être la chambre de Lena, en quête d'un sens à tout ceci, n'importe lequel. Une douleur cuisante s'était installée derrière ses yeux, et tout ce qu'il voyait était comme coloré de rouge. En fouillant ses tiroirs, en poussant ses vêtements dans sa penderie, il n'avait pas la moindre idée de ce qu'il devait s'attendre à y trouver. Et d'ailleurs, il ne trouva rien.

En bas, dans la cuisine, Hank Norton parlait avec Frank, et ses paroles de reproche et de refus crépitaient staccato.

« Elle était censée être au travail avec vous, disait-il. Vous êtes son équipier. »

Jeffrey eut brièvement une vision éclair de Lena à travers la voix de son oncle. Il était en colère, il accusait, témoignait de la même hostilité sous-jacente que celle qu'il avait toujours entendue dans le ton de Lena.

Il vint soulager Frank de ce feu roulant.

« C'est moi qui lui ai accordé ce repos, monsieur Norton. Nous supposions qu'elle serait restée chez elle.

— Une fille se fait sauter la cervelle sous les yeux de ma nièce et vous, vous supposez qu'elle va bien le prendre ? siffla-t-il. Seigneur, c'est à ça que se borne votre responsabilité, lui accorder une journée de congé ?

— Ce n'est pas ce que j'entendais par là, monsieur Norton.

— Bordel de Dieu, arrêtez de m'appeler monsieur Norton », hurla-t-il en levant les mains au ciel.

Jeffrey attendit que l'homme en dise davantage, mais subitement il se retourna et sortit de la cuisine en claquant la porte.

Frank parla lentement, visiblement bouleversé.

« J'aurais dû vérifier comment elle allait.

— Moi, j'aurais dû, rectifia Jeffrey. Elle relève de ma responsabilité.

— Elle relève de la responsabilité de nous tous », le contredit Frank. Il entreprit de fouiller la cuisine, ouvrant et refermant des tiroirs, passant les placards en revue. Wallace n'était manifestement pas à ce qu'il faisait. Il claquait les portes des placards, plus pour défouler sa colère que pour chercher quelque chose de très concret. Jeffrey suivit ce manège un petit moment puis s'approcha de la fenêtre. Il vit la Celica noire de Lena dans l'allée.

« Sa voiture est toujours là », remarqua Jeffrey.

Frank referma un tiroir à la volée.

« J'ai vu.

— Je sors jeter un œil dessus », l'informa Jeffrey. Il sortit par la porte de derrière, en passant devant Hank Norton, assis sur les marches qui menaient au jardin situé sur l'arrière de la maison. Il fumait une cigarette, avec des gestes maladroits et pleins de colère.

« Sa voiture est-elle tout le temps restée ici depuis votre départ ? lui demanda Tolliver.

— Bordel, comment voulez-vous que je le sache ? », s'emporta Norton.

Jeffrey laissa tomber. Il se rendit à la voiture, remarquant que le loquet était baissé sur les quatre portières. Les pneus côté passager avaient l'air en bon état et quand il la contourna, le capot était froid au toucher.

« Chef ? » appela Frank depuis la porte de la cuisine. Hank Norton se leva quand Jeffrey retourna à l'intérieur de la maison.

« Qu'est-ce qu'il y a ? demanda Norton. Vous avez trouvé quelque chose ? »

Jeffrey rentra dans la cuisine, repérant instantanément ce que Wallace avait découvert. Le mot SALOPE avait été gravé sur la face intérieure de la porte du placard situé au-dessus du four.

« Pour moi, cette demande officielle de communication des dossiers professionnels, ça ne mènera pas à grand-chose, lança Jeffrey à Mary Ann Moon tout en fonçant vers l'université. Il tenait le téléphone d'une main et conduisait de l'autre. A l'heure qu'il est, l'un de mes inspecteurs est porté manquant, et la seule piste dont je dispose, c'est cette liste. Il souffla un bon coup, tâchant de se calmer. Il faut que j'aie accès à ces dossiers professionnels. »

Moon argumenta sur le terrain diplomatique.

« Chef, ici, il faut respecter les procédures. Nous ne sommes pas à Grant County. Si nous marchons sur les pieds de je ne sais qui, on ne va pas ensuite faire ami-ami à la prochaine soirée paroissiale.

— Vous savez ce que ce type a infligé à ces femmes ? lança-t-il. Et maintenant, vous voulez prendre la responsabilité du viol de mon inspecteur ? Parce que je vous garantis que c'est ce qui est en train de lui arriver. » Il retint son souffle un instant, s'efforçant de ne pas se laisser envahir par cette image.

Comme elle ne répondait rien, il reprit la parole.

« Quelqu'un a gravé un mot sur le placard de sa cuisine. » Il marqua un silence, pour laisser à Mary Ann Moon le temps d'absorber cette information. « Vous voulez essayer de deviner de quel mot il peut s'agir, madame Moon ? »

Elle se tint coite, à l'évidence elle réfléchissait.

« Je peux probablement m'en entretenir avec une fille que je connais au service des fichiers, chez nous. Douze ans, ça fait long. Je ne peux pas vous garantir qu'ils conservent ce genre de dossier à portée de main. C'est certainement sur une microfiche dans le bâtiment des archives de l'Etat. »

Il lui transmit son numéro de portable avant de couper la communication.

« Quel est le numéro de cette résidence ? », demanda Frank alors qu'ils franchissaient le portail du campus.

Jeffrey sortit son carnet, remontant en arrière de quelques pages.

« Douze, fit-il. Elle se trouve dans le Jefferson Hall. »

La Town Car chassa des roues arrière quand il s'arrêta devant la résidence. En un éclair, Tolliver sortit de voiture et monta les marches. Il tambourina du poing sur la porte du numéro douze et, ne recevant pas de réponse, l'enfonça.

« Oh, Seigneur Jésus », s'exclama Jenny Price, en attrapant un drap pour se couvrir. Un garçon que Jeffrey n'avait jamais vu sauta du lit, et enfila son pantalon d'un mouvement bien rodé.

« Sortez », lui ordonna Tolliver, en se dirigeant vers la partie de la chambre qui avait été celle de Julia Matthews. Rien n'avait été déplacé depuis la dernière fois qu'elle y était entrée. Il s'imaginait bien que ses parents n'avaient pas dû avoir très envie de passer en revue les affaires de leur fille morte.

Jenny Price s'était rhabillée et se comportait avec plus d'aplomb que la veille.

« Que faites-vous ici ? », voulut-elle savoir.

Il ignora la question, fouillant les vêtements et les livres.

Elle répéta sa question, cette fois en s'adressant à Frank.

« Affaire policière », marmonna-t-il depuis le seuil de la porte.

Jeffrey mit la chambre sens dessus dessous en l'espace de quelques secondes. Il n'avait pas vraiment de point de départ pour entamer ses recherches et, comme lors de sa précédente fouille, celle-ci ne révéla rien de nouveau. Il s'interrompit, balaya la pièce du regard, s'efforçant de saisir ce qu'il était en train de manquer. Il se retournait pour fouiller le placard de nouveau quand il remarqua une pile de livres à côté de la porte. Une mince pellicule de terre en recouvrait la tranche. Ils n'y étaient pas la première fois qu'il était venu fouiller la pièce. Il s'en serait souvenu.

« Qu'est-ce que c'est que ça ? », demanda-t-il.

Jenny suivit la direction de son regard.

« C'est la police du campus qui les a rapportés, expliqua-t-elle. Ils étaient à Julia. »

Jeffrey serra les poings, il avait envie de défoncer quelque chose.

« Ils les ont rapportés ici ? », répéta-t-il, en se demandant pourquoi cela le surprenait tant. Les forces de sécurité du campus de l'Institut de Technologie de Grant étaient essentiellement composées de ces « chiens de garde » entre deux âges qui ne possédaient même pas un cerveau entier à eux tous.

« Ils les ont ramassés derrière la bibliothèque. »

Jeffrey s'obligea à décrisper les mains et s'agenouilla pour examiner ces livres. Il songea à enfiler des gants avant de les toucher, mais la chaîne des précautions avait été rompue depuis longtemps.

La Biologie des micro-organismes était posée sur le sommet de la pile, et la couverture était mouchetée de taches de boue. Il prit le livre, feuilleta les pages. A la page 23, il découvrit ce qu'il cherchait. Le mot SALOPE était inscrit au gros feutre rouge en travers de la feuille.

« Oh mon Dieu », souffla Jenny, la main devant la bouche.

Tolliver laissa à Frank le soin de mettre la chambre sous scellés. Au lieu de rouler en direction du labo de science où travaillait Sibyl, il traversa le campus au pas de course, en prenant la direction opposée, là où il s'était rendu avec Lena quelques jours auparavant. Là encore, il monta les marches quatre à quatre ; là encore, il ne prit pas la peine d'attendre une réponse au coup qu'il frappa à la porte du labo de Sibyl Adams.

« Oh ! s'écria Richard Carter, en levant le nez d'un carnet de notes. Que puis-je pour vous ? »

Jeffrey appuya la main sur le bureau le plus proche, tâchant de reprendre son souffle.

« S'est-il passé quoi que ce soit d'inhabituel, demanda-t-il enfin, le jour où Sibyl Adams a été tuée ? »

Le visage de Carter prit un air exaspéré. Jeffrey eut envie de le gifler, mais il se refréna.

Carter lui répondit sur le ton de l'autosatisfaction.

« Je vous l'ai déjà dit, il ne s'est rien produit qui sorte de l'ordinaire. Elle est morte, chef Tolliver, ne croyez-vous pas que s'il y avait eu quoi que ce soit d'inhabituel, je l'aurais mentionné ?

— Peut-être un mot écrit quelque part », suggéra Jeffrey, sans vouloir trop lui souffler la réponse. C'est incroyable, tout ce que les gens croient pouvoir se rappeler si vous leur posez correctement la question. « Avez-vous vu quelque chose d'écrit sur l'un de ses carnets ? Peut-être un objet qu'elle gardait près d'elle et que quelqu'un aurait tripoté ? »

Le visage de Carter se décomposa. A l'évidence, il se remémorait quelque chose.

« Maintenant que vous m'en parlez, admit-il, juste avant son premier cours du matin, lundi, j'ai lu quelque chose d'écrit sur le tableau noir. Il croisa les bras sur son large torse. Les gamins trouvent ça très drôle, ce genre de farces. Elle était aveugle, donc elle ne pouvait pas réellement voir ce qu'ils fabriquaient.

— Qu'est-ce qu'ils ont fait ?

— Eh bien, quelqu'un, je ne sais pas qui, a inscrit le mot "salope" sur le tableau noir.

— Et ça, c'était lundi matin ?

— Oui.

— Avant sa mort ? »

Il eut la décence de détourner le regard avant de répondre.

« Oui. »

Jeffrey regarda fixement le sommet du crâne de Richard pendant un petit moment, luttant contre un besoin pressant de le bourrer de coups.

« Si vous m'aviez communiqué ça lundi dernier, vous rendez-vous compte que Julia Matthews serait peut-être encore en vie ? »

Richard Carter n'avait pas de réponse à cela.

Jeffrey s'en alla en claquant la porte derrière lui. Il descendait l'escalier quand son portable sonna. Il prit la ligne dès la première sonnerie.

« Tolliver. »

Mary Ann Moon alla droit au but.

« Je suis au service des fichiers, en train de consulter cette liste. Il y a tous les gens qui ont travaillé au premier étage du service des urgences, depuis les médecins jusqu'aux gardiens.

— Allez-y », souffla Jeffrey, en fermant les yeux, faisant abstraction de son ton de voix nasillard de yankee tandis qu'elle prononçait le prénom, le second prénom et le nom de famille de ces hommes qui avaient travaillé avec Sara. Il lui fallut cinq minutes pour les lire tous. Après le dernier nom, Jeffrey demeura silencieux.

« Est-ce que l'un d'eux vous évoque quelque chose ? lui demanda-t-elle.

— Non, reconnut-il. Télécopiez-moi cette liste à mon bureau, si cela ne vous ennuie pas. » Il lui donna son numéro, éprouvant comme un coup de poing à l'estomac. De nouveau, son esprit conjura l'image de Lena clouée au sol d'une cave, terrorisée.

Moon le relança.

« Chef ?

— Je vais mettre quelques-uns de mes gars là-dessus, qu'ils confrontent ces noms avec les listes électorales et l'annuaire. » Il s'interrompit, hésitant à poursuivre. Finalement, sa bonne éducation eut le dessus. « Merci, ajouta-t-il, de m'avoir retrouvé cette liste. »

Moon ne le gratifia pas de son au revoir habituel plein de brusquerie.

« Je suis désolée qu'aucun de ces noms ne puisse vous aider.

— Ouais, lâcha-t-il, en consultant sa montre. Ecoutez, je peux être de retour à Atlanta dans à peu près quatre heures. Pensez-vous que je puisse passer un peu de temps seul avec Wright ? »

Il y eut une autre hésitation, et puis finalement elle lui fournit cette réponse.

« Il s'est fait agresser ce matin.

— Quoi ?

— Apparemment, les gardiens, à la mise sous écrou, ont estimé qu'il ne méritait pas sa cellule à lui.

— Vous m'aviez promis de le maintenir à l'écart du reste de la population carcérale.

— Je sais bien, le coupa-t-elle sèchement. Je ne pouvais tout de même pas tout contrôler une fois qu'il était à l'intérieur. Vous plus que n'importe qui d'autre, vous devriez savoir que ces bons petits gars agissent suivant leurs règles propres. »

Eu égard au comportement de Jeffrey l'autre jour avec le même Wright, il n'était guère en position de se défendre.

« Il va être hors circuit pour un petit moment, ajouta-t-elle. Ils l'ont salement taillé en morceaux. »

Il mâchonna un juron entre ses dents.

« Après mon départ, il ne vous a rien révélé de plus ?

— Non.

— Il est certain qu'il s'agit de quelqu'un qui travaillait à l'hôpital ?

— Non, en fait, non.

— C'est quelqu'un qui l'a vue à l'hôpital, en déduisit-il. Qui irait la voir à l'hôpital sans pour autant travailler là-bas ? » Il posa sa main libre devant ses yeux, tâchant de réfléchir. « De là où vous êtes, pouvez-vous accéder aux dossiers des patients ?

— Comment ça, les dossiers médicaux ? Elle paraissait dubitative. C'est probablement pousser un peu loin.

— Rien que les noms, précisa-t-il. Rien que les noms de cette journée-là. Le 23 avril.

— Je sais de quel jour il s'agit.

— Possible ? »

Manifestement, elle venait de masquer le micro du téléphone, mais il put tout de même l'entendre s'adresser à quelqu'un. Après quelques secondes, elle était de retour en ligne.

« Accordez-moi une heure, une heure et demie. »

Jeffrey réprima un gémissement qui mourait d'envie de sortir. Une heure, c'était une vie. Au lieu de quoi, il fit cette réponse :

« J'y serai. »

Vingt-sept

Lena entendit une porte s'ouvrir. Elle gisait sur le sol, elle l'attendait, car c'est tout ce qu'elle pouvait faire. Quand Jeffrey lui avait appris la mort de Sibyl, Lena s'était essentiellement concentrée sur la découverte du meurtrier de sa sœur pour le traduire en justice. Elle n'avait rien tant désiré que de débusquer ce salopard et l'envoyer à la chaise. Ces pensées l'avaient tellement obsédée, depuis le premier jour, qu'elle n'avait pas eu le temps de souffler et de s'affliger. Elle n'avait pas consacré une seule journée à pleurer la perte de Sibyl. Il ne s'était pas écoulé une heure où elle se serait arrêtée pour prendre le temps de songer à cette perte.

A présent, prise au piège dans cette maison, clouée au sol, Lena n'avait pas d'autre choix que d'y repenser. Tout son temps était dédié aux souvenirs de Sibyl. Même quand on l'avait droguée, une éponge plaquée contre sa bouche, l'eau au goût amer lui coulant au fond de la gorge jusqu'à ce qu'elle soit forcée d'avaler, Lena pleurait Sibyl. Certaines de ces journées, à l'école, se paraient d'une telle réalité qu'elle pouvait sentir le grain du bois du crayon qu'elle tenait dans la main. Assise avec sa sœur au fond de la classe, elle arrivait à sentir l'encre de la copieuse. Il y avait des balades en voiture et des vacances, des photos des grandes classes et des sorties scolaires. Elle revivait tout cela, Sibyl à son côté, revivait chacun de ces moments comme si, en cet instant, elle y était réellement.

La lumière revint lorsqu'il entra dans la pièce. Les pupilles de Lena étaient si dilatées qu'elle n'arrivait à rien distinguer d'autre que des ombres, mais il se servait quand même encore de la lumière pour lui interdire de voir. La douleur était si intense qu'elle la contraignait à fermer les yeux. Pourquoi recourir à ce stratagème, elle ne saisissait pas. Elle savait qui était son ravisseur. Même si elle n'avait pas reconnu sa voix, les choses qu'il disait ne pouvaient émaner que du pharmacien de la ville.

Jeb était assis à ses pieds et avait posé la lampe par terre. La pièce était complètement plongée dans l'obscurité, mis à part ce petit rayon de lumière. Lena trouvait un peu de réconfort au fait d'être capable de voir quelque chose, après être demeurée si longtemps dans l'obscurité.

« Tu te sens mieux ? lui demanda-t-il.

— Oui », répondit-elle, ne se rappelant pas si elle s'était sentie plus mal précédemment. Il lui injectait un produit à peu près toutes les quatre heures. Vu la manière dont ses muscles se détendaient après cette piqûre, elle supposait qu'il s'agissait d'un antalgique. Ce médicament était suffisamment puissant pour l'empêcher d'avoir mal, mais pas assez pour lui faire perdre connaissance. Il ne l'endormait que la nuit, et puis ensuite avec ce qu'il mettait dans l'eau. Il lui maintenait une éponge contre la bouche, la forçant à avaler cette eau au goût amer. Elle priait Dieu pour que ce ne fût pas de la belladone qu'elle ingérait là. Lena avait vu Julia Matthews de ses propres yeux. Elle savait à quel point cette drogue pouvait être mortelle. Non qu'elle fût bien certaine d'avoir envie d'en réchapper. Tout au fond de sa tête, elle finissait par aboutir à la conclusion que la meilleure chose qui puisse lui arriver serait de mourir ici.

« J'ai essayé d'arrêter cet écoulement, expliqua-t-il, comme pour s'excuser. Je ne comprends pas d'où vient ce problème. »

Lena s'humecta les lèvres, tirant la langue.

« Sara est passée, fit-il. Tu sais, elle n'a vraiment aucune idée de qui je suis. »

Là encore, elle demeura silencieuse. La voix de Jeb trahissait une solitude à laquelle elle n'avait pas envie de répondre. On eût dit qu'il recherchait du réconfort.

« Tu veux savoir ce que j'ai fait à ta sœur ? lui demanda-t-il.

— Oui, répondit-elle avant d'avoir pu se retenir.

— Elle avait mal à la gorge », commença-t-il, en retirant sa chemise. Du coin de l'œil, Lena le regarda continuer de se déshabiller. Le ton de sa voix était ordinaire, c'était celui qu'il employait quand il recommandait un médicament en vente libre, sans ordonnance, contre la toux ou une marque particulière de vitamine. « Elle n'aimait pas prendre des médicaments, poursuivit-il, même pas de l'aspirine. Elle m'a demandé si je connaissais un bon remède contre la toux à base de plantes. » Complètement nu à présent, il se rapprocha de Lena. Lorsqu'il s'allongea à côté d'elle, elle essaya de s'écarter, mais ce fut en vain. Ses mains et ses pieds étaient fermement cloués au sol. Et ses autres entraves achevaient presque de la paralyser.

Jeb continua.

« Sara m'a dit qu'elle se rendrait au restaurant à deux heures. Je savais que Sibyl y serait. J'avais pris l'habitude de la regarder passer tous les lundis, en chemin pour aller déjeuner. Elle était très jolie, Lena. Mais pas autant que toi. Elle n'avait pas ton esprit. »

Quand sa main jaillit pour venir lui caresser le ventre, Lena fit un écart. Les doigts du pharmacien jouaient à lui effleurer la peau, propageant un tremblement de peur dans tout son corps.

Il posa la tête sur son épaule, regardant sa main jouer ainsi tout en parlant.

« Je savais que Sara serait là, que Sara pourrait la sauver, mais naturellement ce n'est pas ainsi que ça s'est déroulé, n'est-ce pas ? Sara est arrivée en retard. Elle a eu du retard, et elle a laissé ta sœur mourir. »

Le corps de Lena se mit à trembler de manière incontrôlable. Lors de ses précédentes agressions sexuelles, il l'avait maintenue sous l'emprise de la drogue, les rendant plus ou moins supportables. S'il la violait à présent, comme ceci, elle n'y survivrait pas. Elle se souvenait des dernières paroles de Julia Matthews. Elle avait déclaré qu'il lui avait fait l'amour ; c'était ce qui l'avait tuée. Lena savait que s'il faisait cela avec douceur, s'il se montrait prévenant avec elle au lieu d'être violent, l'embrassait et la caressait comme un amant, elle ne serait jamais plus à même de revenir en arrière. Peu importait ce qu'il lui infligerait, si elle survivait jusqu'à demain, si elle survivait à ce supplice, une part d'elle-même serait déjà morte.

Jeb se pencha sur elle, sa langue traça une ligne le

long de son bas-ventre, jusqu'à son nombril. Il lâcha un rire de plaisir.

« Tu es si douce, Lena », chuchota-t-il, et sa langue remonta jusqu'à son téton. Il lui suça délicatement le sein, prenant soin de l'autre au creux de sa paume. Son corps se pressait tout contre le sien et elle put le sentir dur contre sa jambe.

La bouche de Lena tremblait quand elle lui posa cette question.

« Parle-moi de Sibyl. »

Il usa de ses doigts pour délicatement pincer le bout de son sein. Dans un autre cadre, en d'autres circonstances, cela aurait été presque gai. Il y avait dans le ton amoureux et feutré de sa voix quelque chose qui propagea dans toute son échine un cri, une vague de répulsion.

Jeb reprit la parole.

« Je suis passé sur l'arrière des immeubles et je me suis caché dans les lavabos. Je savais que le thé lui donnerait envie d'aller aux toilettes, alors... » Ses doigts descendirent sur son ventre, en s'arrêtant juste au-dessus de son pubis. « Je me suis enfermé dans l'autre box. C'est arrivé très vite. J'aurais dû deviner qu'elle était vierge. » Il émit cette espèce de soupir satisfait qu'un chien lâcherait après un copieux repas. « Elle était si chaude et si mouillée quand j'étais en elle. »

Lena frissonna lorsque son doigt s'insinua entre ses cuisses. Il la massa, ses yeux rivés aux siens pour guetter sa réaction. Cette stimulation directe entraîna une réaction de son corps à l'opposé de la terreur qu'elle éprouvait. Il se penchait sur elle, lui baisa le pourtour des seins.

« Dieu, tu as un corps magnifique », gémit-il, son doigt posé tout contre sa bouche, forçant ses lèvres à s'ouvrir. Il lui glissa le doigt à l'intérieur, le faisant aller et venir, et elle goûta sa propre saveur.

« Julia était jolie, elle aussi, reprit-il, mais pas comme toi. » Sa main redescendit entre ses cuisses, son doigt s'insinua en elle. Il introduisit un autre doigt et elle se sentit se distendre, s'entrouvrir.

« Je pourrais te donner quelque chose, ajouta-t-il. Quelque chose pour te dilater. Je pourrais rentrer mon poing tout entier en toi. »

Un sanglot remplit la pièce. De toute sa vie, elle n'avait jamais entendu un tel chagrin. Le bruit lui-même était plus effrayant que ce que Jeb lui infligeait. Son corps tout entier allait et venait tandis qu'il la baisait, les chaînes de ses entraves raclaient contre le sol, l'arrière de sa tête frottait contre le bois dur.

Il laissa ressortir ses doigts et s'étendit à côté d'elle, blottissant son corps tout contre son flanc. Elle sentait la moindre parcelle de sa peau et captait toute l'excitation que cela provoquait en lui. Il régnait dans la pièce une odeur de sexe qui lui rendait la respiration difficile. Il était en train de faire quelque chose, elle ne comprenait pas quoi.

Il amena ses lèvres tout contre son oreille.

« “Vois, je te prête le pouvoir de marcher sur les serpents et les scorpions, et de surpasser tous les pouvoirs de l'ennemi ; et rien ne saurait te blesser.” »

Lena se mit à claquer des dents. Elle sentit un pincement à la cuisse et comprit qu'il lui faisait une nouvelle piqûre.

« “Un bref instant, je t'ai accordé le pardon ; mais par de grandes miséricordes, je te recueillerai.”

— Je t'en prie, l'implora-t-elle, en larmes, je t'en prie, ne fais pas ça.

— Julia, Sara aurait pu la sauver. Pas ta sœur », poursuivit Jeb. Il se redressa, croisa de nouveau les jambes. Tout en parlant, presque sur le ton de la conversation, il se caressait. « Je ne sais pas si elle sera capable de te sauver, Lena. Et toi ? »

Elle ne parvenait pas à détourner le regard du sien. Même quand il ramassa son pantalon pour en sortir quelque chose de la poche arrière, ses yeux restèrent attachés aux siens. Il leva une paire de pinces dans son champ de vision. Elles étaient grandes, longues d'environ vingt-cinq centimètres, et l'acier trempé scintillait à la lumière.

« Je sors déjeuner tard, lui expliqua-t-il, et ensuite il faut que je file en ville et que je m'occupe de certaines paperasses. D'ici là, le saignement devrait avoir cessé. J'ai mélangé un coagulant avec du Percodan. J'ai aussi ajouté un petit quelque chose contre la nausée. Ça va faire un petit peu mal. Je ne vais pas te mentir. »

Lena tourna la tête d'un côté, de l'autre, sans comprendre. Elle sentit le médicament agir. Son corps lui faisait l'effet de fondre à même le sol.

« Le sang est un grand lubrifiant. Tu savais ça ? »

Lena retint son souffle, ne sachant pas ce qui allait suivre, mais pressentant le danger.

Il enfourcha son corps, et son pénis lui effleura la poitrine. Il lui bloqua la tête d'une main puissante, la forçant à ouvrir la bouche en enfonçant ses doigts entre ses maxillaires. La vue de Lena se brouilla puis se dédoubla lorsqu'il approcha les pinces de sa bouche.

Vingt-huit

A l'approche du ponton, Sara ramena à elle la manette de l'accélérateur. Jeb était déjà là, en train de retirer son gilet de sauvetage orange, l'air tout aussi niais que précédemment. Comme Sara, il portait un épais chandail et un jean. L'orage de la nuit avait considérablement fait chuter la température et elle n'imaginait personne sortant sur le lac aujourd'hui, à moins d'y être absolument contraint.

« Laisse-moi t'aider, lui proposa-t-il, en tendant le bras vers son bateau. Il attrapa l'une des amarres et marcha le long du ponton, tirant l'embarcation vers le treuil.

— Attache-le là, c'est tout, fit Sara en mettant pied à terre. Il faut que je retourne chez mes parents tout à l'heure.

— Il n'y a pas de mal, j'espère ?

— Non », lui répondit-elle en assujettissant l'autre amarre. Elle jeta un coup d'œil à la corde de Jeb, remarquant le nœud de fille qu'il avait fait en la nouant autour du bollard. La bateau allait probablement se détacher d'ici dix minutes, mais Sara n'avait pas le cœur de lui donner une leçon.

Elle se pencha sur le bateau, se saisit de deux sacs d'épicerie.

« Il fallait que j'emprunte la voiture de ma sœur pour aller au magasin, expliqua-t-elle. Ma voiture est encore immobilisée au greffe.

— Depuis le... » Il s'arrêta, regarda quelque part au-dessus de l'épaule de Sara.

« Ouais, répondit-elle, en longeant le ponton. Tu as fait réparer ta gouttière ? »

Tout en la rattrapant, il secoua la tête et lui prit les sacs des mains.

« Je ne comprends pas d'où vient le problème.

— Tu as pensé à mettre une éponge ou quelque chose au pied de l'écoulement ? suggéra-t-elle. Ça contribuerait peut-être à atténuer le bruit.

— C'est une super idée », fit-il. Ils étaient arrivés devant la maison et elle lui ouvrit la porte de derrière.

Quand il eut posé les sacs sur le comptoir à côté des clefs du bateau, il la gratifia d'un regard soucieux.

« Tu devrais franchement fermer ta porte à clef, Sara.

— Je ne suis sortie que quelques minutes.

— Je sais, fit Jeb, en rangeant les sacs sur le comptoir de la cuisine. Mais on ne sait jamais. Surtout avec ce qui s'est passé ces derniers temps. Tu sais, avec ces filles. »

Sara soupira. Il avait raison. Simplement, elle ne parvenait pas à relier ce qui se passait en ville avec son propre domicile. C'était comme si elle se sentait en quelque sorte protégée par la vieille règle de « la foudre qui ne frappe jamais deux fois au même endroit ». Naturellement, il avait raison. Elle allait devoir faire plus attention.

« Comment marche ton bateau ? », lui demanda-t-il, alors qu'elle s'approchait de son répondeur. Le témoin lumineux de messages ne clignotait pas, mais en faisant défiler les identités des appels entrants, elle vit que Jeffrey avait appelé à trois reprises au cours de l'heure écoulée. Quoi qu'il ait eu envie de lui dire, Sara n'était pas disposée à l'écouter. En fait, elle songeait à quitter son poste au service des médecins légistes. Il devait exister un meilleur moyen d'expulser Jeffrey de sa vie. Elle avait besoin de se concentrer sur le présent au lieu de se languir du passé. A dire vrai, le passé n'était pas aussi formidable qu'elle se l'était dépeint.

« Sara ? intervint Jeb, en lui tendant un verre de vin.

— Oh. » Elle prit le verre, songeant qu'il était un petit peu tôt pour elle pour qu'elle boive de l'alcool.

Il leva son verre.

« A la tienne.

— A la tienne », lui répondit-elle, en inclinant le verre pour trinquer. Le bouquet de ce vin lui donna un haut-le-cœur. « Oh, Seigneur », fit-elle, en portant la main à sa bouche. Ce goût âcre lui resta sur la langue comme celui d'un torchon mouillé.

« Qu'est-ce qui ne va pas ?

— Ouh », geignit-elle, en maintenant la tête sous le robinet de la cuisine. Elle se rinça la bouche à plusieurs reprises avant de se retourner vers lui. « Il a tourné. Le vin a tourné. »

Il remua le verre sous ses narines, en fronçant le sourcil.

« Il sent le vinaigre.

— Oui, fit-elle, en avalant une autre gorgée d'eau.

— Zut, je suis désolé. J'ai dû le garder un peu trop longtemps. »

Le téléphone sonna à l'instant où elle ferma le robinet. Elle eut un sourire d'excuse pour Jeb tout en traversant la pièce, et vérifia l'identité de l'appelant. C'était encore Jeffrey. Elle ne décrocha pas.

« Ici c'est Sara », dit la voix qui s'échappait du répondeur. Elle tâcha de se rappeler quel bouton elle devait enfoncer lorsque la tonalité retentit, puis ce fut Jeffrey.

« Sara, expliquait-il, je suis en train de me procurer les dossiers des patients qui ont consulté au Grady pour que nous... »

Elle débrancha le cordon d'alimentation situé sur l'arrière de l'appareil, coupant Jeffrey au milieu de sa phrase. Elle se retourna vers Jeb, avec de nouveau un sourire qu'elle espéra suffisamment contrit.

« Désolée, s'excusa-t-elle.

— Quelque chose ne va pas ? Tu ne travaillais pas au Grady, à une époque ?

— Dans une autre vie », lâcha-t-elle, en décrochant le combiné de sa base. Elle guetta la tonalité de prise de ligne, puis elle le reposa sur la table.

« Oh », fit Jeb.

Elle sourit au regard interrogateur qu'il lui adressa, luttant contre le besoin de cracher pour s'ôter ce goût qu'elle avait dans la bouche. Elle se rendit au comptoir et se mit à déballer les paquets.

« A la place, j'ai trouvé des viandes toutes prêtes à l'épicerie, lui proposa-t-elle. Rôti, poulet, dinde, salade de pommes de terre. Le regard qu'il posait sur elle l'arrêta. Qu'y a-t-il ? »

Il secoua la tête.

« Tu es si jolie. »

Sara se sentit rougir à ce compliment.

« Merci, parvint-elle à dire, en sortant une miche de pain. Tu veux de la mayonnaise ? »

Il hocha la tête, toujours en souriant. Son expression était presque d'adoration. Cela la mit mal à l'aise.

Pour interrompre ce moment, elle suggéra autre chose.

« Et si on mettait un peu de musique ? »

Suivant ses indications, il se tourna vers la chaîne hi-fi. Sara finissait de préparer les sandwichs tandis qu'il suivait du doigt sa collection de CD, de haut en bas.

« Nous avons les mêmes goûts musicaux », constata-t-il.

Elle se retint de s'écrier « super » quand elle sortit les assiettes du placard. Lorsque la musique démarra, elle coupait les sandwichs en deux. C'était un vieux disque de Robert Palmer qu'elle n'avait pas entendu depuis des lustres.

« Super chaîne, s'extasia-t-il. C'est du son surround ?

— Ouais », lui répondit-elle. La chaîne était l'une des choses que Jeffrey avait installées ici, pour que l'on puisse entendre la musique dans toute la maison. Quelquefois, il leur était arrivé de prendre des bains nocturnes, avec des bougies autour de la baignoire, une musique douce filtrant des haut-parleurs.

« Sara ?

— Désolée », s'excusa-t-elle, en s'apercevant qu'elle s'était égarée.

Elle posa les assiettes sur la table de la cuisine, les

disposa l'une en face de l'autre. Elle attendit le retour de Jeb, puis elle s'assit, une jambe repliée sous elle.

« Ça fait longtemps que je n'ai pas entendu ça.

— C'est assez ancien, reconnut-il, en croquant une bouchée de sandwich. Ma sœur écoutait ce disque-là tout le temps. Il sourit. *Sneakin' Sally through the Alley*. C'était son nom, Sally. »

Elle se lécha un peu de mayonnaise sur le doigt, espérant que ce goût masquerait celui du vin.

« Je ne savais pas que tu avais une sœur. »

Il se redressa sur sa chaise, sortit son portefeuille de sa poche de derrière.

« Elle est morte il y a de ça pas mal de temps », raconta-t-il, en feuilletant les photos dans leurs pochettes. Il sortit l'un des clichés de la pochette plastique, et le tendit à Sara. « Une de ces histoires, voilà, quoi, tout simplement. »

Elle jugea que c'était une drôle de façon de parler de la mort de sa propre sœur. Pourtant, elle accepta la photo, qui montrait une jeune fille en tenue de majorette. Elle tenait ses pompons sur le côté. Elle souriait. La fillette ressemblait tout à fait à Jeb.

« Elle était ravissante, fit-elle, en lui rendant le cliché. Quel âge avait-elle ?

— Elle venait d'avoir treize ans », lui répondit-il, en regardant cette image quelques fractions de seconde. Il la rangea dans sa pochette, puis il fourra le portefeuille dans sa poche arrière. « Pour mes parents, c'était un bébé surprise. J'avais quinze ans quand elle est née. Mon père venait d'obtenir sa première église.

— Il était prêtre ? », s'enquit Sara, en s'étonnant d'avoir déjà pu sortir avec lui tout en ignorant ce fait.

Elle aurait pu jurer l'avoir entendu dire que son père était électricien.

« Il était pasteur baptiste, précisa-t-il. Il croyait fermement dans le pouvoir du Seigneur pour nous soulager de ce qui nous fait souffrir. Je suis heureux qu'il ait eu cette foi pour l'aider à surmonter, mais... Il haussa les épaules. Il y a des choses dont on ne peut tout simplement pas se défaire. Des choses qu'on ne peut pas oublier.

— Je suis désolée pour cette perte que tu as subie », lui répondit-elle, sachant ce qu'il entendait par là. Elle baissa les yeux sur son sandwich, se disant qu'il n'était peut-être pas très bienvenu d'en manger une bouchée en pareil instant. Son estomac gronda pour l'y inciter, mais elle l'ignora.

« C'était il y a longtemps, ajouta-t-il enfin. Seulement je pensais à elle, aujourd'hui, avec tout ce qui vient de se passer. »

Sara ne savait que dire. Elle en avait assez de la mort. Elle n'avait pas envie de le réconforter. Ce rendez-vous était conçu pour qu'elle se sorte de la tête tout ce qui s'était passé ces derniers temps, pas pour le lui remémorer.

Elle se leva de table.

« Tu veux boire autre chose ? », lui proposa-t-elle. Elle alla au réfrigérateur. « J'ai du Coca, du Kool-Aid, du jus d'orange. » Elle ouvrit la porte et le bruit de succion du joint lui rappela quelque chose, sans qu'elle puisse dire quoi. Subitement, cela lui revint. Les joints de caoutchouc des portes du service des urgences au Grady faisaient exactement le même bruit en s'ouvrant. Elle n'avait jamais établi le lien auparavant, mais ça y était.

« Du Coca, ça me va très bien », fit-il.

Elle plongea la main dans le frigo, se frayant un passage pour dénicher les sodas. Elle s'immobilisa et sa main resta posée sur la boîte au logo rouge et blanc. Elle sentit sa tête tourner, comme si elle avait eu trop d'air dans les poumons, et ferma les yeux, tâchant de conserver son équilibre. Elle était de retour au service des urgences. Les portes s'ouvrirent avec ce bruit de succion. Une jeune fille y était admise sur une civière. Des analyses avaient été demandées par le service des interventions médicales d'urgence, on avait déjà posé une perfusion en intraveineuse, la jeune fille était sous intubation. Elle était en état de choc, les pupilles dilatées, son corps chaud au toucher. Sa température était affichée, 38°6. Sa tension crevait le plafond. Elle saignait abondamment entre les cuisses.

Sara avait pris la patiente en charge, tâchant de stopper l'hémorragie. La jeune fille était entrée en convulsions, faisant sauter sa perfusion, flanquant des coups de talon dans le chariot de soins situé à ses pieds. Sara s'était penchée sur elle, avait tenté de l'empêcher de provoquer d'autres dégâts. L'attaque avait cessé brusquement, et elle l'avait crue morte. Son pouls battait fort. Ses réflexes étaient faibles, mais perceptibles.

Un examen de la région pelvienne révéla que la jeune fille avait récemment subi un avortement, mais qui n'avait certes pas été pratiqué par un praticien qualifié. Son utérus était dans un état épouvantable, les parois du vagin éraflées, déchiquetées. Sara répara ce qu'elle put, mais le mal était fait. Tous les soins qu'elle pourrait lui prodiguer dépendraient de la faculté de guérison de la jeune fille.

Avant de parler aux parents, elle s'était rendue à sa

voiture pour changer de chemisier. Elle les avait retrouvés dans la salle d'attente et leur avait fait part de son pronostic. Elle avait employé les phrases adéquates, comme « optimisme prudent » et « critique, mais stable ». Seulement la jeune fille n'avait pas franchi le cap des trois heures qui suivirent. Elle avait fait une autre attaque, qui lui avait grillé littéralement le cerveau.

A ce stade de la carrière de Sara, cette jeune adolescente de treize ans était la plus jeune patiente qu'elle ait jamais perdue. Les autres patients qui étaient décédés alors qu'ils étaient soignés par elle avaient été plus âgés, ou plus malades, et elle avait certes été fort triste de les perdre, mais leur mort n'était pas aussi inattendue. Quand elle s'était acheminée vers la salle d'attente, elle était sous le choc de cette tragédie. Les parents de la jeune adolescente paraissaient tout aussi choqués. Ils ignoraient complètement que leur fille était enceinte. A leur connaissance, elle n'avait jamais eu de petit ami. Ils ne parvenaient pas à comprendre comment leur fille pouvait être enceinte, et encore moins comment elle avait pu en mourir.

« Mon bébé », chuchotait le père. Il ne cessait de répéter cette phrase, la voix éteinte par le chagrin. « C'était mon bébé.

— Vous devez vous tromper », était intervenue la mère. En fouillant le contenu de son sac à main, elle en avait sorti un portefeuille. Avant que Sara ait pu l'arrêter, elle avait retrouvé une photographie — une photographie d'école, où la jeune fille était en uniforme de majorette. Sara n'avait aucune envie de regarder cette photo, mais il n'y aurait pas moyen de consoler cette femme tant qu'elle ne s'y serait pas résolue. Elle y jeta donc un rapide coup d'œil, puis un deuxième, avec plus d'attention. C'était bien la photographie d'une adolescente en costume de majorette. Elle tenait ses pompons à hauteur des hanches, bien écartés, sourire aux lèvres. Cette expression offrait un fort contraste avec celle de la jeune fille sans vie gisant sur la civière, en attendant qu'on l'emmène à la morgue.

Le père avait tendu la main, pris celles de Sara dans la sienne. Il avait incliné la tête et récité une prière à mi-voix, qui parut durer très longtemps, une prière implorant le pardon, une prière réitérant sa foi en Dieu. Sara n'était absolument pas croyante, mais il y avait quelque chose dans cette prière qui l'avait émue. Etre capable de puiser là un tel réconfort en face d'une perte si horrible, c'était une chose qui la sidérait.

Après la prière, elle était allée à sa voiture pour reprendre ses esprits, peut-être histoire de faire le tour du pâté de maisons afin d'intégrer la réalité de cette mort tragique et absurde. C'est alors qu'elle avait découvert que l'on avait vandalisé sa voiture. C'est alors qu'elle était retournée aux lavabos. C'est alors que Jack Allen Wright l'avait violée.

Le cliché que Jeb venait de lui montrer était le même que celui qu'elle avait vu douze ans plus tôt dans cette salle d'attente.

« Sara ? »

Sur la chaîne, un autre morceau débuta. Elle sentit son estomac se retourner quand elle entendit les paroles sortir des haut-parleurs : « Hey, hey, Julia. »

« Quelque chose ne va pas ? s'enquit Jeb, puis il

reprit les paroles de la chanson : “Tu es tellement bizarre.” »

Sara se leva, une canette à la main alors qu’elle refermait la porte du réfrigérateur.

« C’est le dernier Coca, fit-elle, en se dirigeant vers la porte du garage. J’en ai encore dehors.

— Ça va. Il haussa les épaules. Un peu d’eau m’ira très bien. » Il avait posé son sandwich et la dévisageait.

Sara fit sauter l’opercule du Coca. Ses mains tremblaient légèrement, mais elle ne pensait pas que Jeb l’ait remarqué. Elle porta la canette à ses lèvres, en avala suffisamment pour en renverser un peu sur son pull.

« Oh, s’écria-t-elle, tâchant de prendre un air surpris. Je vais me changer, si tu veux bien. Je reviens tout de suite. »

Elle lui rendit le sourire qu’il lui adressa et ses lèvres tremblèrent. Elle se força à bouger, à remonter le couloir lentement, pour ne pas lui donner l’éveil. Une fois dans sa chambre, elle attrapa le téléphone au vol en lançant un coup d’œil par l’enfilade de fenêtres, surprise de voir un grand soleil inonder la pièce. Ce soleil était si incongru, au regard de la terreur qu’elle éprouvait. Elle composa le numéro de Jeffrey, mais quand elle enfonça les touches, elle n’entendit pas les tonalités correspondantes. Elle considéra le téléphone, hébétée, cherchant à tout prix à le faire fonctionner.

« Tu as décroché le combiné, l’avertit Jeb. Tu te souviens. »

Elle se leva de son lit d’un bond.

« J’appelais juste mon père. Il doit passer dans cinq minutes. »

Jeb se tenait sur le seuil, appuyé contre l'encadrement de la porte.

« Il me semblait t'avoir entendue dire que tu passais chez eux un peu plus tard.

— C'est vrai », lui répondit-elle, en reculant vers l'autre bout de la pièce. Voilà qui mettait le lit entre eux, mais elle était prise au piège, dos à la fenêtre. « Il vient me chercher.

— Tu crois ? », s'étonna-t-il. Il souriait comme il avait toujours souri, un de ces larges sourires de travers qu'on aurait pu trouver sur le visage d'un enfant. Il se dégageait de lui une impression si nonchalante, si peu menaçante, que Sara se demanda pendant une demi-seconde si elle n'avait pas tiré une conclusion erronée de tout ceci. Un coup d'œil vers sa main mit brusquement un terme à sa perplexité. Il tenait au côté un long couteau à désosser.

« Qu'est-ce qui m'a trahi ? s'enquit-il. Le vinaigre, n'est-ce pas ? Je me suis donné un mal de chien pour l'injecter au travers du bouchon. Merci mon Dieu pour ces seringues de cardiologie. »

Elle plaça la main derrière elle, sentit sous sa paume le verre froid de la vitre.

« Tu les as laissées en vie pour que je m'occupe d'elles », lança-t-elle, se repassant mentalement le fil de ces dernières journées. Jeb était au courant de son déjeuner avec Tessa. Jeb savait qu'elle se trouvait à l'hôpital le soir où Jeffrey s'était fait tirer dessus. « C'est pour ça que Sibyl était dans les toilettes. C'est pour cela que Julia était sur ma voiture. Tu voulais que je les sauve. »

Il sourit, en hochant lentement la tête. Ses yeux baignaient dans un halo de tristesse, comme s'il regrettait que le jeu soit terminé.

« Je voulais t'accorder cette opportunité.

— C'est pour ça que tu m'as montré sa photo ? voulut-elle savoir. Pour voir si je me souviendrais d'elle ?

— Je suis surpris que tu t'en sois souvenue.

— Pourquoi ? s'étonna-t-elle. Crois-tu que j'aurais pu oublier une histoire pareille ? C'était un bébé. »

Il haussa les épaules.

« C'est toi qui lui as fait ça ? », le questionna-t-elle, se remémorant la brutalité de cet avortement sauvage. Derrick Lange, son chef de service, avait supposé qu'on avait employé un cintre en métal. « C'est toi qui lui as fait ça ?

— Comment l'as-tu deviné ? fit Jeb, sur la défensive. C'est elle qui te l'a dit ? »

Ce qu'il disait recelait quelque chose d'autre, un secret encore plus sinistre logé derrière ses mots. Quand Sara reprit la parole, elle connaissait la réponse avant même d'avoir achevé sa phrase. Compte tenu de ce qu'elle avait vu, de ce dont elle savait Jeb capable, c'était parfaitement sensé.

« Tu as violé ta sœur, c'est ça ? lui dit-elle.

— J'aimais ma sœur, rétorqua-t-il, toujours sur la défensive.

— Ce n'était qu'une enfant.

— Elle est venue à moi, continua-t-il, comme si c'était une sorte d'excuse. Elle voulait être avec moi.

— Elle avait treize ans.

— Si un homme en vient à prendre sa sœur, la fille de son père, et s'il voit sa nudité, et si elle voit sa nudité, c'est malsain. » Son sourire paraissait signifier qu'il était content de lui. « Alors traite-moi de malsain.

— C'était ta sœur.

— Nous sommes tous les enfants du Seigneur, n'est-ce pas ? Nous partageons les mêmes parents.

— Peux-tu me citer un verset justifiant le viol ? Peux-tu m'en citer un justifiant le meurtre ?

— Ce qu'il y a de bien dans la Bible, Sara, c'est qu'elle est ouverte aux interprétations. Dieu nous délivre des signes, des opportunités, et soit nous les suivons, soit pas. De la sorte, nous avons la latitude de choisir ce qui nous arrive. Nous n'aimons pas y songer, mais nous sommes les patrons de notre propre destinée. Nous prenons les décisions qui déterminent le cours de notre existence. Il la dévisagea, se taisant quelques instants. J'aurais cru que tu aurais retenu cette leçon, il y a de ça douze ans. »

Sara sentit la terre se dérober sous ses pieds quand une pensée lui vint.

« C'était toi ? Dans les toilettes ?

— Seigneur, non, se récria-t-il, levant le doute d'un revers de main. C'était bien Jack Wright. Il m'a brûlé la politesse, j'imagine. Pourtant, il m'a soufflé une bonne idée. » Il s'appuya contre le jambage de la porte, avec le même sourire satisfait flottant sur ses lèvres. « Vois-tu, nous sommes tous deux des hommes de foi. Nous nous laissons tous deux guider par le Seigneur.

— La seule chose que vous êtes, tous les deux, c'est des brutes.

— Je crois que je lui dois de nous avoir réunis, poursuivit Jeb. Ce qu'il a réussi avec toi m'a servi d'exemple, Sara. Je veux t'en remercier. Au nom de toutes les femmes qui sont venues après ça, et j'emploie le verbe venir au sens biblique du terme, je t'adresse mes sincères remerciements.

— Oh, Dieu », lâcha Sara dans un souffle, en portant la main à sa bouche. Elle avait vu ce qu'il avait fait à sa sœur, à Sibyl Adams, et à Julia Matthews. Penser que tout cela avait débuté quand Jack Wright l'avait agressée lui retourna l'estomac. « Espèce de monstre, siffla-t-elle. Espèce d'assassin. »

Jeb se raidit, et son expression fut soudainement transformée par la rage. Le pharmacien tranquille et sans prétention se mua en l'homme qui avait violé et tué au moins deux femmes. Son attitude irradiait la colère.

« C'est toi qui l'as laissée mourir. Toi qui l'as tuée.

— Elle était déjà morte avant qu'on me la confie, le contra-t-elle, essayant de maintenir une voix égale. Elle avait perdu trop de sang.

— Ce n'est pas vrai.

— Tu n'avais pas tout extrait, insista-t-elle. Le fœtus était en train de se décomposer à l'intérieur.

— Tu mens. »

Sara secoua la tête. Sa main tâtonna dans son dos, elle cherchait le loquet de la fenêtre.

« Tu l'as tuée.

— Ce n'est pas vrai », répéta-t-il, mais elle perçut bien, au changement de sa voix, qu'une part de lui-même croyait à ce qu'elle affirmait.

Elle trouva le loquet, essaya de le faire pivoter pour ouvrir. Il ne voulut pas bouger.

« Sibyl est morte à cause de toi, elle aussi.

— Quand je l'ai laissée, elle allait bien.

— Elle a eu une crise cardiaque, lui apprit-elle, en

appuyant sur le loquet. Elle est morte d'overdose. Elle a eu une attaque, exactement comme ta sœur. »

La voix de Jeb résonna dans la pièce avec une force effrayante, et la vitre derrière Sara trembla quand il beugla.

« Ce n'est pas vrai ! »

Quand il avança vers elle, elle renonça à actionner le loquet. Il tenait le couteau toujours baissé le long de sa cuisse, mais la menace était bien là.

« Je me demande si ta chatte est toujours aussi douce qu'elle l'a été pour Jack, susurra-t-il. Je me souviens d'avoir assisté à ton procès, d'avoir écouté les détails. Je voulais prendre des notes, mais j'ai découvert dès le premier jour que je n'en aurais pas besoin. Il plongea la main dans sa poche arrière, en sortit une paire de menottes. Tu as toujours cette clef que j'avais laissée exprès pour toi ? »

Elle l'arrêta rien qu'avec ses mots.

« Je n'ai pas l'intention de revenir là-dessus, le prévint-elle avec conviction. Il faudra que tu me tues d'abord. »

Il baissa les yeux par terre, les épaules relâchées. Elle se sentit soulagée un bref instant, jusqu'à ce qu'il les relève sur elle. Quand il parla de nouveau, il avait un sourire sur les lèvres.

« Qu'est-ce qui te fait croire que ça m'importe, que tu sois morte ou non ?

— Tu vas me tailler un trou dans le ventre ? »

Il fut tellement choqué qu'il en fit tomber les menottes sur le sol.

« Quoi ? chuchota-t-il.

— Tu ne l'as pas sodomisée. »

Elle put voir une goutte de sueur rouler le long de sa tempe, de sa joue, quand il lui posa sa question.

« Qui ça ?

— Sibyl, précisa-t-elle. Autrement, comment de la merde aurait-elle pu s'infiltrer dans son vagin ?

— C'est dégoûtant.

— Ah oui ? s'écria-t-elle. Quand tu la baisais par ce trou dans son ventre, tu l'as mordue ? »

Il secoua la tête avec véhémence.

« Je n'ai pas fait ça.

— Les marques de tes dents sont restées sur son épaule, Jeb.

— Mais non.

— Je les ai vues, riposta-t-elle. J'ai vu tout ce que tu leur as infligé. J'ai vu comment tu leur as fait ce mal.

— Elles n'ont pas eu mal, insista-t-il. Elles n'ont pas eu mal du tout. »

Sara avança vers lui, jusqu'à ce que ses genoux entrent en contact avec le bord du lit. Il resta debout, de l'autre côté du lit, il la regardait, l'air hébété.

« Elles ont souffert, Jeb. Toutes les deux, elles ont souffert, tout comme ta sœur. Tout comme Sally.

— Je ne leur ai jamais fait de mal comme ça, chuchota-t-il. Je ne leur ai jamais fait de mal. C'est toi qui les as laissées mourir.

— Tu as violé une enfant de treize ans, une aveugle, et une jeune femme émotionnellement instable de vingt-deux ans. C'est ça qui te fait jouir, Jeb ? T'attaquer à des femmes sans défense ? Les dominer ? »

Il serra les mâchoires.

« Tout ce que tu vas obtenir, c'est de rendre ce qui va t'arriver encore plus pénible.

— Va te faire foutre, espèce de salopard.

— Non, corrigea-t-il. Ça va être le contraire.

— Allez, viens, le nargua-t-elle en serrant les poings. Je te défie d'essayer. »

Jeb se rua vers elle, mais Sara était déjà en mouvement. Elle courut à toute vitesse vers la baie vitrée, rentra la tête quand elle fracassa le verre. La douleur l'envahit, des éclats de verre lui entaillèrent tout le corps. Elle atterrit dans le jardin sur l'arrière, dévala la pente sur quelques mètres en se roulant en boule.

Elle se releva promptement, sans regarder par-dessus son épaule tout en courant vers le lac. Elle s'était coupée au bras, à la hauteur du biceps, et elle avait une entaille au front, mais c'était le cadet de ses soucis. Le temps qu'elle atteigne le ponton, Jeb était déjà derrière elle. Elle plongea dans l'eau froide sans réfléchir, nagea sous l'eau jusqu'à ce qu'elle soit à bout de souffle. Enfin, elle refit surface à dix mètres du ponton. Elle vit Jeb sauter dans son bateau à elle, se rappelant, trop tard, qu'elle avait laissé la clef sur le contact.

Elle plongea sous l'eau, nageant aussi loin qu'elle put avant de reprendre de l'air. Quand elle regarda de nouveau derrière elle, elle vit le bateau arriver dans sa direction. Elle piqua la tête la première et toucha le fond du lac au moment où le bateau passait au-dessus d'elle à pleine vitesse. Elle se retourna sous l'eau, se dirigea vers le banc de rochers qui bordaient le côté opposé du lac. L'endroit n'était pas distant de plus d'une vingtaine de mètres, mais elle sentait ses bras peiner à mesure qu'elle avançait. Le froid de l'eau la frappait en pleine face, et elle comprit que cette température si basse allait la ralentir.

Elle refit encore surface, chercha le bateau tout autour d'elle. Une fois encore, Jeb revenait, accélérateur à fond. Une fois encore, elle piqua une tête sous l'eau. Elle l'en ressortit juste à temps pour voir le bateau raser la surface en direction des rochers immergés. Le nez heurta le premier rocher en plein, il se cabra en l'air, et le bateau se renversa. Elle vit que Jeb était projeté par-dessus bord. Il partit en vol plané, s'écrasa dans l'eau au milieu d'une gerbe d'écume. Ses mains fouettèrent l'air et l'eau, dans une tentative désespérée pour éviter de couler. La bouche ouverte, les yeux écarquillés de terreur, il battit des bras, mais il était attiré vers le fond. Elle attendit, retenant son souffle, mais il ne reparut pas.

Il avait été éjecté à environ trois mètres du bateau, loin du banc de rochers. Elle savait que le seul moyen de regagner la rive serait de passer entre ces rochers. Elle pourrait nager dans cette eau juste sur cette distance, avant que le froid ne la saisisse. Le ponton était trop loin. Elle n'y arriverait jamais. Le chemin le plus sûr jusqu'au rivage conduirait Sara à passer devant le bateau retourné.

En réalité, ce qu'elle avait envie de faire, c'était de rester là où elle était, mais elle n'ignorait pas que l'eau froide l'attirait dans le piège d'une confiance excessive. La température du lac ne descendait pas jusqu'au gel, mais finirait par la mettre en hypothermie.

Elle nagea d'un crawl lent pour maintenir la chaleur de son corps, sa tête affleurant l'eau, et elle traversa le champ de rochers. Son souffle formait un nuage devant elle, aussi elle s'efforça de penser à quelque chose de chaud : assise devant le feu, à faire griller des guimauves. Le bain d'eau chaude du YMCA. Le sauna. La couette bien chaude de son lit.

Modifiant son cap, elle contourna le bout opposé du bateau, loin de l'endroit où Jeb avait disparu. Elle avait vu trop de films. Elle était terrorisée à l'idée qu'il puisse surgir des profondeurs, lui empoigner la jambe, l'entraîner vers le fond. Quand elle dépassa le bateau, elle découvrit un grand trou sur le devant, là où le rocher avait déchiqueté la proue. Il était retourné, le ventre vers le ciel. Jeb se trouvait de l'autre côté, il se retenait à la proue déchiquetée. Ses lèvres étaient bleu foncé, en net contraste avec son visage blême. Il frissonnait sans pouvoir se contrôler, son souffle s'échappait de ses lèvres par à-coups, en bouffées blanches. Il s'était débattu, il avait gâché de l'énergie pour tenter de maintenir sa tête hors de l'eau. A chaque minute qui s'écoulait, le froid abaissait un peu plus la température de son corps.

Sara continua de nager, avançant plus lentement. La respiration de Jeb et ses mains qui sillonnaient l'eau étaient les seuls bruits perceptibles sur le lac immobile.

« J-j-je-sais-pas-n-nager, bredouilla-t-il.

— C'est dommage », lui répliqua Sara, d'une voix qui s'étrangla dans sa gorge. Elle avait l'impression de tourner autour d'une bête blessée, mais dangereuse.

« Tu ne peux pas m'abandonner ici », parvint-il à articuler en claquant des dents.

Elle adopta la nage indienne, se retournant dans l'eau afin de ne pas lui présenter son dos.

« Si, je peux.

— Tu es médecin.

— Oui, et alors, fit-elle, en continuant de s'éloigner de lui.

— Tu ne retrouveras jamais Lena. »

Elle sentit une masse s'abattre sur elle. Elle battit des mains et des pieds dans l'eau, gardant les yeux fixés sur lui.

« Quoi, Lena ?

— Je-je l'ai en-enlevée, fit-il. Elle est quelque part, en lieu sûr.

— Je ne te crois pas. »

Il ébaucha ce qu'elle interpréta comme un haussement d'épaules.

« En lieu sûr, où ça ? le questionna-t-elle. Qu'est-ce que tu lui as fait ?

— Je te l'ai gardée, Sara, pour toi », souffla-t-il, et sa voix se figea quand son corps se mit à trembler. Du fin fond de son esprit, elle se remémora que le deuxième stade de l'hypothermie se signalait par un tremblement irrépressible et une pensée irrationnelle.

« Je l'ai laissée quelque part », reprit-il.

Elle se rapprocha un peu, se méfiant de lui.

« Où est-ce que tu l'as laissée ?

— Il faut que tu la sauves », balbutia-t-il, en fermant les yeux. Son visage s'affaissait, sa bouche coula sous la surface de l'eau. Quand l'eau lui pénétra dans le nez, il s'ébroua, renifla, raffermit sa prise sur la proue du bateau. Il y eut un craquement quand la coque frotta contre le roc.

Sara sentit soudain une vague de chaleur lui parcourir le corps.

« Où est-elle, Jeb ? » Comme il ne répondait rien, elle le prévint. « Tu peux mourir, ici. L'eau est assez froide. Ton cœur va ralentir jusqu'à finir par s'arrêter.

Je te donnerais une vingtaine de minutes, maxi », ajouta-t-elle, sachant très bien que ce serait plutôt quelques heures. « Je vais te laisser mourir, l'avertit-elle encore, une certitude comme elle en avait rarement éprouvée dans sa vie. Dis-moi où elle est ?

— Je-je te le d-dirai à-t-terre, bredouilla-t-il.

— Dis-le-moi tout de suite, insista-t-elle. Je sais que tu ne voudrais pas la laisser mourir quelque part toute seule.

— Non, fit-il, une étincelle de compréhension dans les yeux. Je ne la laisserais pas toute seule, Sara. Je ne la laisserais pas mourir toute seule. »

Elle écarta les bras, tâchant de maintenir son corps en mouvement pour ne pas geler.

« Où est-elle, Jeb ? »

Il tremblait si fort que le bateau en frémit dans l'eau, expédiant quelques petites vaguelettes en direction de Sara.

« Il faut que tu la sauves, Sara, chuchota-t-il. Il faut que tu la sauves.

— Dis-le-moi, sinon je te laisse mourir, Jeb, je le jure devant Dieu, je te laisse te noyer ici. »

Ses yeux parurent se voiler et un léger sourire se dessina sur ses lèvres bleues.

« C'est fini », souffla-t-il, et sa tête retomba, mais cette fois il ne la retint pas. Sara le regarda lâcher la coque, et sa tête glisser sous l'eau.

« Non », hurla-t-elle en se précipitant vers lui. Elle l'empoigna par le dos de sa chemise, essaya de le remonter. Instinctivement, il se débattit contre elle, l'attirant vers le fond au lieu de lui permettre de le remonter. Ils luttèrent ainsi, Jeb lui agrippant son pantalon, son pull, tentant de se servir d'elle comme d'une échelle pour grimper et trouver de l'air. Ses ongles raclèrent la coupure qu'elle avait au bras, et elle eut le réflexe de se dégager. Jeb fut projeté loin d'elle, le bout de ses doigts effleurant son pull alors qu'il cherchait encore une prise.

Il grimpa, et elle fut aspirée vers le bas. Quand la tête de Jeb heurta la coque, il y eut un cognement sourd. Sa bouche s'ouvrit de surprise, puis il disparut de nouveau sous l'eau. Derrière lui, un filet de sang rouge vif vint marquer la proue. Elle s'efforça d'ignorer la pression qui écrasait ses poumons quand elle tendit la main vers lui, pour encore essayer de le ramener. Il restait encore tout juste assez de soleil pour le voir couler vers le fond. Il avait la bouche ouverte, les mains tendues vers elle.

Elle ressortit la tête de l'eau, cherchant de l'air en haletant, puis replongea la tête la première. Elle répéta la tentative à plusieurs reprises, à la recherche de Jeb. Quand enfin elle le retrouva, il reposait sur un gros rocher rond, les bras flottant devant lui, les yeux ouverts, qui la regardaient fixement. Elle lui prit le poignet pour vérifier s'il était encore en vie. Elle remonta avaler de l'air, brassant l'eau, les bras grands ouverts. Elle claquait des dents, mais compta à voix haute.

« M-mille, fit-elle entre ses dents qui s'entrechoquaient. D-deux mille. » Elle continua de compter, en brassant l'eau frénétiquement. Elle se remémorait ses vieilles parties de Marco Polo, quand Tessa ou elle brassait l'eau, les yeux fermés, en comptant jusqu'au nombre requis avant de se lancer à la recherche de l'autre.

A cinquante mille, elle inspira à fond, puis replongea. Jeb était toujours là, la tête renversée en arrière.

Elle ferma les yeux, puis elle le hissa sous les bras. Une fois revenue à la surface, elle le crocheta par le cou, et, utilisant son autre bras pour nager, elle se dirigea vers le rivage.

Après ce qui lui parut des heures, mais qui en réalité ne dura au maximum qu'une minute, elle s'arrêta, nageant sur place pour reprendre son souffle. Le rivage lui semblait plus loin encore qu'avant. Elle avait l'impression que ses jambes étaient détachées de son corps, même si elle leur imposait, au prix d'un effort surhumain, de battre la masse liquide. Jeb constituait un poids mort, qui la tirait vers le fond. Sa tête était inclinée juste au-dessous de la surface, mais elle s'arrêta, toussa toute l'eau du lac, tâchant de reprendre ses esprits. Il faisait si froid, et elle avait envie de dormir. Elle cligna les yeux, veillant à ne pas les garder fermés trop longtemps. Une petite pause lui ferait du bien. Elle allait se reposer là où elle était, et ensuite elle le traînerait jusqu'au bord.

Elle pencha la tête en arrière, s'arrangea pour flotter sur le dos. Jeb rendit la chose impossible, et une fois encore elle repassa sous la surface. Elle allait devoir le laisser couler. Elle s'en rendait compte. Mais, elle ne pouvait s'y résoudre. Le poids de son corps avait beau l'attirer à nouveau vers le fond, elle ne pouvait pas le laisser échapper.

Une main l'empoigna, puis un bras la saisit autour de la taille. Elle était trop faible pour se défendre, son cerveau trop frigorifié pour discerner ce qui était en train de se produire. L'espace d'une fraction de seconde, elle crut que c'était Jeb, mais la force qui la tirait vers la surface était trop puissante. Elle relâcha

Jeb, ouvrit les yeux et regarda son corps qui s'enfonçait lentement dans le lac.

Sa tête creva la surface et sa bouche haletante s'ouvrit toute grande, en quête d'air. A chaque inspiration, ses poumons la faisaient souffrir, et son nez coulait. Elle fut prise d'une quinte de toux, de ces toux dévastatrices qui sont capables d'arrêter le cœur. De l'eau lui sortit de la bouche, puis de la bile, sous le coup de l'air frais qui l'étouffait. Elle sentit quelqu'un qui lui tapait dans le dos, en giflant l'eau autour d'elle. De nouveau, sa tête se renversa dans l'eau, mais on la lui releva en arrière en l'empoignant par les cheveux.

« Sara, fit Jeffrey, une main autour de sa mâchoire, l'autre lui maintenant le bras en l'air. Regarde-moi, commanda-t-il. Sara. »

Son corps devint tout mou, et elle eut conscience que Jeffrey la tirait vers la rive. Il avait passé le coude sous ses aisselles, il la tenait à bras-le-corps, tout en nageant maladroitement sur le dos.

Elle posa les mains sur le bras de Jeffrey, et sa tête contre son torse, et le laissa la ramener à la maison.

Vingt-neuf

Lena voulait Jeb. Elle voulait qu'il la soulage de la douleur.

Elle voulait qu'il la renvoie dans cet endroit où étaient Sibyl, et leur mère, et leur père. Elle voulait être avec sa famille. Le prix à payer lui était égal ; elle voulait être avec eux.

Du sang lui dégoulinait de l'arrière-gorge, un filet de sang régulier, qui de temps en temps la faisait tousser. Il avait raison au sujet de cette douleur lancinante dans la bouche, mais le Percodan la rendait supportable. Elle se fiait à Jeb, le saignement allait bientôt cesser. Elle savait que ce n'était pas encore terminé. Il n'allait pas la laisser mourir étouffée par son propre sang, pas après tout le mal qu'il s'était donné pour veiller sur elle. Elle savait qu'il lui réservait un autre traitement, plus spectaculaire.

Quand son esprit errait, elle s'imaginait qu'il la déposerait devant la maison de Nan Thomas. Pour une raison qu'elle ignorait, cela ne lui déplaisait pas. Hank verrait ce qu'on avait fait à Lena. Il saurait ce qu'on avait fait à Sibyl. Il verrait ce que Sibyl n'avait pu voir. Cela semblait approprié.

Un bruit familier monta du pied de l'escalier, des

bruits de pas sur le plancher. Ce bruit de pas était assourdi, quand il marchait sur le tapis. Lena supposa que cela venait du salon. Elle ne connaissait pas le plan de la maison, mais en écoutant différents bruits, en établissant le lien entre le claquement mat de ses souliers sur le sol quand il marchait dans la maison et le bruit plus sourd quand il retirait ses chaussures pour venir la voir, elle arrivait généralement à en déduire l'emplacement où il se trouvait.

Seulement cette fois il y avait apparemment un autre bruit de pas.

« Lena ? »

Elle pouvait à peine distinguer cette voix, mais d'instinct elle comprit que c'était celle de Jeffrey Tolliver. L'espace d'une seconde, elle se demanda simplement ce qu'il faisait là.

Sa bouche s'ouvrit, mais elle ne dit rien. Elle était en haut dans le grenier. Il ne songerait peut-être pas à monter voir là-haut. Il allait peut-être la laisser seule. Elle allait mourir ici et personne ne saurait jamais ce qu'on lui avait fait.

« Lena ? », appela une autre voix. C'était Sara Linton.

Sa bouche était restée ouverte, mais elle était incapable de parler.

Pendant un moment qui lui parut durer des heures, ils marchèrent en tous sens, là, en bas. Elle entendit de lourds raclements et des chocs de meubles que l'on déplaçait, de placards que l'on inspectait. Les timbres étouffés de leurs voix formaient à ses oreilles comme une harmonie décousue. Elle en sourit même, songeant qu'ils donnaient l'impression de taper sur des casseroles et des poêles en cadence. Jeb n'aurait quand même pas été la cacher dans la cuisine.

Cette idée lui parut drôle. Elle se mit à rire, une réaction incontrôlable qui lui secoua la poitrine, et la fit tousser. Elle ne tarda pas à rire si fort que des larmes lui vinrent aux yeux. Ensuite, elle sanglota, et sa poitrine se serra de douleur quand son cerveau fit défiler devant elle tout ce qui lui était arrivé depuis une semaine. Elle vit Sibyl sur la table d'opération de la morgue. Elle vit Hank pleurer la perte de sa nièce. Elle vit Nan Thomas, les yeux rougis, en pleine détresse. Elle vit Jeb sur elle, qui lui faisait l'amour.

Ses doigts se refermèrent sur les longs clous qui la maintenaient au sol, tout son corps se tétanisant à la pensée des agressions physiques qu'elle avait subies.

« Lena ? » appela Jeffrey, d'une voix plus forte que précédemment. « Lena ? »

Elle l'entendit se rapprocher, elle l'entendit frapper quelques coups rapides, puis il y eut un silence, et encore d'autres coups.

« C'est une fausse cloison », fit Sara.

D'autres coups suivirent, puis le bruit de leurs pas dans l'escalier du grenier. La porte s'ouvrit à la volée, la lumière taillant dans l'obscurité. Lena ferma les yeux très fort, elle sentait comme des aiguilles s'enfoncer dans ses orbites.

« Oh ! mon Dieu, balbutia Sara. Trouve des serviettes. Des draps. N'importe quoi. »

Lena entrouvrit les yeux, deux fentes à peine, lorsque Sara s'agenouilla devant elle. Son corps dégageait du froid, et elle était mouillée.

« Ça va aller, chuchota-t-elle, la main sur le front de Lena. Tu vas t'en sortir. »

Lena ouvrit les yeux davantage, laissant ses pupilles s'accommoder à la lumière. Elle regarda de nouveau vers la porte, elle cherchait Jeb.

« Il est mort, lui dit Sara. Il ne peut plus te faire de mal... » Elle s'interrompit, mais Lena savait ce qu'elle allait ajouter. Elle saisit le dernier mot de la phrase de Sara, mais dans sa tête, à défaut de l'entendre résonner dans ses oreilles. Il ne peut plus te faire de mal, avait-elle commencé à lui dire.

Lena se permit de lever les yeux vers Sara. Un éclair passa dans les yeux de cette dernière, et Lena sut qu'en un sens, elle comprenait. A présent, Jeb faisait partie de Lena. Il lui ferait du mal tous les jours, pour le reste de son existence.

Dimanche

Trente

Jeffrey rentrait en voiture de l'hôpital d'Augusta et se sentait comme un soldat revenant de la guerre. Physiquement, Lena allait guérir de ses blessures, mais il ignorait si elle surmonterait jamais les ravages émotionnels que Jeb McGuire avait provoqués en elle. Comme Julia Matthews, Lena ne parlait à personne, pas même à son oncle Hank. Jeffrey ne savait que faire pour elle, si ce n'est compter sur le temps.

Mary Ann Moon l'avait appelé exactement une heure et vingt minutes après leur conversation téléphonique. La patiente de Sara s'appelait Sally Lee McGuire. Moon avait pris le temps de taper le prénom en effectuant une recherche générale sur le personnel de l'hôpital. Avec un nom précis, il n'avait fallu que quelques secondes pour que sorte le nom de Jeremy « Jeb » Mc Guire. Il accomplissait son internat en pharmacie au troisième étage du Grady quand Sara y travaillait. Elle n'aurait eu aucune raison de le rencontrer, mais Jeb avait certainement pu s'arranger pour la croiser.

Jeffrey n'oublierait jamais l'expression du visage de Lena quand il avait abattu la porte du grenier de Jeb. Mentalement, chaque fois qu'il repensait à Lena étendue là, clouée au sol, il se remémorait les photos de Sara. La pièce avait été conçue pour tenir lieu de chambre noire. De la peinture noire mate recouvrait tout, y compris les panneaux de contreplaqués cloués sur les fenêtres. Des chaînes avaient été vissées au sol à travers de gros œillets de métal, et deux rangées de trous de clous à la tête et aux pieds des entraves indiquaient l'endroit où les victimes avaient été crucifiées.

Dans la voiture, Jeffrey se frotta les yeux, s'efforçant de ne pas penser à tout ce qu'il avait vu depuis le meurtre de Sibyl Adams.

Quand il franchit l'entrée de Grant County, il ne put que constater que tout serait différent, désormais. Il ne considérerait plus jamais les gens de la ville, les gens qui étaient ses amis et ses voisins, avec l'œil confiant qu'il avait encore dimanche dernier à la même heure. Il se sentait en état de choc, comme après un bombardement.

En s'engageant dans l'allée de Sara, il se rendit compte que sa maison, elle aussi, lui apparaissait différemment. C'était là que Sara avait combattu Jeb. C'était là que Jeb s'était noyé. Ils avaient ressorti son corps du lac, mais son souvenir ne disparaîtrait jamais.

Il resta assis dans sa voiture, regardant fixement la maison. Sara lui avait confié qu'elle avait besoin de temps, mais il se refusait à lui en accorder. Il avait besoin d'expliquer ce qui lui avait travaillé l'esprit. Il avait besoin de se rassurer, et de la rassurer elle aussi, qu'il soit bien clair qu'il n'était plus question pour lui de demeurer en dehors de sa vie.

La porte d'entrée était ouverte mais il frappa avant d'entrer. Il entendit la voix de Paul Simon chanter *Have a Good Time*. La maison était sens dessus dessous. Des cartons étaient alignés dans le couloir et des livres descendus de leurs rayonnages. Il trouva Sara dans la cuisine, armée d'une clef à molette. Vêtue d'un T-shirt blanc sans manches et d'un jogging gris souris, il estimait qu'elle n'avait jamais été aussi belle. Elle examinait le siphon quand il frappa contre l'encadrement de la porte.

Elle se retourna, nullement surprise de le voir.

« Me laisser un peu de temps, dans ta conception, c'est ça ? », lui lança-t-elle.

Il haussa les épaules, en fourrant les mains dans ses poches. Un sparadrap vert clair recouvrait la coupure sur son front et un bandage blanc autour de son bras masquait la peau, là où l'éclat de verre avait pénétré suffisamment profond pour justifier ces points de suture. Comment avait-elle réussi à survivre à ce qu'elle avait fait, pour lui, cela tenait du miracle. Sa force d'esprit le stupéfiait.

La chanson suivante s'éleva des haut-parleurs. *Fifty Ways to Leave Your Lover*. Jeffrey tenta de plaisanter avec elle, en lui lançant :

« C'est une chanson pour toi. »

Elle lui lâcha un regard perplexe avant de farfouiller en quête de la télécommande. Brusquement, la musique cessa, le silence qui remplaça la chanson emplit la maison. Ils semblèrent s'accorder tous deux quelques secondes, afin de s'adapter à ce changement.

« Qu'est-ce que tu fais ici ? », lui demanda-t-elle.

Jeffrey ouvrit la bouche, estimant devoir dire quelque chose de romantique, de renversant, qui la bouscule. Il avait envie de lui dire qu'elle était la plus belle femme qu'il ait jamais connue, qu'il n'avait jamais su ce que signifiait réellement être amoureux, avant de l'avoir rencontrée. Toutefois, aucune de ces paroles ne lui vint, et il lui délivra quelques informations à la place.

« J'ai retrouvé les minutes de ton procès, du procès de Wright, chez Jeb. »

Elle croisa les bras.

« Ah oui vraiment ?

— Il avait aussi des coupures de presse, des photos. Ce genre de trucs. » Il se tut, avant d'ajouter : « J'imagine que Jeb a emménagé par ici pour se rapprocher de toi.

— Tu crois ? », lui lâcha-t-elle d'un ton condescendant.

Il ignora l'avertissement implicite contenu dans le ton de sa voix.

« Il y a eu d'autres agressions vers Pike County », poursuivit-il. Il était incapable de s'arrêter, alors même qu'il percevait bien, d'après sa mine, qu'il aurait fichtrement mieux fait de la boucler, car elle ne voulait rien savoir de tout cela. Le problème, c'est qu'il était beaucoup plus facile pour Jeffrey de raconter à Sara les faits plutôt que de lui proposer quelque chose qui émanerait de lui.

Il continua.

« Le shérif de là-bas dispose de quatre affaires qu'il essaie de relier à Jeb. Il va falloir qu'on se procure des échantillons au labo pour qu'il puisse les confronter aux échantillons d'ADN qu'ils ont prélevés sur les lieux de ces crimes. En plus de ce dont on dispose à partir de Julia Matthews. » Il s'éclaircit la gorge. « Son corps est à la morgue.

— Je ne m'en occupe pas, riposta-t-elle.

— On peut faire intervenir quelqu'un d'Augusta.

— Non, rectifia Sara. Tu ne comprends pas. Je vais remettre ma démission, dès demain.

— Pourquoi ? Il ne trouva rien d'autre à dire.

— Parce que je ne peux plus exercer ce métier, souligna-t-elle, en désignant l'espace entre eux deux. Je ne peux pas continuer, Jeffrey. C'est pour ça que nous avons divorcé.

— Nous avons divorcé parce que j'ai commis une erreur idiote.

— Non, insista-t-elle, l'interrompant. Nous n'allons pas reprendre indéfiniment cette discussion. C'est pour ça que je démissionne. Je ne peux pas me replonger constamment là-dedans. Je ne peux pas te laisser traîner à la périphérie de ma vie. Il faut que j'en finisse.

— Je t'aime, dit-il, comme si cela faisait une quelconque différence. Je sais que je ne suis pas assez bien pour toi. Je sais que je suis incapable d'espérer même commencer à te comprendre, et je fais les choses de travers, et je dis ce qu'il ne faut pas, et j'aurais dû être là, avec toi, au lieu d'aller à Atlanta, quand tu m'as parlé de... après que j'ai lu le... ce qui s'est passé. Il hésita avant de poursuivre. Je sais tout ça. Et pourtant je ne peux pas m'arrêter de t'aimer. Elle ne répondit rien, alors il ajouta : Sara, je ne peux pas vivre sans toi. J'ai besoin de toi.

— Quelle est celle dont tu as besoin ? demanda-t-elle. Celle d'avant ou celle qui a été violée ?

— C'est une seule et même personne, objecta-t-il. J'ai besoin des deux. Je les aime toutes les deux. Il la regarda fixement, tâchant de trouver les mots justes. Je ne veux pas vivre sans toi.

— Tu n'as pas le choix.

— Si, je l'ai, répliqua-t-il. Je me moque de ce que

tu peux dire, Sara. Cela m'est égal si tu démissionnes ou si tu pars t'installer dans une autre ville ou si tu changes de nom, je te trouverai quand même.

— Comme Jeb ? »

Ses mots l'entamèrent profondément. De toutes les choses qu'elle aurait pu dire, c'était la plus cruelle. Elle eut l'air de s'en apercevoir, car elle s'en excusa aussitôt.

« Ce n'était pas très juste, reconnut-elle. Je suis désolée.

— C'est ce que tu penses ? Que je suis comme lui ?

— Non. Elle secoua la tête. Je sais que tu n'es pas comme lui. » Il regarda par terre, blessé par les mots qu'elle avait prononcés. Elle aurait pu crier qu'elle le haïssait, cela lui aurait causé moins de douleur.

« Jeff », reprit-elle, en avançant vers lui. Elle lui posa la main sur la joue, et il la lui prit, l'embrassa sur la paume.

« Je ne veux pas te perdre, Sara.

— Tu m'as déjà perdue.

— Non, protesta-t-il, n'acceptant pas cela. Je ne t'ai pas perdue. Je sais que je ne t'ai pas perdue car tu ne serais pas là, maintenant, devant moi. Tu serais déjà retournée là-bas, à l'autre bout de la pièce, et tu m'ordonnerais de m'en aller. »

Sara ne le contredit pas, mais elle s'écarta et retourna à l'évier.

« J'ai un travail à terminer, ronchonna-t-elle en attrapant la clef à molette.

— Tu déménages ?

— Je nettoie, nuança-t-elle. J'ai commencé hier soir. Je ne sais plus où sont les choses, je ne retrouve plus rien. J'ai dû dormir sur le canapé parce que j'ai un tel merdier sur mon lit. »

Il tenta d'alléger l'atmosphère.

« En tout cas, au moins, tu vas faire plaisir à ta mère. »

Elle lâcha un rire froid, en s'agenouillant devant l'évier. Elle recouvrit le siphon d'une serviette puis cala la clef dessus. En pesant avec l'épaule, elle poussa.

« Laisse-moi t'aider », proposa-t-il, en retirant sa veste. Avant qu'elle ait pu l'en empêcher, il s'était agenouillé à côté d'elle et poussait sur cette clef. Le tuyau était vieux, et le collier ne voulait pas bouger. Il renonça.

« Il va probablement falloir que tu le fasses sectionner.

— Non, pas du tout », dit-elle en le dégageant doucement du chemin. Elle arc-bouta les pieds sur le coffrage et poussa de toute sa force. La clef pivota lentement, et Sara avança avec.

Elle afficha un sourire victorieux.

« Tu vois ?

— Tu es incroyable », s'écria-t-il, et il le pensait. Il s'accroupit et la regarda démonter la tuyauterie. « Je peux faire quelque chose ?

— Toute une longue liste de choses ? », grommela-t-elle.

Il ignora cette réplique.

« C'était bouché ? s'enquit-il.

— J'ai laissé tomber quelque chose dedans », lui expliqua-t-elle, en allant à la pêche par le siphon avec le bout de son doigt. Elle en tira un objet et referma la paume dessus avant qu'il ait pu voir.

« Quoi ? », demanda-t-il, en tendant sa main vers la sienne.

Elle secoua la tête, gardant le poing serré.

Il sourit, plus curieux que jamais.

« Qu'est-ce que c'est ? », répéta-t-il.

Elle se redressa sur les genoux, en cachant ses deux mains dans son dos. Elle se concentra un instant, son front se rida, puis elle lui tendit les deux mains fermées.

« Choisis-en une », lui fit-elle.

Il rit, tapa sur la gauche.

Sara fit pivoter son poignet, ouvrit les doigts. Un petit anneau en or se trouvait au creux de sa main. La dernière fois qu'il avait vu cette alliance, Sara l'avait retirée de force de son annulaire afin de pouvoir la lui jeter à la face.

Jeffrey fut si surpris qu'il ne sut que dire.

« Tu m'avais raconté que tu l'avais jetée.

— Je suis meilleure menteuse que tu ne penses. »

Il lui lâcha un regard entendu, lui prit l'alliance. « Qu'est-ce que tu fais encore avec ?

— C'est comme une fausse pièce de monnaie, dit-elle. Elle n'arrête pas de resurgir. »

Il prit cela comme une invitation et lui posa sa question.

« Qu'est-ce que tu fais, demain soir ? »

Elle s'assit sur les talons et soupira.

« Je ne sais pas. Je vais probablement me rattraper dans mon travail.

— Et ensuite ?

— Je rentre à la maison, je pense. Pourquoi ? »

Il glissa l'anneau dans sa poche.

« Je pourrais t'apporter un dîner. »

Elle secoua la tête.

« Jeffrey...

— Du Tasty Pig », hasarda-t-il, sachant que c'était un des endroits préférés de Sara. Il prit ses mains dans les siennes, et lui détailla sa proposition. « Ragoût à la Brunswick, côtes de porc au barbecue, sandwichs de porc, gratin de haricots à la bière. »

Elle le dévisagea, sans répondre. Et puis elle parla enfin.

« Tu sais que ça ne va pas marcher.

— Qu'est-ce que nous avons à perdre ? »

Elle parut considérer sa proposition. Il attendait, s'efforçant de faire preuve de patience. Sara libéra ses mains des siennes, puis elle se releva en s'appuyant sur son épaule.

Jeffrey se leva, lui aussi, et la regarda trier l'un de ses nombreux tiroirs de bric-à-brac. Il ouvrit la bouche pour dire quelque chose, mais il savait qu'il n'avait rien à ajouter. S'il y avait une chose qu'il savait de Sara Linton, c'était bien que lorsqu'elle avait pris une décision, rien ne pouvait la faire revenir en arrière.

Il resta debout derrière elle, embrassa son épaule nue. Il devait exister une meilleure manière de se dire au revoir, mais il ne voyait pas laquelle. Il n'avait jamais été très fort avec les mots. Il était meilleur dans l'action. Enfin, presque toujours.

Il empruntait le couloir quand Sara lui lança :

« Apporte des couverts en argent... »

Il se retourna, certain de ne pas avoir bien entendu.

Elle avait toujours la tête baissée sur le fouillis qu'elle remuait dans le tiroir.

« Demain soir, précisa-t-elle. Je suis incapable de me souvenir où j'ai fichu les fourchettes. »

REMERCIEMENTS

Victoria Sanders, mon agent, a été mon point d'ancrage durant tout ce travail. Je ne sais comment j'aurais pu arriver au bout de tout cela sans elle. Mon éditeur, Meaghan Dowlin, m'a apporté une aide déterminante dans la définition du contenu de ce livre et je lui dois toute ma gratitude, du fond du cœur, pour m'avoir amenée à relever le défi. Le capitaine Jo Ann Cain, inspecteur chef des services de police de la ville de Forest Park, Géorgie, m'a aimablement fait part de ses aventures de guerre. La famille Mitchell Cary a répondu à toutes mes questions concernant la plomberie et m'a fourni quelques idées intéressantes. Michael A. Rolnick, docteur en médecine, et Carol Barbier Rolnick ont prêté un peu de crédibilité au personnage de Sara. Avant eux, Tamara Kennedy m'a apporté de merveilleux conseils. Toutes les erreurs commises dans ces domaines de compétence relèvent entièrement de ma responsabilité.

Mes consœurs en écriture Ellen Conford, Jane Haddam, Eileen Moushey et Katy Munger ont tous mes remerciements ; elles savent pourquoi. Steve Hogan a dû frayer quotidiennement avec mes névroses, et rien que pour cela, il mériterait qu'on lui décerne une médaille. Les lectures de Chris Cash, Cecile Dozier, Melanie Hammet, Judy Jordan et Leigh Vanderels ont été inestimables. Greg Pappas, saint patron de signage (signalétique), m'a grandement facilité les choses. B.A. m'a donné de bons conseils et offert un lieu où écrire au calme. S.S. a été mon roc contre vents et marées. Enfin, merci à D.A. — tu es encore plus moi-même que je ne le suis.

Table

Du même auteur

Au fil du rasoir, traduit de l'américain par Paul Thoreau, Grasset, 2004.